D0545858

Essai contre le défaitisme politique

IMAGINATION POLITIQUE ET INTELLIGENCE ÉCONOMIQUE

DANS LA MÊME COLLECTION

Fernand Couturier, *Monde et être chez Heidegger,* 1971

Henri Prat, *l'Espace multidimensionnel,* 1971

Olivier Reboul, *Kant et le problème du mal,* 1971

Fernand Roussel, *le Moniteur d'orientation rogérienne,* 1972

Robert Sévigny, *l'Expérience religieuse chez les jeunes,* 1971

Essai contre le défaitisme politique

IMAGINATION POLITIQUE ET INTELLIGENCE ÉCONOMIQUE

par

JOSEPH PESTIEAU

1973
LES PRESSES DE L'UNIVERSITÉ DE MONTRÉAL
C. P. 6128, Montréal 101, Canada

ISBN 0 8405 0208 7

DÉPÔT LÉGAL, 1er TRIMESTRE 1973
BIBLIOTHÈQUE NATIONALE DU QUÉBEC

À ma grand'mère Céline Paul

qui, à la fois, se soumit à l'inéluctable et saisit les moindres occasions pour renouer ses projets ; dans ces traverses, elle témoigne d'une même magnanimité, d'une espérance et d'un courage nourris l'un de l'autre.

Avant-propos

L'inhérence de l'homme à la nature s'est transformée au fur et à mesure que le travail des générations successives accumulait savoir-faire et investissement. Le pouvoir de l'homme sur le monde croissait avec le perfectionnement de ses outils. Le progrès technique et industriel a bouleversé les conditions qui lui étaient faites par son milieu naturel. Cependant la culture en devenant plus complexe se révélait une autre condition, plus intime mais pas nécessairement plus propice. La culture est œuvre de l'homme mais lui échappe. L'histoire l'entraîne sans qu'il puisse toujours la contrôler. Pourtant l'histoire et la culture sont plus qu'un lieu pour l'humanité : elles se confondent avec sa propre genèse.

Il sera ici question de l'inhérence du vouloir politique à la culture dont il émerge. Je parlerai plus particulièrement de la mentalité, des mœurs et des institutions contemporaines où l'économie a pris une importance déterminante. Je parlerai de l'homme en tant qu'il tâche de maîtriser son destin social, destin qui ne lui est pas une circonstance particulière mais son existence même en tant qu'elle est « co-existence » et « à-venir » selon des habitudes et des desseins collectifs.

Peut-être est-il abusif de parler de destin, car l'homme peut tâcher de prendre l'initiative du devenir social qui l'entraîne. Mais cette initiative, il la perd souvent, et pour plusieurs raisons. Ce qu'il advient des projets d'un seul ou de plusieurs qui se seraient concertés, dépend de beaucoup d'autres dont les réactions sont difficiles à prévoir. Les détours qu'il faut emprunter pour arriver à ses fins entraînent le plus avisé sur des chemins qui ont leurs propres exigences. L'histoire prend ainsi un cours nouveau et irréversible. Non seulement les circonstances mais aussi l'appréciation du possible et du désirable se transforment du tout au tout. L'homme reprend sans doute l'initiative de son devenir à plusieurs reprises mais, chaque fois, c'est dans de nouvelles conditions, étant lui-même affecté jusque dans ses idéaux, par ce qui lui est advenu.

Tour à tour, l'homme s'est cru le sujet souverain et tout-puissant de sa propre histoire, et le jouet des déterminismes naturels et sociaux. En tant qu'individu, il ne domine certainement pas sa condition, ni pratiquement, ni même théoriquement. Mais est-il le jouet qu'imaginent certaines de ses théories ? Il peut y consentir et le devenir. Il a cependant de l'esprit et du savoir-faire qui lui permettent peut-être de connaître sa condition, de ruser avec les passions et les événements plus forts que son vouloir, et de faire advenir dans l'histoire un sens désiré, une cité conforme à ses idéaux. Mais il faudrait d'abord qu'il veuille et invente les moyens de ses idéaux, plutôt que de rêver à ces derniers et de se consoler ainsi de ne pouvoir les réaliser.

Pour commencer, il faudrait accréditer une nouvelle éthique, davantage tournée vers l'adaptation aux possibles et la préparation à long terme des possibles. Analyser les occasions qui s'offrent, imaginer le parti qu'on pourrait en tirer, déceler sur-le-champ la stratégie générale qui y trouverait un ancrage, voilà ce qu'il faudrait valoriser comme attitude primordiale. Cet opportunisme, qui dans une certaine tradition morale est en défaveur, est la seule chance de la liberté et du sens de nos existences. Celles-ci et les politiques qu'elles poursuivent, gagneraient non seulement en efficacité mais aussi en cohérence et en intégrité, si elles réévaluaient leurs objectifs comme leurs moyens, au fur et à mesure où l'expérience les révèle sous un jour nouveau, où les événements offrent de nouvelles occasions.

Dans l'entreprise du vouloir, il n'y a peut-être que vaine agitation. Il se pourrait qu'un déterminisme inexorable poursuive son cours à travers les illusions de la liberté, utilisant même le génie des hommes pour accomplir un destin sur lequel nul n'aurait prise. Il y a en tout cas des théoriciens qui défendent une telle lecture de l'histoire. Se complaisent-ils à redire inutilement la vanité de l'esprit, ou emploient-ils le leur à définir la très étroite marge où la liberté peut encore manœuvrer ? Les faillites passées sont une leçon mais ne prouvent rien définitivement. Pour ma part, je veux garder l'espoir d'un avenir de la liberté. Je veux que non seulement la réflexion et l'action éthiques se perpétuent, mais inventent les moyens de l'efficacité et renouent avec une tradition qui en avait le goût. En dépit des désillusions du progrès de l'histoire, il faut retrouver une disposition à l'espérance, moins déterminée et plus fondamentale que les spéculations, aujourd'hui dérisoires, des Lumières. Sans cela, la liberté n'aura jamais l'audace de se choisir rusée, constante, soucieuse de son avenir, selon des plans à long terme. Et ce sont de tels plans qui relancent l'espérance. Bien sûr, la liberté n'est jamais un fait, ni même une valeur dont la réalisation serait définitivement et clairement établie comme possible. Elle est plutôt un risque à prendre, un risque dont il faut entretenir le goût.

La liberté s'affirme difficilement sans une tradition de l'espérance qui lui assigne fonction et objectif, qui la valorise par l'intermédiaire d'habitudes et de mythes. La liberté est peut-être geste absolu, celui-ci n'en est pas moins complexe. Il s'appuie sur une vision de l'avenir qui est déjà son œuvre, à la fois son cadre et son piège éventuel. Je m'explique. Il n'y a de liberté qu'en situation, déployant un projet défini selon une compréhension déterminée des circonstances, de ses objectifs et d'elle-même. Cependant elle est tentée d'en rester à une compréhension et à un projet qui lui offrent un réconfort nécessaire mais aussi une justification qu'elle n'aurait plus le goût de remettre en cause. Elle s'amortirait dès lors dans la complaisance. Quel prophétisme ne s'est pas abîmé dans les observances légalistes ? Quelle utopie motrice ne glisse pas vers l'idéologie justificatrice et consolatrice ?

Dans les pages qui suivent, j'analyserai plus particulièrement les vicissitudes des idéaux de raison, de prospérité socio-économique, de société juste. Ceux-ci furent tour à tour figures de l'espérance religieuse, du bien éthique et politique, de l'avenir historique, de l'idéologie mensongère des nantis. Ces figures diverses témoignent différemment d'une même tradition, la nôtre, et de son espérance fondamentale. C'est à travers elles, au-delà de leurs particularités et de leurs échecs, que nous pourrions retrouver le goût d'exploiter les occasions de l'histoire pour y faire advenir un sens.

Dans un premier chapitre, je parlerai de l'inhérence de différentes attitudes éthiques et politiques à la tradition culturelle, aux hasards, aux inerties et aux violences de l'histoire. Je tâcherai de rendre compte de certaines attitudes contemporaines, conséquences d'une culture lourde de souvenirs et d'habitudes, conséquences d'une évolution économique en contradiction avec les espoirs que l'on avait nourris. J'étudierai la signification pratique de ces théories particulières que furent les philosophies de l'histoire : en dessinant avec assurance un avenir plein de sens, elles donnaient audace et confiance au vouloir politique, elles favorisaient une action continue et cumulative. Mais en promettant trop, elles préparaient bien des désenchantements.

Dans les chapitres suivants, je m'attacherai à l'inhérence de la politique vis-à-vis de l'économique. Celle-ci ne serait-elle qu'un moyen ? C'est ce que certaines théories ont prétendu. Mais en pratique, ce moyen manifeste un dynamisme propre. L'instance politique ne peut que composer avec ce dynamisme (chap. II). Cette instance a pour fonction de contrôler les rapports sociaux mais les moyens de l'homme d'État sont limités et l'entraînent parfois à l'opposé de ses objectifs initiaux (chap. III). Il arrive même que l'économique mobilise à son seul profit la volonté politique et éthique qui se devait de la discipliner et de la soumettre à ses plans (chap. IV). Notre culture livrée à la logique économique, doit reconnaître son unilatéralité. Ceux que le développement délaisse protestent contre l'injustice qui leur est faite et démasquent l'absurdité de ce développement, absurdité que les nantis ne ressentent guère. Alors même qu'elle se constitue en système quasi autonome, l'économique affecte les mœurs, détermine classes et nations, provoque ses propres transformations (chap. V et VI). Celles-ci ne suivent pas les schémas prévus dans le cadre des philosophies de l'histoire du XIXe siècle, mais le vouloir éthique, s'il réussit à habiter l'intelligence politique, pourra en tirer parti (postface).

Chacun de ces chapitres aurait pu constituer une étude indépendante. Si je les ai ramassés dans un même livre, c'est afin d'*éclairer selon des perspectives différentes, un même problème, celui de l'inhérence de l'homme à une histoire faite par lui-même mais où il s'aliène.* L'homme n'est-il pas responsable de la perte du sens des aventures dans le feu desquelles il s'active et se complaît, plutôt que d'en assumer la direction, puis les conséquences ? *Il n'arrive guère à maîtriser son histoire, mais dans les circonstances où celle-ci le jette, il trouvera peut-être l'occasion, difficilement prévisible, de structurer de nouveaux projets.*

Je ne me suis pas centré sur la défense d'une thèse ; je me suis plutôt essayé à rassembler des questions éparses en une problématique. Par exemple, là où habituellement les philosophes distinguent ce qui relève du savoir et de la culture, et ce qui relève de la pratique économique, j'ai pris la liberté de poursuivre *une même réflexion sur les possibilités du sens et la menace du non-sens,* possibilités et menace présentes dans les circonstances les plus diverses. Cette réflexion a essayé plusieurs chemins. Ils ne m'ont pas mené à une conclusion mais à une disposition dont je parle dans une postface, à un optimisme trop mesuré pour être heureux, trop fragile et trop nécessaire pour ne pas être entretenu avec prudence. J'ai voulu redécouvrir la situation où il nous faut exister, sans la dominer. Aucun avenir n'est vraiment irrémédiable, aucun projet n'est jamais tout à fait assuré du succès, mais les voies où l'homme peut s'engager ne sont pas toutes équivalentes. Il en est qui rendent la liberté moins improbable et d'autres qui habituent l'homme à désespérer de lui-même.

J'ai voulu écrire un essai de philosophie sociale dans une perspective politique. Mon but était de réfléchir aux possibilités d'une pratique dans un univers dont l'organisation extrême cache mal la déraison [1]. C'est une entreprise difficile qui ne sait pas toujours mesurer le parti qu'elle prend et qui ne peut

1. Que cet essai ait été écrit en Amérique du Nord n'est pas indifférent. L'horizon auquel il se réfère est dominé par les grandes entreprises plurinationales et l'universalisation d'une classe moyenne de salariés. Ceux-ci sont inféodés à ces entreprises, épousent le point de vue de la gestion économique et très sporadiquement le point de vue d'un moralisme romantique et inopérant.

jamais le justifier en raison, si ce n'est par l'espoir de faire advenir plus de raison.

*

* *

Après avoir averti le lecteur de mes intentions, il conviendrait que je retrace un argument qui, au long des différents chapitres, cherchait une unité et des raisons dans les événements multiples et ambigus de notre devenir. Ce n'est qu'au terme de ces chapitres qu'il est possible d'en justifier la disparité et de la mettre à profit.

La politique m'apparaît être essentiellement une entreprise de la liberté pour se donner un champ d'action, se préparer un avenir et un environnement favorables. La liberté n'en est pas moins inhérente à la situation qu'elle tente de façonner. Cette situation n'est pas qu'un ensemble de circonstances qui constitueraient le lieu et la matière de la liberté. Elle est aussi sa tradition : l'inspiration de son audace et les limites de sa perspective. Elle est à la fois l'histoire que la décision politique continue sans trop le savoir et l'objet qu'elle manipule.

L'inhérence de la politique à sa situation est multiple ; je l'ai abordée en général et en particulier. J'ai parlé de l'inhérence des valeurs aux cultures où elles sont pratiquées et de l'inhérence des politiques contemporaines à une situation culturelle où prédomine l'élément économique.

a) *Inhérence des valeurs aux cultures*

La réflexion morale se trouve toujours aux prises avec des idéologies et des entreprises déjà constituées. Elle est sans cesse menacée de se pervertir en épousant leur routine. L'existence peut persévérer dans la critique des mœurs mais elle se révèle à elle-même comme toujours déjà là, aux prises avec une histoire dont elle n'a pas décidé, engagée dans des circonstances et des débats qui l'accaparent. L'existence ne peut que tâcher de se récupérer et de se réorienter à partir de cette situation initiale. Cette œuvre de réappropriation n'est d'ailleurs assurée d'aucun succès définitif ni même assurée de ses fondements. Elle est un choix de la liberté en faveur du sens, un choix de la liberté qui parie qu'elle n'est pas une illusion même si elle n'est encore qu'un vœu.

J'ai tâché de situer différentes valeurs et différents comportements dans leurs milieux respectifs. D'une part, je voulais élucider des mœurs familières par le biais de leur propre histoire et par le biais de la comparaison des cultures. D'autre part, je voulais établir la dépendance des mœurs vis-à-vis de l'histoire des peuples, des circonstances et des moyens dont ils disposent. Il y a en tout cas une relation réciproque entre les possibilités pratiques d'une nation, d'un groupe ou d'un homme, et ses ambitions.

Il n'y aura de sens dans l'histoire que si les hommes osent le vouloir et peuvent le réaliser en s'aidant des occasions qui surviennent. Or la liberté, c'est-à-dire les ambitions, l'audace, l'intelligence et le savoir-faire des hommes, d'un seul et même mouvement, se détermine, advient à elle-même et s'aliène dans l'œuvre collective et historique où les hommes se rencontrent. Cette œuvre correspond à des initiatives plus ou moins réfléchies mais échappe rapidement à ses auteurs pour n'être bientôt plus que le résultat anonyme de l'agrégation des initiatives de plusieurs et des inerties de la plupart. Cette œuvre humaine prend dès lors un cours qui apparaît aux moins politiques, imprévisible et irréversible.

Rares sont ceux qui comprennent d'emblée et avec précision la signification des mouvements macro-sociaux, peuvent opérer dans cet élément, s'y ménagent des occasions et ne se laissent pas distraire de leur résolution, ni par l'absence de sympathie, ni par les mouvements d'humeur de la foule. La grande politique ose ce qui semblait impossible à première vue, parce qu'elle a su déceler dans les circonstances et les dispositions des hommes, la possibilité de poursuivre avec succès ses objectifs. Mais le sujet d'une telle politique ne tombe pas du ciel ; il est favorisé par un milieu qui dispose à l'audace ; il dépend des événements qui lui offrent l'occasion d'une initiative.

La maîtrise technique de l'univers et l'acquisition de multiples instruments administratifs ne rendent pas nécessairement l'histoire raisonnable. La complexité des moyens mis en œuvre et l'interdépendance sociale qui va de pair avec cette complexité, peuvent fort bien submerger les intentions des hommes. C'est un thème sur lequel j'ai insisté en analysant les difficultés d'un contrôle politique de l'univers économique. En effet, celui-ci semble évoluer indépendamment des intentions éthico-politiques, ou plutôt il semble se les annexer et les conditionner plutôt que de se laisser conditionner par elles.

b) *Inhérence de la politique à l'économique*

Une politique a souvent des conséquences imprévues. Ce qu'elle voulait se perd dans le chassé-croisé des initiatives rivales. Un accident de parcours, apparemment insignifiant, se répercute de façon inattendue dans l'espace social. D'autre part, la ramification des plans mis en œuvre accapare ou distrait les vouloirs. Ils s'étaient résolus à suivre une ligne politique bien arrêtée mais se laissent dérouter par l'usage de procédés prestigieux. La résolution morale se dissipe dans l'univers des moyens dont la maîtrise comble apparemment l'homme d'action.

Dans l'activité économique, on voit comment les projets peuvent s'en tenir à la perspective des coûts et profits, comment tout un système institutionnel entretient et relaie cette perspective, et constitue un univers si complexe qu'il semble ne requérir aucune justification autre que son heureux fonctionnement, comment des intérêts particuliers mais puissants trouvent leur avantage à maintenir en place cette perspective et cet univers, à faire en sorte qu'un grand nombre y consente et s'y intègre.

L'analyse économique est un instrument indispensable à l'action politique, mais son prestige est tel que le projet politique risque fort d'en rester à ce qu'elle met en forme. D'autre part, l'aventure économique a déjà créé des institutions et des mentalités à sa mesure. Elle a déjà enrôlé les hommes, mobilisé les ressources de la nature et de la culture, et déterminé une interdépendance planétaire où semblent s'amortir les initiatives politiques qui ne vont pas de pair avec elle.

Il n'y a plus de communs projets que ceux qui se justifient au regard d'un idéal d'efficacité et de plein emploi des ressources. Aujourd'hui, la perspective économique constitue l'accès théorique et pratique au sens [2]. Cette perspective oblitère donc d'autres possibilités du sens. Elle voile ce qu'elle ne dévoile pas. Pour en démasquer la relativité, il faut commencer par la nommer. Elle correspondit à l'éthique utilitariste de quelques-uns mais elle réussit à donner lieu à une culture déterminée et déterminante pour tous. Le goût de l'efficacité, l'exercice de la raison et de son pouvoir sur les choses et les gens y trouvaient un champ ; l'intelligence s'y complaisait assez pour ne pas s'interroger sur les utilités dernières des biens et services dans l'emploi desquels elle s'absorbait talentueusement.

Telle est la situation où nous nous retrouvons. C'est à partir d'elle, plus exactement c'est dans la distance que je veux établir entre elle et moi au cours de la réflexion, qu'un projet neuf devient possible, un projet qui utilise la situation et n'en est pas le jouet. Le matérialisme dialectique dit l'inéluctable de l'histoire et les raisons d'en espérer une issue heureuse ; mais nous ne pouvons pas compter absolument sur le prolétariat des pays industrialisés. La situation semble plus inéluctable encore à défaut d'une foi messianique en une classe révolutionnaire. Pour la liberté et l'intelligence, il n'y a d'autre voie que l'ironie qui cherche la faille, accuse la vanité, prend ses distances pour mieux ruser avec le destin. Mais par elle-même, cette ironie ne peut rien changer, ni au monde, ni à la vision qui le détermine, ni à la satisfaction de ceux qui entretiennent ce monde et cette vision. Seuls le besoin et la passion de ceux qui souffrent du cours de l'histoire peuvent le changer. Il faut espérer que l'intelligence s'alliera à ce besoin et à cette passion pour que leurs innovations ne sombrent pas à nouveau dans le non-sens. L'intelligence et le courage politique sont rares, mais ils sont à l'origine du seul sens qui puisse s'inscrire dans l'histoire, de la seule espérance qui puisse les justifier.

*

* *

2. J'emploie ici le mot sens comme synonyme d'apérité des choses, lumière dans laquelle le monde se révèle perméable à nos projets. Je me réfère à la conception heideggérienne.

Qu'il me soit permis de dire ici ma gratitude envers mes maîtres de l'Institut supérieur de philosophie de l'Université de Louvain. Je remercie particulièrement Monsieur le professeur Jean Ladrière dont l'enseignement m'est un héritage précieux et qui fut le promoteur de la dissertation doctorale de laquelle ce livre est tiré. Je remercie spécialement Francisco Bucio qui voulut bien relire ces pages et m'aider de ses conseils.

J. P.

Montréal, février 1972

I

Différentes attitudes culturelles vis-à-vis du projet

Mircea Eliade a insisté sur le désir de l'homme religieux et primitif de s'établir auprès des dieux, d'habiter le monde à partir de son centre, là où la création, ou la signification, avait commencé, de revivre périodiquement le moment neuf, pur et plein de virtualités, où l'histoire commençait absolument. Ce désir correspond à une volonté de ne pas être jeté dans l'indifférencié et de s'ancrer dans le réel en un point privilégié, où l'existence peut mettre toutes les chances de son côté [1].

L'homme moderne croit définir lui-même sa conception du monde et ses devoirs. Mais il ne sait guère ce qu'il doit à sa mémoire religieuse et mythique au moment où il dessine ses projets et choisit de les assumer selon un certain style. Pour lui, la conscience individuelle est une instance suprême pour juger des valeurs. Pour d'autres mentalités, l'existence trouvait un sens tout fait et garanti, en participant à une espérance collective. Mais la conscience, même celle du moderne, n'est jamais insulaire, ni sans motif, ni sans destin. L'intersubjectivité est son élément. Les autres sont toujours plus ou moins proches et révèlent à la conscience la plus farouchement solitaire, des raisons de s'émouvoir. Elle n'est appelée que par

1. Cf. chap. 1 et 2 dans *le Sacré et le profane,* Paris, Gallimard, « Idées », 1965.

les motifs qu'elle consent à entendre et dont elle nourrit l'appel, mais ces motifs n'en sont pas moins antérieurs à sa reconnaissance. Enfin, la conscience n'est pas sans nécessités. Il est des besoins qui forcent l'existence à suivre un certain cours.

Il est des besoins qui concernent une collectivité. Il en est qui mènent les consciences vers des valeurs dont elles n'auraient pas eu l'audace, livrées à elles-mêmes. Les opprimés peuvent, par leur révolte devenue nécessaire, déterminer l'histoire de tous et lui conférer un cours propice à l'initiative éthique. Il se pourrait bien que rien ne vaille plus que la justice qu'ils réclament.

La conscience éthique est liée à l'histoire qui l'entraîne. Celle-ci suscite des causes imprévues à celle-là. La conscience ne peut éluder la question de la contingence et de l'opacité de ses motifs. Elle ne peut savoir toutes les sollicitations qui agissent sur elle. D'ailleurs, si elle les savait, elle ne pourrait justifier, à la satisfaction de tous, l'évaluation qu'elle en ferait. Il lui appartient cependant de se déterminer dans un geste irréversible.

Toute conscience est en situation, y est aliénée [2] et, en même temps, y trouve l'insertion nécessaire à l'action. La situation ne conditionne pas seulement l'œuvre à faire, c'est-à-dire ce qui est possible et ce qu'on ose envisager comme devoir ; la situation affecte aussi la manière de concevoir le devoir et d'en espérer la réalisation. Il y a plusieurs manières d'envisager et de projeter son avenir. Je ne parlerai pas ici du contenu des valeurs, mais plutôt de la structure temporelle du projet et de l'espérance. J'envisagerai non la matière mais la forme de l'idéal. Ainsi je distinguerai celui dont on attend collectivement l'avènement et celui que l'on réalise progressivement, l'idéal régulateur que le sujet définit dans l'insularité de sa conscience mais qu'il sait ne pouvoir réaliser pleinement et celui que l'on définit et réalise avec la complicité des déterminismes historiques et sociaux.

2. Aliénée au sens où la conscience n'est jamais pure transcendance mais définie intrinsèquement par la situation où elle se trouve. C'est dire que cette situation est plus qu'un objet pour la conscience.

C'est dans cette optique que je voudrais passer en revue différents types de société : 1) les sociétés traditionnelles stables 2) et en crise, 3) la société millénariste, cas particulier des sociétés traditionnelles en crise, 4) la société libérale 5) et conservatrice, 6) la société marxiste [3].

1. SOCIÉTÉS TRADITIONNELLES STABLES

D'un point de vue économique, la société traditionnelle est caractérisée par une distribution stable des tâches, par une mobilité quasi nulle de la main-d'œuvre des hommes libres et par une faible variation des autres facteurs de production. L'autarcie culturelle qui sauvegarde les traditions exige un certain degré d'autarcie économique. Cela ne signifie pas que la tradition ne se conserve que dans de petites communautés de paysans et d'artisans où le commerce serait réduit. Parfois, la société traditionnelle subsiste, malgré le développement d'une civilisation urbaine et commerçante. Mais il faut alors un sentiment de supériorité culturelle ou une réglementation sévère pour prévenir la corruption et la transformation des mœurs par des influences extérieures. Ainsi le commerce avec une autre nation peut être interdit (ce fut par exemple le cas de la Corée et du Japon au XIXe siècle) ou bien le statut des étrangers peut être très défavorable à leur insertion dans la culture (métèques en Grèce classique).

Dans une telle société, l'autorité appartient d'abord à la coutume qui n'est pas nécessairement objectivée sous forme de lois écrites ou de prescriptions précises. Elle est sanctionnée par les relations interpersonnelles et affectives. L'intrusion de tous dans la vie de chacun est la règle. Les relations sociales ne sont jamais exclusivement fonctionnelles, mais s'adressent à toute la personne. La société dessine le cadre des comportements et des croyances de ses membres.

La complexité, la spécialisation et les échanges de l'économie sont sans doute la voie qui a mené les cultures à se mettre en doute les unes les autres. Les individus ont pu

3. Ce chapitre doit beaucoup au livre de Karl Mannheim, *Idéologie et utopie,* Paris, Librairie Marcel Rivière, 1956.

gagner une certaine liberté de mœurs et d'opinion dans leur milieu respectif dans la mesure où ils étaient en contact, grâce à une économie diversifiée, avec beaucoup de monde et pouvaient choisir de se retrancher derrière des contacts exclusivement professionnels.

Dans une société traditionnelle, les mœurs n'évoluent pas rapidement. Il y a opposition nette entre ce qui est coutumier et ce qui ne l'est pas. D'autre part, la répétition d'un modèle de comportement habituel et collectif l'emporte sur la quête d'une destinée individuelle. Celle-là suffit à offrir une sécurité morale que celle-ci n'a d'ailleurs jamais pu garantir. Mais il faut être en garde, quand on parle de la société traditionnelle, contre quelques erreurs d'interprétations.

D'abord, ce type de société est presque partout en voie de disparition. Ensuite, la prétendue stabilité de la société traditionnelle est relative au progrès que nous connaissons. Le messianisme dont elle est capable à l'occasion, prouve une grande capacité d'innovation. Enfin, ce type de société nous apparaît comme un âge d'or, dans la mesure où il sert de repoussoir à notre déréliction morale. Voici quelques raisons plus précises qui expliquent que nous envisagions comme un idéal, plutôt que comme un fait, la société traditionnelle. Nous sommes sans repère normatif, sans tradition inspiratrice qui aille de soi, alors que la société traditionnelle semble se caractériser par une conception du monde fortement intégrée, qui ne pose même pas la question de sa justification.

D'autre part, nous sommes isolés de nos semblables par des relations exclusivement fonctionnelles. Pourtant, dans la mesure où nous ne parvenons pas à nous identifier à un idéal clair et net qui suffise à nous justifier, nous recherchons la sécurité du groupe, la mutuelle sympathie et la conformité aux autres. C'est peut-être pourquoi la spontanéité et la fraternité que l'on attribue, à tort ou à raison, aux « bons sauvages », sont enviées par les solitaires de la foule.

Enfin, les exigences professionnelles, de plus en plus grandes et de moins en moins prévisibles, de la société économique d'une part, et de l'indétermination morale d'autre part, alimentent la nostalgie d'un rôle défini et traditionnel.

2. *SOCIÉTÉS TRADITIONNELLES EN CRISE*

La plupart des sociétés traditionnelles que nous connaissons, sont victimes de la rencontre avec notre civilisation impérialiste, technicienne, organisatrice et insatiable de ressources. La crise des civilisations traditionnelles fut voulue comme telle, par notre humanisme universaliste et les besoins d'une économie coloniale ou néo-coloniale. Au nom d'une raison universelle, on imposa les mœurs particulières qui convenaient aux plus forts. Les missions des Églises chrétiennes participèrent à la déculturation. La propriété du sol fut redéfinie en fonction de préjugés individualistes, somme toute assez récents. Le salariat devint le moyen courant de gagner sa vie et cela provoqua une urbanisation qui se concrétise dans le bidonville.

Bien sûr, il y a des crises culturelles, indépendamment du heurt colonial et industriel. Mais en fait de crise culturelle, nous connaissons surtout la (sous-)prolétarisation des paysans et des hommes de couleur. C'est de cela que je parlerai sous ce titre. Quand j'aborderai le phénomène millénariste, je tâcherai de montrer qu'il ne se limite pas seulement à une réaction contre le colonialisme et l'industrialisation, mais qu'il correspond à une notion de crise culturelle beaucoup plus générale.

Les sociétés rurales, les minorités des ghettos et la population insuffisamment scolarisée en général, sont en voie de (sous-)prolétarisation. Leurs membres ne sont pas préparés aux exigences, notamment professionnelles, de la civilisation industrielle contemporaine. D'autre part, l'évolution du commerce international ruine les économies du Tiers Monde, qui ne peuvent rivaliser avec les unités de production des métropoles industrialisées ni se payer leurs produits. L'instabilité et la baisse relative des prix des matières premières nuisent surtout au pays d'économie primaire, même si la bourgeoisie de ces pays tire son épingle du jeu. Telles sont quelques conséquences du progrès économique et de la rencontre des cultures.

Les masses de mœurs traditionnelles comme les masses pauvres en milieu industriel n'ont guère de moyens d'expression et de revendication politiques. Les structures politiques actuelles ne leur conviennent pas. Elles ont été conçues pour certaines classes, ailleurs (du XIIe au XIXe siècle anglais, dans bien des cas), et ne correspondent ni à la mentalité, ni aux moyens de tous. La création de partis uniques dans tant de pays récemment décolonisés ne correspondrait-elle pas au refus du jeu parlementaire, moins parce qu'on le juge corrompu par les intérêts des monopoles ou plus simplement limité aux intrigues d'une petite portion de la nation, que parce qu'il est d'emblée perçu comme inadapté à la culture, incapable de véhiculer les vœux les plus profonds de la collectivité et d'y répondre par des mesures efficaces ?

Je citerai ici trois cas où la politique ne peut être que superstructurale et inapte. Les républiques de bananes d'abord. Elles constituent autant de corollaires de l'impérialisme néo-capitaliste. Elles sont aux mains de monopoles étrangers qui ne rencontrent guère de résistance permanente de la part des pouvoirs publics. Les entreprises, minières ou agricoles, de ces monopoles, emploient une main-d'œuvre peu qualifiée et ne favorisent donc pas l'éclosion d'une bourgeoisie indigène, évoluée et technicienne, capable d'une volonté nationale, s'exprimant en un langage et en des gestes capables de faire entendre raison au pouvoir économique étranger, ou capable d'obliger ce pouvoir à recourir à une violence manifestement illégitime selon ses propres critères. On pourrait encore imaginer que le Guatemala nationalise l'industrie bananière, mais il ne pourrait jamais trouver seul les capitaux et les débouchés nécessaires à l'exploitation de ses ressources en nickel. Il ne pourrait briser sa dépendance vis-à-vis du monde industrialisé, seul capable d'utiliser et de traiter ce métal, sans renoncer à sa richesse en nickel. L'indépendance politique du Guatemala ne peut être qu'illusoire quand le budget de l'État est inférieur au budget local de la firme minière internationale qui exploite son sous-sol.

La détermination des frontières de certains États anciennement colonisés constitue aussi une absurdité. Elle n'a répondu que rarement à une volonté nationale. Ces frontières dépendent d'un compromis entre puissances coloniales rivales, regroupent à l'occasion des tribus antagonistes et divisent des tribus homogènes. L'État colonial a parfois tablé sur les antagonismes régionaux ou tribaux et a pu les accroître. Il n'a rien fait pour les amoindrir dans la mesure où il ne favorisait rien qui pût susciter des nations fortes, menace pour sa paix, paix impériale d'abord, paix économique ensuite.

Enfin, les constitutions politiques des anciennes colonies découlent des habitudes de l'administration coloniale et n'empêchent pas la domination d'une tribu sur une autre. Elles correspondent rarement au « génie du peuple » même si elles font l'affaire d'une classe nouvellement promue.

*

* *

Les réactions à la déculturation, conséquence de la colonisation (occupation politique étrangère) ou de la néo-colonisation (domination économique avouée, domination politique inavouée), sont ambivalentes. J'en distingue deux, assimilation et traditionalisme, qui, quoique en conflit, peuvent coexister chez un même individu.

D'abord, une réaction d'acceptation, de fascination et d'assimilation. C'est l'histoire du roi nègre qui portait faux col et chapeau melon, mais oubliait chemise et pantalon ; c'est l'histoire, vraie cette fois, de la bourgeoisie «évoluée » qui boit du wisky et brigue les honneurs politiques mais ne fonde aucune entreprise et administre fort mal. C'est aussi, à côté de cette copie de comportements prestigieux, l'assimilation de certains indigènes dans les appareils ecclésiastiques, industriels et administratifs, coloniaux ou néo-coloniaux. Ils collaborent avec le pouvoir étranger. Ils peuvent même accéder à des fonctions très honorées. Le néo-colonialisme a besoin d'une élite locale qui cautionne ses entreprises et s'y intègre au titre de lieutenant. Il a donc besoin d'éduquer quelques-uns de ses sujets.

Certains sont si bien assimilés, qu'ils sont capables de fonder des appareils rivaux. Ils deviennent chefs d'Église ou de parti politique ; parfois aussi, ils fondent des entreprises capitalistes. Ils peuvent, à l'occasion, tabler sur un refus de la civilisation colonisatrice pour attirer une clientèle et, en même temps, tirer parti de certaines de ses techniques ou de ses apparences prestigieuses. Ils sont des agents d'une certaine assimilation qui peut éventuellement aboutir à la création d'une nouvelle culture indigène, indépendante et capable de défendre son indépendance. Que l'on songe aux organisations religieuses ou nationalistes indigènes. Dans ce cas, il ne faut pas seulement assimiler et copier, il faut inventer une société qui soit viable et qui, en même temps, soit originale. Il faut inventer une tradition qui ait un avenir, qui prend la relève de celle qui meurt faute d'avenir, et la continue pour rejoindre l'âme du peuple désemparé qui en vivait. Il s'agit donc de résister à la déculturation.

À ce stade, la réaction d'assimilation s'allie à une réaction traditionaliste. C'est celle-ci que je veux envisager plus longuement. Il s'agit d'un effort de réorganisation sociale qui passe par la restauration de la coutume menacée ; mais la gravité de la menace de déculturation entraîne souvent un fidéisme farouche. La tradition se ferme à toute adaptation, l'autorité de la coutume devient incontestable, un chef à la fois temporel et spirituel risque d'apparaître comme un sauveur, l'étranger apparaît comme le mal et le coutumier comme le bien. Bref, la tradition devient voie de salut ; elle devient plus autoritaire et plus rigide qu'elle ne fut jamais.

Cependant une telle réaction est vouée à l'échec, si elle ne s'adapte pas aux circonstances économico-sociales et ne se tourne pas davantage vers l'invention d'un avenir original, utilisant à l'occasion des moyens de la culture menaçante. Le traditionalisme peut être en fait, une superstructure imposée par une élite conservatrice (chefs tribaux, clergé ou bourgeoisie locale) qui sauvegarde ainsi ses habitudes et ses intérêts. La masse, qui n'a pas le vocabulaire voulu pour forger une idéologie rivale, peut cependant s'adapter tant bien que mal, en silence, à l'évolution des mœurs, à l'industrialisation et à l'urbanisation. Une attitude de conservatisme intransigeant vis-à-vis de l'évolution, n'a des chances de perdurer qu'à l'intérieur d'une secte très structurée qui puise dans l'exclusivisme et l'ésotérisme, la ferveur nécessaire au refus du temps présent.

L'histoire du Canada français, depuis un siècle, est le théâtre d'une opposition entre un nationalisme verbeux, catholique et conservateur, et les intérêts nationaux d'un peuple muet. Ce n'est que depuis les succès syndicaux et, plus généralement, depuis l'ouverture politique de 1960, que le peuple a trouvé les moyens d'exprimer une idéologie qui lui convient davantage [4]. Une élite culturelle, avec plus ou moins de mauvaise foi, imaginait des temps anciens idéaux, tâchait de les restaurer, occupait l'avant-scène, tandis que le peuple s'acculturait, inventait même quelques mécanismes modernes de défense, tels que des organisations ouvrières. La tradition se mourait ; quelques-uns jouaient à y croire et puis se scandalisaient de constater que les masses ne se prêtaient plus à leur jeu. Depuis, le nationalisme et les intérêts populaires essaient de s'allier et y réussissent. Mais cette alliance demeure problématique du fait de l'origine de l'idéologie nationaliste, de son enracinement social et de sa mauvaise réputation auprès des socialistes canadiens. Une analyse marxiste tend à montrer qu'il n'y a là rien de fortuit, le nationalisme étant l'idéologie de la bourgeoisie locale menacée par le capital international.

La distinction entre assimilation et tradition n'est pas nette. J'ai parlé de ceux qui, s'adaptant aux circonstances, assimilant à l'occasion les techniques des étrangers puissants, pouvaient rivaliser avec ceux-ci et sauver la tradition indigène. Mais en cours de route, il a fallu qu'elle se transforme et peut-être même qu'elle disparaisse au profit de modèles plus efficaces et peut-être tout aussi originaux. Pour une société, ce qui importe, ce n'est pas de sauver les mœurs anciennes, mais de ne pas perdre le contrôle de son destin collectif ; c'est de ne pas être le jouet de puissances étrangères mais d'être le sujet d'une culture autonome.

Parfois, le retour aux traditions est impossible, parce qu'elles sont déjà mortes ou incapables de répondre aux circonstances que sont l'industrialisation, l'urbanisation, la lutte des classes. Parfois le retour aux traditions est le seul recours contre le dépaysement dans des circonstances neuves. Celles-ci peuvent être déjà corrosives, mais trop parcellaires encore pour

4. Cf. *la Grève de l'amiante,* Montréal, Éditions Cité libre, 1956, ouvrage édité sous la direction de P. E. Trudeau, surtout l'article introductif et historique, rédigé par ce dernier, et qui expose un cas de « messianisme » imaginé par l'élite et en désaccord avec les besoins et les pratiques de la masse. Il faut cependant remarquer que sans cette espèce de messianisme qui correspondait à une idéologie favorable aux élites économiques, politiques et religieuses, la société canadienne-française aurait probablement disparu.

être la voie d'une éducation à une nouvelle organisation culturelle. On se réfugie alors dans le système ancien qui retrouve un nouveau prestige.

Il faut en tout cas distinguer plusieurs types de réaction traditionaliste :

a) celle de tout un peuple qui n'est pas encore acculé à se transformer de fond en comble et s'accroche à son passé pour ne pas être le jouet de sollicitations multiples, incomprises, totalement étrangères à ses coutumes ;

b) celle d'une élite qui veut préserver une organisation culturelle qui l'avantage ou lui paraît supérieure ;

c) réaction sectaire telle que celle des Doukhobors ou des Vieux-Croyants. Ici il faut distinguer entre des mouvements qui ont une certaine base populaire et ceux que tentent de créer des personnalités originales telles que Tolstoï, Lanza del Vasto, William Morris ou Ruskin, personnalités qui recrutent leurs disciples parmi les intellectuels touchés par leurs œuvres savantes.

Pour comprendre ces différents mouvements il faut se référer aux phénomènes extrêmes du millénarisme et aux conservatismes qui surgissent dans notre société industrialisée. Ne pourrait-on pas aussi essayer de comprendre les classes dirigeantes des pays où la révolution a réussi, s'est amortie dans de nouvelles stratifications sociales et ne subsiste plus que dans la rhétorique officielle, comme autant de classes traditionalistes, trouvant dans les mythes de la révolution une justification cynique peut-être, mais encore crédible ? Ces mythes en effet, suffisent à boucher l'horizon idéologique à l'intérieur, à discréditer ainsi les prétentions à la justice des opposants et à se gagner des appuis, à l'extérieur, parmi les opprimés [5]. Les partis révolutionnaires institutionnalisés ne sont pas rares quoique l'expression soit unique au Mexique.

5. Cf. Jules Monnerot, *Sociologie de la révolution,* Paris, Fayard, 1969, p. 175-183.

3. *LE MILLÉNARISME*

Le millénarisme [6] est d'abord un mouvement de restructuration sociale qui naît dans un milieu traditionnel en crise, en proie au malheur, lorsque s'y rencontrent une certaine attente de l'âge d'or et un leader qui vient réactiver et préciser cette attente, et répond ainsi au malheur par une espérance démesurée. Le malheur est dès lors interprété comme annonçant l'imminence de son contraire. L'an 1000 de notre ère ayant été historiquement attendu comme un âge d'or, le temps où le Christ reviendrait dans sa gloire, après une absence d'environ mille ans, on en vint à qualifier de millénariste toute espérance de ce genre. Ce n'est pas la date précise qui importe, mais l'idée qu'à la période d'épreuve succédera un temps paradisiaque. D'ailleurs, si à la date prévue rien ne se passe, on en imagine une autre. La durée du malheur peut être indéterminée ; on s'en console en attendant son abolition absolue. Le mot « messianisme » correspond à celui de millénarisme mais implique que l'on compte sur l'intervention d'un messie pour réaliser l'objet de l'espérance.

Je voudrais détailler cette définition initiale. Par milieu traditionnel, j'entends un milieu ordonné principalement selon les lignées familiales, où la solidarité sociale n'est pas entamée par d'autres clivages, où les rapports sont personnels et affectifs, où l'expression de la culture est religieuse. C'est donc un milieu où l'économie n'a pas encore divisé la société en castes ou classes sociales et, si c'est le cas, le millénarisme ne naîtra qu'au sein d'une classe ou caste solidaire. C'est un milieu où l'espérance religieuse n'est pas un secteur déterminé de la culture, mais imprègne toute la vie, un milieu où la religion offre le seul langage qui puisse exprimer la vie et l'espérance, où les convictions sont entières et ne s'opposent pas à une « morale de responsabilité » de façon explicite.

Par attente de l'âge d'or, on veut dire que la religion ambiante comprend un mythe du retour ou de la venue d'un

6. Cf. Maria Isaura Pereira de Queiros, *Réforme et révolution dans les sociétés traditionnelles. Histoire et ethnologie des mouvements messianiques,* Paris, Anthropos, 1968, p. 364-369. Je m'inspirerai surtout de la conception du millénarisme que défend ce livre, parce qu'elle me semble la plus compréhensive de toutes celles que j'ai rencontrées.

temps bienheureux, éventuellement un mythe du héros qui réalisera ce temps et conviera les hommes à le réaliser avec lui. Le héros est un personnage charismatique qui répond à l'attente de l'âge d'or et l'accomplit. Mais cette attente ne domine la culture que parce que cette dernière est acculée à y voir son dernier recours. Pour que le héros soit suivi, pour que toute espérance soit investie dans l'attente de l'âge d'or, il faut que celle-ci ou celui-là apparaisse comme voie de salut et que la situation n'offre pas une issue plus sûre. Le millénarisme est un bouleversement moral auquel il faut être acculé pour oser l'entreprendre. Ceci est d'ailleurs vrai pour toute réorganisation culturelle. Le millénarisme réveille une espérance diffuse, la détermine et s'y accroche parce que rien de plus concret ne s'offre. Même Israël ne met toute son espérance en Dieu qu'au moment où il ne peut plus se débrouiller autrement.

Le millénarisme ne surgit qu'en situation de crise, lorsque la culture est menacée par une conception du monde étrangère ou des événements troublants. Éventuellement, un phénomène de paupérisation provoque l'apparition d'un millénarisme mais celui-ci est d'abord une tentative de restructuration de la vision du monde bouleversée par la pénurie et seulement accessoirement une compensation « justicière » de l'oppression subie [7]. Les jacqueries ne sont qu'un des styles du millénarisme ; le viol et le pillage n'en sont qu'un épisode facultatif qui matérialise, de façon d'ailleurs plus symbolique qu'effective, le renversement « justicier » dont on rêve, car ce dont on rêve est immense. Ce renversement fait partie d'une vision du monde qui console et paraît cohérente et juste. Tant qu'on espère la réalisation du salut des pauvres, l'injustice des riches et des puissants

7. Cf. V. Lanternari, *les Mouvements religieux des peuples opprimés,* Paris, F. Maspero, 1962, p. 241-243. Il y a un bel argument à tirer de ces pages au sujet du mythe du cargo chez les Mélanésiens. Cet exemple nous montre les Mélanésiens soucieux de comprendre, selon les schèmes culturels familiers, des événements qui, à première vue, leur sont incompréhensibles : les biens industriels et l'arrivage du cargo qui les transporte. La volonté de reprendre ces biens aux Blancs semble découler de l'interprétation coutumière plutôt qu'elle ne la fonde. Il s'agit d'abord d'une interprétation des marchandises industrielles qui arrivent par bateau comme en tant d'autres endroits du monde. Mais ici l'événement détonne. Il n'est devenu compréhensible, dans la tradition mélanésienne, agraire et en contact culturel avec les morts, que comme un

apparaît comme un état transitoire, annonciateur de sa propre abolition. Il n'est donc pas primordial de la combattre de façon active.

Le millénarisme répond à un besoin de survie culturelle. Ses adeptes veulent espérer contre vents et marées le bonheur ou la justice qu'ils conçoivent souvent comme restauration d'une tradition idéalisée. Pourrait-on les concevoir autrement ? En tout cas, le millénarisme s'exprime en termes religieux et vise un salut global dans la mesure où la justice sociale, la liberté nationale et l'ordre public ne peuvent être pensés ou atteints comme tels, faute de moyens intellectuels, affectifs et matériels. On est d'autant plus tourné vers l'espérance d'un avenir meilleur mais indéterminé, on est d'autant moins préoccupé d'organisation politique, que les buts historiques et concrets sont irréalisables. La structure temporelle de l'espérance dès lors peut être dite prétechnique. On rêve au salut, on l'attend de chaque instant, on ne le fait pas selon un plan où moyens et fins, court et long termes seraient distingués. Il est rêvé collectivement ; on attend collectivement son avènement et cela suffit à restaurer une certaine cohérence culturelle qui rend le monde moins incompréhensible, la vie moins insupportable.

Les mouvements millénaristes ont pour sujet des pauvres, des démunis qui veulent changer une situation qui leur paraît intolérable et commencent par changer l'interprétation qu'ils en ont. Ils veulent trouver dans leur misère un signe du salut, une raison d'espérer. Sans doute mettent-ils en cause les institutions étatiques et cléricales, et font-ils trembler les nantis, mais leur but premier est de constituer une espérance qui leur

cadeau qui vient de ceux-ci, résidant dans une autre île. L'arrivage n'a de sens que comme présent des ancêtres à leurs descendants. Or, ce sont des Blancs qui reçoivent ces marchandises. Aussi les Mélanésiens s'organisent-ils, et parfois très efficacement, pour que le bien que leur envoient les ancêtres, leur revienne. Ce thème millénariste, car on attend le retour d'un bien et éventuellement le retour des ancêtres qui feront justice, est en fait une interprétation des biens industriels selon des schèmes culturels traditionnels, avant d'être un projet de s'emparer et de partager des richesses. C'est une façon de comprendre la colonisation et les biens industriels, qui n'en fait plus des événements inintelligibles, donc des cataclysmes, mais des événements interprétés selon une vision créée pour la circonstance avec des éléments coutumiers.

soit propre et une communauté où en vivre. Ils veulent moins une compensation justicière à leur malheur, que s'approprier un univers mental, réaffermir des valeurs et un credo, instaurer un rituel précis dont la fonction est évidemment d'identifier les fidèles et de garantir le salut de façon tangible. D'où l'insistance sur un style de vie précis qui peut paraître bien arbitraire et que les adeptes vivent comme nécessaire. Ils prétendent le rattacher à la tradition mais il est d'abord instauré pour que le groupe puisse s'identifier et célébrer son espérance, de façon spécifique, exclusive plutôt que traditionnelle.

Les millénaristes maîtrisent mal les moyens d'instaurer l'idéal qu'ils proclament dans l'enthousiasme. Ce qui les caractérise, c'est peut-être la réduction de tout leur psychisme à l'enthousiasme, à une espérance forcenée qui ne distingue pas le possible du rêve. D'ailleurs, ils ne prétendent pas nécessairement réaliser leur idéal. Ils l'attendent plutôt comme le croyant attend le ciel. Ce qu'ils réalisent, c'est une communauté de croyants. Parfois, pour établir cette communauté, ils créent une cité terrestre qui est prémice de leur espérance mais n'en est pas encore la réalisation achevée. Cette cité est sans doute inspirée de leur idéal mais elle est d'abord le lieu où les fidèles en attendent l'avènement. Dans tous les cas, une vision ferme et crédible est restaurée au profit des croyants. C'est ce qui leur permet de supporter l'insupportable : paupérisation, oppression, colonialisme, et peut-être même les entraîne à agir dans le sens de leur attente. Mais dans ce cas, il faudra bien sortir du rêve pour penser aux moyens.

La croyance en un renversement de la situation actuelle, au profit des adeptes, l'attente ou la réalisation plus ou moins active de ce renversement correspondent à un manichéisme et à un sectarisme qui peuvent fort bien coexister avec, à l'horizon, l'idée d'une universelle réconciliation du genre humain. L'opposition entre les élus et les gentils est entretenue par les premiers, parce qu'elle structure facilement leur monde et leur permet de s'identifier. Ceci importe plus que la perspective éventuelle d'une vengeance sur les gentils. D'ailleurs ceux-ci ne tardent généralement pas à persécuter les élus et à les confirmer dans leur manichéisme et leur sectarisme. La persécution en ajoutant au malheur, peut devenir un signe supplémentaire de l'imminence du salut. D'autre part, le manichéisme qui sépare les élus des autres est celui-là même qui partage l'histoire en un temps d'épreuve et en un âge d'or. Les élus vivent de l'espérance de celui-ci et sont déjà au-delà de celui-là.

Quant à la tendance orgiastique du millénarisme [8], il faut la comprendre dans la perspective de la liberté et de la fraternité des sauvés. Cette liberté et cette fraternité ne sont pas seulement promises ; elles sont déjà possédées et il importe de les manifester à soi et au monde pour s'en convaincre et convaincre le monde. La tendance orgiastique peut d'ailleurs n'être que latente et coexister avec des observances précises, une morale rigoureuse et une organisation sociale efficace. Les élus sont au-dessus de la loi mais ils trouvent dans la conviction du salut proche, l'énergie de vaincre la médiocrité et les nécessités. Chez saint Paul et saint Jean [9], on trouve, de façon très explicite, cette idée que dès maintenant nous sommes enfants de Dieu, déjà ressuscités (quoique cela ne soit pas encore pleinement manifesté), que nous avons à vivre dans la liberté mais aussi dans la dignité que confère cet état.

L'impatience orgiastique de certains millénaristes a consisté à vouloir retrouver immédiatement l'innocence du paradis perdu. Mais pour organiser une cité viable où vivre de leur espérance, il faut créer une communauté disciplinée. La prospérité économique relative qui caractérise certaines sectes millénaristes est fonction du courage et de l'enthousiasme des individus, de la coopération et, dans certains cas, de la continuité du groupe, mais aussi des mesures exceptionnelles qu'il fallut prendre pour faire face à des conditions géographiques ou politiques défavorables. Que l'on songe aux mormons obligés de s'installer en Utah, aux groupes de juifs confinés à certaines professions, refusant les écoles des gentils ou exclus de ces écoles.

La tendance orgiastique s'inverse parfois en une impatience vis-à-vis de la vertu. On est tellement sûr de sa propre perfection morale, de sa rectitude métaphysique que l'on massacre

8. On en a un exemple célèbre dans la dissidence de Martin Huska et des adamites au sein du mouvement des taborites dans la Bohème du début du XVe siècle.

9. Cf. leurs épîtres.

ceux qui ne partagent pas la même conviction. On réalise ainsi une purification annonciatrice de l'âge d'or. Croisade pour la vertu et liberté vis-à-vis de toutes règles peuvent en arriver à se confondre dès que l'on s'enferme dans la prétention démesurée d'être détenteur du salut.

*

* *

On peut distinguer plusieurs types de millénarisme. Pour les besoins de la cause, je distinguerai des mouvements actif et passif, des mouvements de restauration et de révolution.

a) *Mouvement passif*

Ce type consiste surtout en un culte mais l'efficacité des rites symboliques peut être très réelle. La thaumaturgie traditionnelle, d'individuelle qu'elle était, peut devenir collective. Le rite du peyotl parmi les Indiens de la Prairie n'a peut-être guéri aucun malade mais a certainement assisté une culture malade. Il fut l'occasion d'un espoir pour les Indiens et dans cet espoir se forma une réunion de tribus qui aboutit à une première expression du nationalisme des Indiens d'Amérique du Nord. Dans ce cas, ce qu'on a appelé l'évasion religieuse fut bénéfique. Les Indiens ne pouvaient pas entreprendre une reconquête dont, en cette fin du XIXe siècle, ils n'ont même plus l'espoir. Il n'y avait peut-être pas d'adaptation plus appropriée aux circonstances.

Le millénarisme passif n'est donc pas nécessairement un moyen inadapté. Il évite la violence quoique celle-ci puisse éclater comme acte isolé. Le terrorisme, en dehors de toute stratégie, a surtout valeur de symbole. Ou bien il s'agit d'accomplir un geste qui est exigé par la foi, ou bien il s'agit d'une saute d'humeur, au cours de laquelle l'homme démuni de puissance joue le tout-puissant.

Dans le mouvement passif, les rêves de l'unité nationale, de la liberté et de la prospérité se confondent. Mais rien n'est entrepris pour que l'ordre politique et social ressemble à ces rêves. On attend leur réalisation ; on ne le réalise pas. Il est permis de tout espérer de façon indifférenciée puisque rien ne semble pouvoir être entrepris.

b) Mouvement actif

Dans le cas du mouvement actif, par contre, l'entreprise est politique et organisée en fonction d'un but historique. C'est que celui-ci ne s'est pas révélé impossible. Au début de la conquête de la Prairie, apparaissent les adeptes de la « danse de l'esprit » qui attendent une liberté précise, celle de chasser sur leurs anciens territoires. Mais ce n'est que chez les Sioux, mieux équipés, que cette attente donne lieu à des tentatives armées. Pour tous les Indiens, le rite de la danse est en fonction de l'attente d'un événement sauveur dont ils n'ont pas l'initiative. Nous sommes ici à la frontière entre mouvements actif et passif.

Une libération politique peut commencer à paraître possible à cause de la maîtrise de certains moyens (montures et armes des Sioux), de la faiblesse de l'occupant (des Églises chrétiennes indigènes, annonçant la fin de la dépendance coloniale apparaissent au Congo, lorsqu'on y apprend que la Belgique est attaquée par l'Allemagne en 40-45) ou à cause de l'aide étrangère en matière d'armes ou d'idéologie (le marxisme-léninisme est une idéologie, une stratégie, et donne lieu à des alliances qui peuvent s'accompagner de livraisons d'armes).

Un millénarisme qui réussit à réaliser, au moins partiellement, ses idéaux, doit se transformer en actions spécifiques : mouvement de libération nationale ou de socialisation. Aux prises avec la nécessité d'organiser ses succès, il a de fortes chances de se laïciser. En attendant, le manichéisme a une fonction politique précise. Il entretient la ferveur des fidèles qui partagent totalement une foi exclusive (secte) et sont persuadés que, hors de leur foi, il n'y a pas de salut (fanatisme) ; il désigne l'ennemi avec précision ; les croyants, identifiés par leur appartenance à une secte et à une mission déterminée, n'ont plus la possibilité du doute. La foi se nourrit non du bon sens, mais de la précision parfois tatillonne de son dogme et de ses rites.

Si le millénarisme veut accomplir l'espérance dont il est porteur et continue à croire à la réconciliation universelle et ultime, il doit reporter cette réconciliation aux temps qui viendront après l'œuvre du salut car celle-ci se fera par l'élimination d'un ennemi, bouc émissaire ou réel oppresseur. L'ennemi n'est pas que figurant dans une *weltanschauung* : il est mode de vie dont il faut se séparer, ordre social auquel il faut se soustraire, objectif à abattre ou persécuteur auquel il faut bien résister [10].

c) Mouvement de restauration

Deux conceptions du temps peuvent partager les mouvements millénaristes : les uns veulent restaurer la tradition, les autres veulent innover [11]. Un mouvement de restauration repose sur une vision cyclique du temps. À une désorganisation qui n'est que d'ordre politique, répond une tentative de restau-

10. Voir à ce propos W. E. Mühlmann, *Messianismes révolutionnaires du Tiers Monde,* Paris, Gallimard, 1968, p. 253 et sq. La suppression de toute violence pour les millénaristes passe par la violence sans qu'il y ait contradiction pour ces « éthiciens de conviction ». Il s'agit, diront-ils, de la dernière violence, de celle qui supprimera toute violence. On leur reprochera de faire passer dans la lutte politique, une conviction religieuse. Mais cette dernière n'était pas irénique. Ce n'est pas à sa réalisation politique qu'il faut s'attaquer, mais à la conviction religieuse elle-même, si l'on veut défendre le pacifisme. Je cite Mühlmann : « La mystique quiétiste ne crée-t-elle pas une virtualité de dissolution de la personne dans une dynamique collective, à laquelle on se voue corps et âme ? Ce serait peut-être là le point psychologique d'inversion de l'attitude quiétiste en conduite activiste. » (p. 254). Plus loin, à propos des massacres qui suivirent la mort de Gandhi, il écrit : « Le rigorisme et le perfectionnement extrême de la non-violence n'impliquent-ils pas le risque qu'à la longue, l'arc se brise ? » (p. 255). Mais la cause la plus claire de la violence des démunis qui se réfugient dans le millénarisme, c'est la persécution extérieure non seulement violente, mais bien armée. La société ne peut demeurer indifférente à ceux qui refusent les autorités, les fonctions sociales et qui, par leur « solidarité exclusive », apparaissent un État dans l'État. La foi enthousiaste des millénaristes a toujours inquiété les pouvoirs temporels et spirituels dont elle relativise l'autorité et en marge desquels elle situe ses adeptes. Les pouvoirs inquiets entament les hostilités. « Les communautés anabaptistes de la Réforme étaient non violentes : c'est la persécution qui les précipita dans la conviction exaltée et fanatique d'avoir à fonder la Jérusalem céleste sur le modèle de l'Apocalypse, par la violence. » (p. 255).

11. Cette division n'a rien d'absolu. G. Van Der Leeuw écrit, dans *la Religion dans son essence et ses manifestations. Phénoménologie de la religion,* Paris, Payot, 1955 : « Elle [l'espérance d'un retour définitif] combine l'attente d'un salut périodiquement renouvelé et l'aspiration à voir paraître, bienheureux, un temps final qui marquera l'aboutissement de l'histoire sous un « bon roi » (p. 121) ou bien « Mais aussitôt que la conscience historique se développe et que l'idée de la fin des temps prévaut sur celle de la périodicité, ou reporte l'époque du salut au terme final, dans un bienheureux lointain. » (p. 122). Il demeure que certains mouvements sont plus tournés vers la répétition du temps et que d'autres croient davantage en l'unicité de l'avenir.

ration politique ; à une désorganisation de toute une culture et de toute une société, répond un mouvement de restauration culturelle.

Quand un grand roi et l'indépendance nationale venaient à manquer, on espérait le retour de l'un et de l'autre ; tel est le sens du sébastianisme au Portugal ou des légendes sur la réapparition de Baudouin en Hainaut. Mais si l'approvisionnement et les voyageurs sont exposés au banditisme, si les mœurs se désagrègent, c'est toute une réorganisation des mœurs qui est nécessaire et non plus seulement la restauration d'un monarque et d'une fierté nationale. C'est dans cette perspective qu'il faut comprendre le phénomène des *beatos* et des messianismes dans le *Sertão* (nord-est brésilien). Il est évident que dans ces conditions, on est vite amené à innover. On peut s'imaginer que l'on ne fait que restaurer des temps anciens et idylliques, mais un mouvement de restauration est toujours déjà l'instauration d'un ordre nouveau.

S'il y a mouvement de restauration, c'est que la tradition est encore assez vivace pour offrir un modèle et que la notion d'évolution historique linéaire et irréversible ne l'emporte pas sur la notion de retour au passé. Si c'est une société intégrale qui est en cause, c'est qu'elle est encore intégralement traditionnelle, non encore divisée en classes sociales, en secteurs plus ou moins laïcisés, dont les uns ne seraient plus sensibles aux attraits d'une restauration, tandis que d'autres le seraient encore. Mais un secteur de la population peut bien être seul à rêver d'une restauration. C'est le cas des mouvements exaltant la tradition familiale et religieuse et qui regroupent des gens peu adaptés à la civilisation moderne en confréries ou en partis qui, à l'occasion, peuvent essayer d'influencer l'Église ou l'État. Dans la civilisation industrielle de l'Amérique du Nord, au XIXe siècle, on a vu de tels mouvements, populistes et intégristes, ameuter des groupes mal intégrés aux mœurs nouvelles, implantés dans des campagnes désertées ou isolés dans les villes, former des sectes d'exaltés (mouvements de style adventiste, par exemple) ou plus rarement, des mouvements politiques utopistes (de style agrarien et communiste, par exemple).

Quoique le mouvement de restauration soit moins spectaculaire que celui qui se croit innovateur et révolutionnaire, il peut être très actif. Le mouvement révolutionnaire d'ailleurs peut trahir ses intentions et n'être qu'une pieuse évasion.

d) Mouvement révolutionnaire

Le mouvement révolutionnaire veut créer une nouvelle structure sociale[12]. Il n'est pas nécessairement violent, mais prétend innover. C'est sans doute dans une perspective religieuse et traditionnelle que le millénarisme instaure un progrès ; mais celui-ci ne peut être pensé comme tel que si le temps est envisagé comme mouvement linéaire et irréversible. Il y a sans doute retour à l'inspiration des anciens, mais l'innovation l'emporte. Elle se définit comme bouleversement des structures sociales. Il faut distinguer entre la révolution d'un peuple paria et celle d'une classe paria.

Le meilleur exemple de révolution d'un peuple paria est fourni par de récents mouvements africains de libération nationale. La situation coloniale détruit la tradition. L'impérialisme blanc a de plus diffusé une mentalité où le progrès paraît irréversible. La restauration nationale, si la colonie constitua jamais une nation, devient, dans ce cas, rapidement impossible. Il faut inventer une nouvelle société. Le mouvement s'exprime en langage religieux où se mêlent des notions apprises des missionnaires et d'autres qui viennent de la tradition. Il se fonde sur les solidarités familiales et tribales, mais il peut conduire à un État indépendant, laïc, à travers une guerre qui sera non seulement le moyen de chasser le Blanc, mais aussi le moyen de créer une solidarité nationale plus forte que les solidarités du sang, une conscience administrative et technicienne qui aura été éprouvée contre le colonisateur et non seulement reçue du colonisateur.

Dans une société globale, une sous-culture particulière peut tenter de restructurer une situation et une vue du monde qui, actuellement, apparaissent bouleversées et insupportables. La paupérisation est un des principaux facteurs de bouleversement mais n'est pas le seul.

12. Le mot « révolution » étymologiquement signifie retour cyclique plutôt qu'innovation radicale. Mais il a pris ce dernier sens à la fin du XVIIIe siècle.

La révolte du prolétariat, selon le schème marxiste, est fondée sur une solidarité non traditionnelle, qui naît de la conscience d'un sort commun face aux capitalistes et sur une conscience claire des moyens à prendre pour réaliser son programme. Le prolétariat industriel non seulement désire la justice universelle mais est aussi capable de comprendre les conditions sociales et techniques de cette justice. Il veut s'emparer de l'appareil de production et instaurer une politique systématique qui aboutira au communisme. Il sait comment réaliser le salut ; il le spécifie et le réalise. Ses cadres, en tout cas, se situent au-delà d'une foi millénariste. Mais les motivations de larges fractions de la population qui les suivirent, surtout dans les campagnes ou parmi les paysans devenus ouvriers depuis peu, dans une Russie orthodoxe, étaient sans doute apparentées au millénarisme.

Israël est l'exemple d'un peuple paria ; les premiers chrétiens, les pauvres de Lyon, les anabaptistes de Thomas Münzer, les taborites représentent autant de classes parias, pauvres et méprisées, qui font face à cette situation dans une espérance enthousiaste. Dans tous ces cas, la structuration du monde en bons et mauvais, affermit l'espoir du salut, identifie les sauvés et leur permet, éventuellement, d'organiser leur société ou une rébellion sur la base d'une foi et d'un regroupement incontestés. Les Églises messianiques africaines (kibanguisme, éthiopisme...) ou mélanésiennes (mouvement de cargo)[13] créent une culture indigène en réaction à la pénible déculturation qu'entraîne la domination coloniale. En tout cas, les hommes commencent à se sauver en comprenant leur destin. Ils ne vivent pas seulement de pain ; s'ils viennent à en manquer, ils sont bouleversés et il leur faut d'abord imaginer une foi qui explique le malheur et permet d'en espérer la fin.

Évidemment, le millénarisme n'est pas que passivité. Mais dans la mesure où il réussit dans l'action, il se convertit en actions spécialisées qui doivent se définir selon les circonstances.

13. Cf. Lanternari, *les Mouvements religieux des peuples opprimés,* Paris, François Maspero, 1962 ; Balandier, *Sociologie actuelle de l'Afrique noire,* Paris, P.U.F., 1963. Ces deux livres rassemblent un matériel abondant sur les mouvements d'indépendance nationale des peuples qui s'éprouvent comme parias.

La vision intégriste du monde du millénarisme n'est guère possible dans une société où les appartenances politiques, religieuses, économiques, affectives sont différenciées. Si le marxisme réintègre les prolétaires dans une culture intégriste, c'est pour leur assigner un but universel et une stratégie scientifique au sens où elle emprunte moins aux émotions et aux imageries traditionnelles qu'à l'analyse objective des situations sociales complexes. Du moins, c'est ce que le marxisme prétend.

À y regarder de plus près, le marxisme semble cependant faire grand usage d'un mythe eschatologique. Il promet la suppression de toute inégalité, l'avènement d'un homme nouveau et semble renouer ainsi avec l'espérance d'un âge d'or. Les révolutionnaires des temps modernes usèrent d'un langage biblique (en Angleterre), humaniste (en France) ou déterministe et scientifique (en Russie). Mais derrière ces différences de langage, n'est-ce pas avec les mêmes images, simples, puissantes, évocatrices auprès des masses élevées dans la tradition chrétienne, que l'on maintient l'effervescence parmi les démunis, puis qu'on leur fait oublier les insuffisances des réalisations révolutionnaires [14] ? À travers les différences de style des congrégationalistes, d'un Saint-Just et d'un Lénine, apparaissent le même manichéisme, les mêmes simplismes enthousiasmants, une annonce de l'eschatologie qui remplit les mêmes fonctions. On promet des lendemains merveilleux, on garantit l'innocence des insurgés, on désigne des boucs émissaires pour tous les maux, on renoue avec la « véritable nature » de l'homme, foncièrement bonne et sociable, au-delà des égoïsmes et des corruptions de l'ancien régime, on exalte la violence purificatrice, vertu intransigeante des chefs ou colère vengeresse des masses. La tradition chrétienne a déjà accrédité cette conception révolution-

14. Ces mythes, comme le millénarisme, sont plus vieux que la Bible. Mais les religions juives et chrétiennes leur ont donné un retentissement tel qu'on a cru qu'ils leur étaient propres, tout comme le millénarisme d'ailleurs. À propos du millénarisme marxiste et du millénarisme dans les révolutions française, anglaise et russe, cf. p. 219-267 *in* Jules Monnerot, *Sociologie de la révolution,* Paris, Fayard, 1969. Je ne prétends pas, contrairement à Jules Monnerot, réduire le marxisme à un millénarisme générateur d'une psychologie frustre et adaptée à celle-ci. Mais l'élément qu'il souligne est des plus intéressants. Je reviendrai plus loin sur la spécificité du marxisme et de la philosophie de l'histoire.

naire ; il suffit d'en faire un usage sélectif, hérétique disait-on. Le peuple souffrant n'est-il pas assimilable au messie ? Le temps d'épreuve n'est-il pas le temps de la purification et du retour vers la terre promise ? Ceux qui sont sauvés, ne sont-ils pas au-dessus de la loi ? Le mal ne coexiste-t-il pas avec le bien pour être finalement vaincu et pour manifester le bien ?

Ces mythes et les colères qu'ils catalysent, servent aux révolutionnaires modernes que j'ai évoqués, pour atteindre des buts précis dans l'histoire. En faisant miroiter un avenir fraternel, contrepartie caricaturale du présent, ces révolutionnaires peuvent être abusés par leur rhétorique et l'enthousiasme qu'ils communiquent. Il faut même qu'ils y croient pour convaincre mieux et trouver le langage qui convient à l'humeur du temps, humaniste et moralisatrice, religieuse et biblique ou scientifique et déterministe. Mais même s'ils sont pris par la puissance et la simplicité des mythes avec lesquels ils jouent, ils savent aussi quels sont les possibles, ils savent employer l'enthousiasme qu'ils soulèvent, à des fins politiques déterminées. Bref, ces révolutionnaires peuvent fort bien croire en ce qu'ils promettent et cependant être efficaces, s'adapter au réel et renoncer dans l'immédiat à leurs objectifs eschatologiques. En ce sens, ils ne sont pas millénaristes.

D'autre part, le Moyen Âge et notamment les XIVe et XVe siècles, puis le temps de la Réforme, connurent de nombreuses révoltes urbaines et rurales dont l'idéologie est évidemment religieuse. Que l'on songe à la prédication de John Ball dans le contexte de la révolte paysanne de Wat Tyler, dans le sud-est de l'Angleterre. Jésus y est assimilé aux opprimés et c'est même sa principale qualification. Mais ces idées morales ne semblent pas avoir entraîné automatiquement une croyance en l'imminence de l'âge d'or et une volonté de balayer l'ordre social [15]. Les taborites et les anabaptistes furent même exceptionnels à ce point de vue. Pourtant, des prédicateurs et de petits groupes d'illuminés errants ne manquaient pas pour annoncer la venue imminente d'un troisième âge idyllique, après l'Ancien et le

15. Cf. à ce propos M. Mollet et P. Wolff, *Ongles bleus, jacques et ciompi. Les révolutionnaires populaires en Europe aux XIVe et XVe siècles*, Paris, Calmann-Lévy, 1970.

Nouveau Testaments, et le retour du Christ justicier. Il importe de distinguer entre les mouvements de masse se référant à l'eschatologie, ceux qui y voient une simple référence morale et ceux qui en attendent la réalisation immédiate dans l'enthousiasme, mettant en cause les organisations sociale, ecclésiastique et politique. Seuls ces derniers méritent le nom de millénarismes et inquiètent l'Église et l'État.

*
* *

Pour conclure cet essai de définition du millénarisme et noter les vestiges de cette attitude dans notre culture, il serait utile d'établir quelles sont les relations entre mouvements millénaristes et réaction à l'industrialisation, d'une part, entre mouvements millénaristes et espérance chrétienne, d'autre part.

Nous connaissons surtout le millénarisme à travers l'histoire de la colonisation et de la prolétarisation des milieux traditionnels. Mais il y a d'autres bouleversements culturels et d'autres millénarismes. Les mouvements des Indiens guaranis vers la « terre sans mal » semblent antérieurs à leur rencontre avec les Portugais de la région de São Paulo et à toute influence biblique. Les paysans du *Sertão* (nord-est brésilien) entrèrent dans des mouvements conduits par des *beatos* ou des moines sans avoir connu l'industrialisation. J'ai parlé ci-dessus du sébastianisme au Portugal, de l'espérance du retour de Baudouin en Hainaut. Dans tous ces cas, comme dans celui des paysans de Thomas Münzer, le messianisme est lié au malheur, à la pauvreté ou à l'insécurité mais non à la prolétarisation en milieu industriel ou au colonialisme.

Le millénarisme semble proche du christianisme. Que signifie sa parenté avec la Bible ? Est-il lié aux cultures qui ont connu les mêmes mythes perses que les Juifs ? D'abord, le millénarisme s'exprime religieusement. Ensuite, il est volontiers syncrétiste. Dans sa tentative de restructuration culturelle, il adopte les éléments divers qui interprètent au mieux la situation selon la mentalité indigène et permettent une adaptation satisfaisante de cette mentalité aux circonstances nouvelles. Non seulement la tentative millénariste tient compte de l'influence des missions chrétiennes lorsque celles-ci sont connues ou sont agents perturbateurs, mais plus précisément elle adopte certains rites des Blancs qui pourraient conférer la puissance des Blancs (l'eau baptismale pourrait immuniser le fidèle contre les balles) ou certains versets de la Bible qui conviennent à son argumentation contre les colonisateurs (la polygamie des patriarches, l'élection de l'opprimé). Mais s'il y a réinterprétation du matériel biblique, elle se fait selon la tradition indigène dans la mesure où il s'agit d'instaurer une vision du monde crédible, conçue en termes indigènes et à l'avantage des indigènes.

Le contact avec la notion biblique d'eschatologie et avec la notion de croissance économique, le contact avec une culture non seulement innovatrice mais radicalement différente imposent un style plutôt révolutionnaire au messianisme. Un simple retour à la tradition est alors devenu impossible. Il faut forger un idéal nouveau et certains éléments de l'eschatologie chrétienne peuvent être réutilisés dans ce but.

La réinterprétation du matériel biblique est sans doute bien intégrée à la tradition indigène mais, après coup, le messianisme biblique valide le messianisme indigène. La bonté et la justice de Jahvé justifient la foi et l'espérance dans le Grand Esprit en conférant à ce dernier des attributs exprimés par la puissance coloniale. Les promesses de la terre et de l'indépendance nationale au peuple élu, en dépit des persécutions et humiliations, valent aussi pour les indigènes.

Surtout le millénarisme de tous les temps trouve des formes typiques dans ces exemples véhiculés par la civilisation occidentale à travers ses conquêtes : l'espérance du peuple paria d'Israël, l'espérance des classes parias que furent les premières communautés chrétiennes, certains mouvements protestants de gauche ou certains mouvements prolétariens évangélistes (anabaptistes, shakers).

La Bible et l'histoire des Églises chrétiennes sont traversées par une tension entre la loi et les prophètes. Ces derniers ne cessent de rompre avec le sacerdoce établi. Ils protestent contre la sclérose ecclésiastique et réactivent une espérance individuelle et populaire, dont les nantis se passent bien. Il arrive que le prophétisme réponde à une crise sociale et catalyse la protestation des pauvres. Les peuples du Tiers Monde comme le prolétariat des pays anglo-saxons ont parfois rencontré le christianisme par l'intermédiaire d'un protestantisme de gauche, soucieux de justice, exaltant les opprimés, héritiers d'une tradition millénariste et prophétique à la fois, hostile à toute hiérarchie et à toute compromission. D'autre part, même le message des Églises les plus établies comprenait des aspects prophétiques, ne fût-ce que des textes, rarement cités sans doute mais prestigieux. Il faudrait donc analyser les relations entre les Églises chrétiennes, les sectes, la réforme et le prophétisme d'une part, et le millénarisme d'autre part.

Le millénarisme est essentiellement réorganisation culturelle. Il ne joue son rôle que parce qu'il est indigène, proche des aspirations. Il table sur un rituel qui convient aux foules et donne ainsi à chacun des assurances tangibles. Il faut être du groupe par un caractère précis, la naissance, l'initiation ou l'appel, pour avoir accès au salut. Le prophétisme biblique, par contre, demeure religion universelle en droit et s'adresse à une élite morale. Il réinterprète la notion de peuple élu dans le sens d'une fidélité à l'esprit et non à la lettre. Il est tradition, mais tradition des exigences de justice et non du formalisme cultuel. Il défend un idéal qu'il faut encore déterminer par un comportement éthique original et non des observances particulières à une culture. La justice qu'il proclame doit advenir dans les cœurs et dans l'au-delà ; il faut la manifester dans le siècle en réponse à l'exigence du tout autre ; mais elle n'est ni du monde, ni pour demain, ni même systématisable.

Qu'en est-il de la religion établie vis-à-vis de la protestation des démunis ? À ce propos, W. E. Mühlmann écrit : « tout ce qui est culturel relève d'une règle, et ce qui relève de la règle est inoffensif au regard de la force démoniaque et imprévisible des conduites originelles [...]. La secte, comme tout ce qui est institutionnel, implique la règle, et donc un ordre prévisible ; le « mouvement » (qui répond à la foi millénariste ou prophétique) par contre, personne ne sait où il mène, tant qu'il reste fidèle à son élan [...]. Institutionnaliser, c'est trouver un accommodement sur cette terre, c'est transiger avec la situation « actuelle ». Cela implique aussi, à mesure que grandit le poids propre de l'institution, un glissement vers les couches sociales qui, loin d'être soulevées par les espérances messianiques, se satisfont fort bien du *statu quo*. Les anciennes promesses d'accomplissement immédiat, qui avaient remué les foules, le cèdent peu à peu à une théologie philosophique et à une Église aristocratique. Il arrive que l'Église établie se retourne violemment — pour un temps, tout au moins — contre le millénarisme et en proscrive les idées dans les écrits mêmes des Pères de l'Église, tels Irénée et Hippolyte[16].» Mais ce que l'Église établie et des Pères comme Irénée condamnent, c'est moins l'espérance immense que le manichéisme et le sectarisme dans lesquels elle se cristallise, le refus de l'ordre imparfait de la création, le rejet des institutions qui permettent à la vie de continuer, le fanatisme unilatéral qui prétend départager le sauvé du pécheur comme si tous n'étaient pas l'un et l'autre. Or, c'est dans la secte que l'espérance peut s'établir dans la démesure, le fanatisme et la non-différenciation, et défier à partir d'une société ésotérique et exclusive, les malheurs et les démentis de l'histoire. À ceux-ci, le millénarisme comme mouvement de masse ne peut subsister longtemps.

Pourrait-on au moins distinguer clairement entre des Églises encore protestataires et des Églises institutionnalisées, entre l'élan et l'établissement ? Je prendrai d'abord un exemple parmi les Églises chrétiennes indigènes du sud de l'Afrique noire. Il y a d'une part, des Églises éthiopiennes, très institutionnalisées, hiérarchisées, féodales et d'autre part, des Églises sionistes qui correspondent à des mouvements de protestation sociale dans le sous-prolétariat urbain et qui n'ont aucune autre cohésion que celle qui naît de la volonté spontanée des masses. Ces deux types d'Église structurent la vision de l'indigène dans des conditions sociales différentes et ne s'opposent pas les unes aux autres sur le terrain. On pourrait aussi prendre l'exemple de l'opposition entre méthodisme et anglicanisme face au phénomène de la prolétarisation. Mais l'Église anglicane était trop avertie de l'opposition et de la valeur de chacune des positions pour ne pas les admettre en son sein[17]. *Low*, *Middle* et *High*

16. W. E. Mühlmann, *Messianismes révolutionnaires du Tiers Monde*, Paris, Gallimard, 1968, p. 211-212.

17. John Wesley, fondateur du méthodisme, n'a jamais quitté l'anglicanisme dont il était prêtre.

Churches ne se différencient pas seulement d'un point de vue cultuel, mais aussi d'un point de vue moral et social. L'Église romaine prétend parfois être plus homogène mais elle admet bien des divergences tant que celles-ci ne mettent pas en cause l'image cohérente qu'elle a d'elle-même.

Le millénarisme, qu'il se caractérise plutôt par la volonté de justice ou plutôt par des institutions hiérarchiques, comporte toujours ces deux éléments, comme toute Église chrétienne, dans des proportions variables. Ce qui le caractérise surtout, c'est une foi simple, totalitaire, collective avec, dès son origine, des slogans déterminés, un rituel et des signes distinctifs, une démarcation nette entre les adeptes et ceux qui ne le sont pas, entre les fidèles et le cercle des apôtres. Il n'est donc ni semblable au prophétisme biblique qu'il détermine trop, ni semblable aux Églises établies qu'il combat parce qu'elles se compromettent avec le monde et l'injustice qui est faite aux démunis. Le prophétisme est foi morale et personnelle, aux exigences infinies et indéfinies. Les Églises établies sont réconciliées avec le péché ; elles le déplorent mais le tolèrent et l'administrent.

Le millénarisme instaure des observances et des exclusives que les prophètes et le Nouveau Testament veulent dépasser. Cependant, en tant que mouvement des pauvres, il fut une épiphanie, le lieu où le sens de l'Évangile se révèle au monde comme innovation libératrice. D'autre part, en tant que le millénarisme est sectaire, et la secte est le type d'institution où le mouvement dont parle W. E. Mühlmann vient s'amortir, il demeure l'essence de l'hérésie toujours condamnée par les Églises anglicane, romaine et orthodoxe. Toujours elles refusèrent une théologie trop unilatérale et la distinction entre les élus et les pécheurs ; en principe, elles demeurent ouvertes à ces derniers [18].

Le Christ, messie populaire jusqu'au dimanche des Rameaux, fut abandonné de tous, quelques jours plus tard, non seulement parce qu'il ne restaurait pas le royaume de David, mais aussi parce qu'il s'obstinait à ne pas correspondre à la

18. Cf. R. Knox, *Enthusiasm,* Oxford, Clarendon Press, 1950. Cet ouvrage étudie les rapports entre l'enthousiasme religieux, l'institution sectaire des élus et l'essence de l'hérésie selon la tradition catholique.

religion précise et exigeante de ceux qui étaient parmi les purs en Israël. Les pharisiens voulaient maintenir la spécificité du peuple élu. En dépit de toute leur vertu, à cause d'elle, ils ne pouvaient suivre le Christ. Celui-ci était pourtant bien de la tradition, mais de la tradition prophétique, universaliste et morale [19].

L'histoire du protestantisme illustre bien les tensions entre loi, prophètes et mouvement populaire d'allure millénariste. Il fut d'abord protestation religieuse contre une Église institutionnalisée, formaliste, hiérarchisée et relativement corrompue. Il fut, dans la tradition calviniste, particulièrement adapté à une mentalité d'hommes autonomes, prédisposés à une morale intra-déterminée et individualiste. Là où il existait une classe en plein essor de bourgeois et d'artisans indépendants, la morale et la foi s'intériorisèrent, des congrégations se formèrent spontanément et récusèrent la notion d'Église établie. Le besoin de justification ne pouvant se satisfaire de l'appartenance nominale à une confession et de la pratique de quelques rites, on instaura des normes contraignantes pour l'ensemble du comportement, qui concernaient moins tels détails formels, que l'attitude existentielle globale. Et c'est la culture puritaine qui, peu à peu, se forma. L'inquiétude à propos du salut personnel devint souci d'une œuvre morale, personnelle et exemplaire. Max Weber a bien étudié ce phénomène.

Là où les princes avaient besoin d'une religion à établir pour asseoir leur autorité, ils se servirent du protestantisme ou du catholicisme, selon les circonstances (gallicanisme, anglicanisme, Églises luthériennes, scandinaves ou des princes allemands). En Grande-Bretagne, on se rendit rapidement compte de la différence entre le schisme d'avec Rome et la liberté religieuse, de la différence ensuite entre le protestantisme établi et l'anglicanisme, d'une part, et les Églises libres, d'autre part. C'est dans ces dernières que le souci moral ressurgissait scrupuleux et inquiet mais dans des formes moins extravagantes que chez les anabaptistes. L'Angleterre était plus prospère que

19. C'est là une interprétation à partir du point de vue libéral qui est aussi celui de l'éthique universaliste et individualiste prétendant s'inspirer du prophétisme.

l'Allemagne et connut des révolutions politiques où les enthousiastes purent employer leurs ardeurs.

Dès qu'apparut, au XVIIIe siècle, un prolétariat victime de l'industrialisation naissante, le mouvement prophétique reprit ; il y eut une recrudescence de l'inventivité éthico-politique et elle se heurta aux mœurs, dogmes et rites établis. Des Églises libres eurent une deuxième occasion de se distinguer, en réponse à l'exigence de justice. Cette fois, elles s'intéressèrent aux pauvres plutôt qu'aux libertés. Thomas Münzer s'y était déjà intéressé, mais les siens avaient été écrasés dans le sang, avec l'accord de Luther ; son exemple n'avait pas été très contagieux. Les pauvres n'avaient ni plan, ni force ; ils n'avaient pas la possibilité d'obtenir satisfaction. À présent, il n'était plus question d'asseoir l'autorité d'un prince en lui donnant l'occasion d'établir une autre religion que celle du suzerain. Il ne s'agissait même plus d'intérioriser une morale [20] mais d'en expliciter les conséquences politiques et sociales. En milieu traditionnel, dans l'aire d'expansion des Anglo-Saxons et de la tradition des Églises libres, surgirent des Églises intégristes, populaires, donnant lieu à des tentatives d'organisation économique et s'apparentant au millénarisme (*deep south* : Églises noires ; région rurale des prairies : shakers). Mais en règle générale, il était trop tard pour de telles tentatives. Dans le prolétariat se formèrent des mouvements politiques organisés (trade-unionisme, socialisme), des œuvres sociales (Armée du salut) et des Églises limitées à un rôle de prédication morale et sociale, et de culte, même si elles étaient liées au *labour-party*.

20. Il ne s'agit pas de la morale chrétienne, puisque celle-ci n'existe guère. Il y a une espérance chrétienne qui peut fonder le courage d'exister et l'entreprise politique. La promesse du salut autorise à croire en la liberté, à oser la lucidité, à vouloir la justice. Mais si le christianisme entraîne une certaine audace morale, du moins en théorie, il ne précise aucune règle. Il a d'ailleurs fort bien servi les partisans d'idéologies sociales différentes. Si les chrétiens se rabattent sur certaines règles, c'est qu'elles conviennent à leur culture, mais pas nécessairement à leur foi. D'ailleurs ma définition du christianisme n'est-elle pas fonction elle-même de la culture libérale, agnostique au sujet des valeurs ? Sans doute. Elle rend aussi compte du fait que des mouvements collectifs et Camillo Torrès ont pu illustrer la foi chrétienne aussi bien que Thomas More et les partisans de l'intériorisation.

Mais qu'apparaisse une situation de crise (grève) en plein XIXe siècle britannique et l'on voit les ouvriers syndiqués résister à l'oppression en se souvenant d'Israël et en retrouvant une solidarité fraternelle qui s'alimente de la foi religieuse au triomphe final des pauvres. Cela ne signifie pas qu'ils attendaient la manifestation de ce triomphe d'un moment à l'autre ni qu'ils manquaient d'à propos dans la lutte sociale.

Dans l'épreuve, et surtout dans l'épreuve qui ébranle toute une société, c'est-à-dire les horizons auxquels chacun se référait pour comprendre le malheur, l'espérance globale et entière des Juifs en route pour la terre promise redevient un modèle. Les situations limites ont changé mais elles n'ont pas disparu. Le millénarisme n'a pas non plus disparu. Il est difficile de le définir dans la mesure où il illustre non seulement un degré d'adaptation minimal au malheur mais aussi la merveille de l'espérance. Celle-ci émeut chaque fois qu'elle se manifeste au sein de la misère qui défie de façon permanente la volonté morale et politique des bourgeois rationalistes. Ils croyaient la misère vincible et sont déroutés parce qu'elle est irréductible. Ils sont devenus étrangers à l'espérance et à la miséricorde et voilà que ces catégories religieuses permettent une certaine consolation là où ils ne peuvent qu'avouer leur impuissance et l'échec de leurs plans.

4. LE LIBÉRALISME BOURGEOIS ET RATIONALISTE

C'est de notre société qu'il s'agit dès le moment où l'on aborde la mentalité rationnelle, bourgeoise et libérale. Celle-ci naît progressivement de l'écroulement du monde médiéval. Elle prend conscience d'elle-même avec certains éléments individualistes et rationalistes de la Réforme, mais aussi avec des humanistes comme Érasme ou Thomas More. Le libre examen, l'exaltation de la libre aventure de chacun, le pluralisme des valeurs, la recherche scientifique sans contraintes ni arrière-pensées, voilà des valeurs qui seront progressivement affirmées par une élite nouvelle et qui conviennent à cette élite du fait de sa situation économico-sociale. Cette élite se constitue, c'est-à-dire qu'elle se mérite et se forge des privilèges, hors des chemins battus, dans l'étude, l'administration, le commerce. Elle aura l'initiative des mœurs et des institutions parlementaires [21]. La sécularisation, le progrès technique et industriel, l'impérialisme colonial et capitaliste seront encore ses œuvres. Enfin, les idéaux de l'égalité sociale, l'indépendance des colonies, le socialisme, quoique rivaux de la civilisation bourgeoise établie, sont de la même veine rationaliste, audacieuse, universaliste.

Il faut cependant bien marquer la différence entre l'idéal individualiste de la Renaissance et la foi active en un progrès des mœurs qui apparaît au XVIIIe siècle et aboutit à mettre en cause les privilèges des nobles puis ceux des bourgeois eux-mêmes. Cette mise en cause résulte sans doute de l'évolution économico-sociale mais l'argumentation à laquelle bourgeois, prolétaires, colonisés ont recouru, puisait à une foi commune aux droits et aux progrès de l'humanité. À partir du XVIIIe siècle, l'œuvre humaine croit pouvoir changer les mœurs futures de l'humanité et non plus seulement créer des exemplaires individuels de cette humanité. Puis on ira jusqu'à croire que la force des choses favorise le progrès des mœurs, qu'il suffit d'interpréter le destin et de se laisser porter par lui.

Aujourd'hui, la civilisation bourgeoise est en crise, alors que ses œuvres sont loin d'être achevées. Le développement économique de la planète est très inégalement entrepris et la sécularisation n'est guère mieux commencée. Il y a longtemps que des nostalgiques sont incommodés par les changements culturels précipités et que les socialistes voudraient soumettre ces mêmes changements à un plan d'ensemble au nom de la justice ; mais la crise de la civilisation bourgeoise est devenue intérieure. Cette crise multiforme est bien insuffisante à la faire reculer dans ses entreprises audacieuses qu'elle soupçonne cependant d'être incohérentes. La bourgeoisie se transforme, se renie peut-être, évolue vers le fascisme, se confie aux

21. Je pense d'abord à la société commerçante anglaise et hollandaise des XVIe et XVIIe siècles, aux institutions parlementaires que la première modifie (révolutions anglaises du XVIIe siècle) à son avantage et aux institutions républicaines que la seconde se donne (après l'indépendance que la Hollande conquiert au XVIe siècle).

militaires ou joue la carte de l'État-providence, mais elle ne se rend pas, même si elle a perdu sa bonne foi et la confiance en sa mission.

*

* *

Je voudrais discerner la façon dont est vécu par le bourgeois type le choix des valeurs et la fidélité aux valeurs. Le but de son existence n'est pas situé à l'intérieur de l'histoire, mais revêt la forme d'une idée inspiratrice qui exige et règle son comportement historique, d'une norme qui s'adresse à sa responsabilité individuelle. Le bourgeois ne songe qu'à des idéaux universels, intemporels, définis par sa raison, qui elle-même se définit individuelle, universelle et intemporelle. Il gagne l'estime de lui-même dans l'insularité de sa conscience, en appréciant l'effort et l'innovation de son comportement pour se conformer à ses idéaux dans le quotidien.

Ce type de conscience morale solitaire et dont les fins sont si lointaines, suppose une maîtrise de la réalité d'un point de vue technique et affectif. La raison programme la transformation laborieuse du réel dans le temps. Elle domine ce réel de sa science et de sa capacité technique et organisatrice. D'autre part, d'un point de vue affectif, il faut être réconcilié avec le présent pour être capable de remettre à plus tard la réalisation de l'idéal, pour composer avec la situation et la traiter comme une donnée irrécusable, en attendant de l'améliorer. La mentalité millénariste ne pouvait que rejeter le présent et en faire le lieu d'attente de l'eschatologie. Si elle l'acceptait pour le transformer, il lui fallait elle-même se transformer en intelligence technicienne et en responsabilité politique qui n'entreprennent que le réalisable. Il lui fallait abandonner le manichéisme intégral et différencier son espérance.

La norme du bourgeois est indéterminée, car elle n'est qu'un pôle de l'action ; elle est transhistorique mais elle opère dans l'histoire. Elle exige d'être déterminée dans le concret, par chacun. Ce n'est qu'ainsi qu'elle peut avoir un impact sur le réel. L'espoir dans la vérité et dans la justice, en un âge de lumière et de réconciliation, inspire une volonté agissante. L'individu doit conférer à cet espoir indéterminé l'expression pratique qui, dans les circonstances, lui semble convenir et devient sa vocation. Et comme le bourgeois a de la suite dans les idées, sa vocation définit toute sa profession.

L'indétermination de l'idéal ne laisse au sujet qu'une issue : le déterminer, c'est-à-dire transformer le réel qui l'entoure selon l'idéal et trouver dans ses œuvres une justification. Il ne peut se réfugier dans le conformisme, si pour être conforme aux exigences de la culture bourgeoise, il faut se dédier à une vocation originale. Une fois déterminé par son idéal intérieur, l'homme peut vivre en solitaire et l'incompréhension sociale peut même lui être une preuve de son excellence. Il faut cependant ajouter que l'homme intradéterminé ne trouvera sa justification dernière que dans ce qui lui paraît devoir être apprécié par ses pairs ou ses maîtres, même s'ils sont lointains, morts ou à venir, ils sont ses cautions.

Thomas More a été jusqu'à la mort, espérant que la postérité, et non seulement Dieu, recueillerait son geste. Il voulait témoigner en faveur d'une intelligence et d'une morale qui sont au-dessus de l'arbitraire (du Roi, en l'occurrence). Il espérait que son comportement historique, prudent et courageux, serait une lumière et un exemple moral pour la postérité. Thomas More fut sans doute sublime et il le fut conformément à la culture bourgeoise débutante. Il jugea du bien et du mal en conscience, selon des critères qui lui semblaient transhistoriques mais qui n'étaient pas éclatants. Il jugea avec intelligence des circonstances mais sans certitude, sans théories toutes faites. C'est justement dans la conscience de l'ambivalence politique de son geste que More agit et qu'il faut l'apprécier.

Plus tard, les penseurs des Lumières firent de la raison la chose la mieux partagée. Ils crurent que la justice universelle était une valeur claire pour tous ceux qui n'étaient ni de mauvaise foi ni ignares. De plus, ils crurent au progrès de cette valeur. Ils prétendirent imposer leurs vues au genre humain parce qu'ils s'imaginaient savoir l'essence et l'idéal de ce genre. En fait, ils avaient du goût pour les idées claires, simples, optimistes et ces idées eurent un large succès. Ils proclamèrent que la liberté de chacun était le seul contenu universellement assignable à la notion de justice. C'était préparer un champ libre pour le libéralisme économique et non seulement pour la liberté de conscience. Le premier a progressé rapidement et a créé une culture nouvelle où les perspectives de la seconde sont bouleversées. De ces bouleversements, la philosophie de l'histoire a cependant réussi à donner une interprétation rationaliste, dans la veine des Lumières.

Mais je dessine là une caricature de l'universalisme du libéralisme bourgeois. Il y eut, en fait, des réponses multiples à l'inquiétude de l'âme qui pratique le libre examen, en quête d'une destinée sienne, et trouve en la vocation qu'elle s'imagine, valeur, identité, justification. Le calvinisme a explicité et encouragé la quête de justification et a pu favoriser entre autres l'activité et l'audace capitalistes. Mais j'oserais suggérer que l'angoisse, face à l'indétermination [22] du salut, s'étend à l'époque et à la classe de la bourgeoisie libérale. Si la foi en la prédestination est à l'origine de certains traits de la mentalité bourgeoise et libérale, cette mentalité subsiste indépendamment de cette foi. Si la foi calviniste n'est qu'un des symptômes de la mentalité bourgeoise, il faut trouver à celle-ci une autre cause, mais le calvinisme n'en est pas moins une manifestation essentielle.

En tout cas, le bourgeois n'est plus membre d'un village ou d'un clan. Il semble n'avoir d'autre éthique que l'exercice d'une profession socialement utile et que la transformation de l'environnement, selon des valeurs dont il est responsable. Il ne peut plus ne faire que répéter les gestes d'un métier bien réglé, comme s'il s'agissait d'un rite. Sa profession requiert trop d'invention. Il veut y exceller pour des raisons socio-économiques sans doute, mais il faut bien un relais idéologique à ces raisons. La tradition se meurt, la conscience se libère des coutumes ; l'individu, laissé à sa conscience, ne peut que se déterminer lui-même. Il trouve dans le travail qui cultive la nature, enrichit l'homme, révèle les secrets de la terre et libère l'homme de la nécessité, un objectif et dans l'œuvre accomplie, une justification. Bref, l'inquiétude devant l'indétermination du devoir, le sens d'une destinée personnelle dont chacun a la

22. Il est remarquable que la doctrine de la prédestination, en Europe du Nord (calvinisme, jansénisme), n'engendra pas le fatalisme. L'homme angoissé à la pensée qu'il n'était peut-être pas un élu, veut se prouver qu'il l'est en menant une vie conforme à ce qu'il imagine être la volonté de Dieu à propos des élus.

responsabilité, l'importance de la profession et de la tâche sociale, la maîtrise du monde par la raison technicienne, caractérisent l'éthique bourgeoise.

À l'autodétermination individuelle, correspond au plan social et religieux, la tolérance et le pluralisme ; au plan politique, le parlementarisme. Cependant, le libéralisme a des limites. John Locke ne tolère ni les athées ni les papistes, c'est-à-dire ceux qui ne se sentent pas obligés de se déterminer à l'accomplissement d'une œuvre qui soit juste et utile, correspondant aux vues que l'on prête au Dieu lointain [23] ou qui ne se soumettent pas aux lois et à l'éthique nationale. L'allégeance au pape n'est pas seulement un danger pour l'autorité royale, elle est soumission à une autorité morale extérieure à la conscience, un acte irrationnel, magique. Qu'elle soit extérieure à la nation ne fait qu'ajouter aux motifs passionnés de la réprobation du papisme. On devine déjà l'impérialisme culturel dont les bourgeois libéraux seront capables et comment ils se feront un devoir de propager non seulement le respect des individus mais aussi leur manière de faire, de penser, de commercer et de s'organiser.

La foi puritaine a sans doute aidé à créer une civilisation [24] mais à son tour, celle-ci a favorisé un type de citoyen individualiste, actif, moralisateur. La science et l'innovation technique, la maîtrise administrative, les prouesses commerciales, impériales, industrielles sont résultats de l'éthique bourgeoise et des occasions de son établissement. Mais le bourgeois eut tôt fait de s'aliéner dans ses œuvres. Il s'identifia à ses rôles sociaux. Ils lui étaient un refuge contre les inquiétudes d'une conscience insulaire, ne pouvant compter que sur son courage pour se définir, sur ses œuvres pour se justifier.

*

* *

23. Dieu lointain parce qu'inaccessible par le rituel considéré comme magie ; la voie privilégiée pour le vénérer, c'est l'œuvre morale, émanant de la libre conscience, qui n'a d'autre guide qu'elle-même et pour qui toute direction spirituelle d'un quelconque magistère serait inacceptable.

24. Le phénomène est anglais, écossais et hollandais. Mais il y a aussi les huguenots. Et ne peut-on pas reconnaître au jansénisme, explicite ou diffus, un rôle similaire à celui du puritanisme ?

C'est de notre culture, en tout cas de son passé immédiat, que nous parlons. Elle nous est bien proche. Spontanément, nous privilégions une autonomie qui s'affirme comme étant elle-même une valeur suprême, un droit et un devoir universels. Il est difficile de se rappeler que ce n'est là qu'une attitude parmi d'autres, celle que nie déjà le monde qu'elle a mis en œuvre.

L'aboutissement de l'œuvre bourgeoise, c'est une société technocratique, dominée par d'énormes corporations anonymes dans les plans desquelles s'inscrivent les mouvements ouvriers, les universités et les États, les besoins des consommateurs et les « vocations » des travailleurs. La structure économique et sociale n'est plus l'œuvre de la classe bourgeoise active, mais le résultat imprévu de son œuvre. Elle est structure qui s'impose aux individus sans qu'ils sachent très bien comment ils ont pu la créer ou la favoriser [25]. Les libéraux que nous croyons être encore, ne choisissent déjà plus leur politique, leurs besoins, leur plan d'assurance sociale, leur érotisme. Même le métier, la vocation où le bourgeois investissait toutes ses énergies, est devenu le jouet des nécessités de la croissance économique et simple moyen d'acquérir un pouvoir d'achat pour satisfaire les besoins conditionnés par une publicité qui, loin d'importuner, remplit adéquatement l'ennui et l'attente de modèles de comportement. Le contemporain sans foi en sa mission, parce que sans prise sur le système où son œuvre s'inscrit, suit sans honte les sollicitations qui lui promettent n'importe quelle

25. Peut-être faut-il s'interroger ici sur les ambiguïtés de la notion de raison. Déjà dans *la République* de Platon, elle n'apparaît pas univoque. Elle signifie, d'une part, la volonté d'aboutir avec une économie de moyens et la recherche de l'efficacité, d'autre part, la volonté de comprendre et d'organiser le réel avec un esprit de système. Non seulement la recherche de l'efficacité peut parfois s'opposer à l'esprit de système mais la première et le second peuvent s'opposer à l'œuvre sensée qu'ils croyaient poursuivre. En effet, l'un et l'autre deviennent rapidement des fins en soi parce que parfaitement clairs. La raison dès lors emploie toutes ses ressources à vide, sans autre raison que la satisfaction de son usage, soit comme volonté de puissance, organisatrice d'une théorie totalitaire ou d'un système social, soit comme mise en œuvre d'une économie aussi efficace qu'inutile.

apparence de sens [26]. Le système économique pourvoit abondamment les gens rangés de tout ce qu'il a pris soin de rendre désirable. La société de consommation promet tout pour demain ; ce qu'elle ne peut fournir est devenu inimaginable dans la mesure où les biens et les services offerts commercialement limitent et fournissent l'imagination. Il n'y a pas de place pour l'ironie chez ceux qui ont pris place dans le système. Pourtant, il faut y faire carrière, non seulement pour être considéré, mais encore pour manier le langage intelligible aux puissants, le langage précis de la rentabilité et de la prévision, sans lequel il n'y a pas moyen d'assumer des responsabilités morales et sociales précises. L'éthique bourgeoise a donné lieu à un système qui la nie. En dépit de ses avantages, il inquiète ceux qui se souviennent du fondement de notre civilisation ; la conscience originale en quête d'une destinée sensée ne sait où donner de la tête ; le beau geste inutile, aristocratique, lui semblerait un refuge devant les non-sens où aboutissent tant de politiques intelligentes, si elle n'avait pas une longue tradition de responsabilité sociale.

*

* *

Je viens de voir comment la culture bourgeoise se transformait et se détruisait elle-même. Mais ainsi métamorphosée par les structures qu'elle a mises en place [27], elle conserve une puissance d'assimilation extraordinaire qui ruine les possibilités de révolution culturelle et sociale. Actuellement, dans les zones industrialisées de l'univers capitaliste, les impératifs de la croissance économique rallient à leur cause un prolétariat bien formé et bien payé. Cette cause, qui est tout particulièrement celle des corporations industrielles anonymes, est devenue la cause du parti au pouvoir, quel qu'il soit, et de tous ceux qu'elle avantage apparemment et qui sont majoritaires. Mais

26. David Riesman, dans *la Foule solitaire* (Paris, Arthaud, 1964), a bien décrit le passage de l'homme intra-déterminé (le bourgeois classique) à l'homme extra-déterminé (le contemporain) sous la poussée de l'évolution sociale.

27. Cf. Jacques Ellul, *Métamorphose du bourgeois*, Paris, Calmann-Lévy, 1967. Ce livre décrit et juge cette métamorphose avec une perspicacité qui le distingue.

une autre opposition, non institutionnalisée, extra-parlementaire et internationale surgit, alors que le prolétariat industriel élit des gouvernements centre-gauche et néo-capitalistes à la fois, garde sa confiance en des syndicats qui aident le gouvernement à appliquer une politique salariale, et abandonnent jusqu'à la rhétorique révolutionnaire. Au moment où la bourgeoisie est devenue l'universelle classe moyenne et que la société d'abondance est devenue un rêve unificateur, presque une réalité pour quelques-uns, une promesse pour beaucoup, apparaissent de nouvelles dissidences, insolites, irréductibles. Il arrive que celles-ci engagent le prolétariat tout entier et les syndicats dans la voie de la contestation. Mais il arrive aussi que le prolétariat prenne le parti de la loi et de l'ordre, soit que la haute conjoncture lui permette d'obtenir des augmentations de salaire, soit que la crainte du sous-emploi et de la récession le transforme en partisan du *statu quo.*

Voyons quelques-unes des dissidences de la société où la classe moyenne avec sa morale rationnelle semblait devenue quasi universelle. Il y a d'abord des grèves sauvages qui éclatent au niveau d'une entreprise, indépendamment des mots d'ordre de la centrale syndicale. Elles sont peut-être provoquées par les plus démunis des ouvriers, ceux qui sont les moins qualifiés et les moins habitués à la discipline syndicale (grève chez Fiat en 1969, provoquée par de nouveaux venus du *Mezzogiorno*) mais il arrive que ce soient les pilotes d'avion ou les ajusteurs de première classe qui décident de contester ainsi la paix conclue tacitement entre syndicat, gouvernement et patronat. Souvent ils se savent si précieux à l'industrie et au commerce, qu'ils sont quasi assurés d'obtenir gain de cause. Ils n'ont aucune raison de sacrifier des bénéfices négociables à une société qui ne leur offre aucune autre raison de vivre que ces bénéfices.

Tout à fait à l'extérieur de la classe bourgeoise et de ses prolongements dans la *lower-middle class,* il y a le sous-prolétariat, les ghettos des grandes villes, les paysans, toute la masse du Tiers Monde. Ces groupes ont en commun d'être incapables, faute d'une éducation suffisante ou à cause du chômage local, d'entrer dans la société industrielle ; ils ne peuvent y trouver un emploi et ne reçoivent donc pas de salaire régulier. La publicité omniprésente ne peut qu'exacerber leur désir d'un pouvoir d'achat supérieur. La société bourgeoise ne peut devenir la leur et autant ils désireraient en être, autant ils pourraient être disponibles pour une insurrection.

Tout juste en marge de la bourgeoisie, il y a tous ceux qui découvrent que se faire valoir dans la technostructure n'en vaut pas la peine, soit parce que les objectifs de la société industrielle sont vains et absurdes, inappropriés aux besoins réels du monde, soit parce que le défi intellectuel (la longueur et l'aridité de la formation technique) et moral (l'incertitude du rôle précis que l'on jouera dans une économie en constante transformation) de la société paraît démesuré au regard des récompenses qu'offre l'insertion sociale. Ils sont en train de définir une nouvelle ou une contre-culture.

Enfin, beaucoup d'hommes, bien insérés dans un rôle fonctionnel en savent la vanité sans l'avouer. Ils s'évadent dans des activités marginales et insignifiantes. Nul ne sait leur sympathie pour ceux qui refusent la société dont ils se savent les prisonniers dans une demi-conscience. Ils font partie de la majorité silencieuse. Mais finalement leur silence n'est même pas ambigu ; ils ont peur de perdre leurs avantages et leur ennui apprivoisé. Ils se rangeront toujours du côté des conformistes, sans enthousiasme. Ils seraient bien incapables de bravoure pour défendre l'ordre établi mais ils ne le saboteraient que par négligence.

En attendant, il faut bien admettre que les ennemis efficaces de la société capitaliste ou néo-capitaliste ne sont pas les sous-prolétaires impuissants ni les velléitaires de l'intérieur. Les déclarations enflammées et le romantisme aventuriste ne correspondent à aucune force. La classe ouvrière est peut-être ralliée à de nombreux aspects de la politique néo-capitaliste ; elle seule a le pouvoir en même temps que des raisons de l'abolir. Mais faute d'idéologie adéquate, ces raisons demeurent sans force. Or, c'est l'idéologie même du socialisme classique occidental qui apparaît désormais aussi courte que celle de la bourgeoisie. Elle paraît n'en être qu'une variante. En effet, elle rêvait de libérer l'homme par la technique et l'organisation industrielle. Mais pour cela, il faut que l'homme se mette au diapason de l'une et de l'autre. Il y trouve sans doute l'abondance mais aussi un encadrement de sa vie, de son intelligence et de son imagination morale.

L'existentialisme m'apparaît, dans ce contexte, un retour à la conception libérale originale. Il en a l'individualisme pour ce qui est de la définition des valeurs et des responsabilités sociales de l'individu. Mais il a réfléchi avec angoisse à la déréliction de l'homme. Il s'est rendu compte de ce qu'il n'y avait aucune harmonie préétablie entre les destinées individuelles. Il voit avec acuité que la justice nécessite une action macro-sociale concertée. Il constate l'impuissance des bonnes intentions. S'il accepte la discipline du marxisme, qui fait à l'irrationnel une part bien large, ce n'est que comme moyen, jamais comme objet de foi. Il en sait trop pour pouvoir coïncider totalement avec un mouvement populaire, même s'il lui arrive d'estimer que seule une constante nécessité et la solidarité de (et avec) la classe qui la subit, déterminent le combat capable de réorienter la société. Bref, il vit son existence aussi tragiquement que les premiers puritains : il ne peut partager la foi naïve au progrès de l'histoire ni la bonne conscience du devoir accompli.

5. LE CONSERVATISME

Je n'envisagerai pas l'attitude conservatrice du point de vue de l'affrontement parlementaire. Celui-ci est à la remorque du développement économique et social que tous disent vouloir. Aussi, renonçant à la nostalgie, les grands partis conservateurs se font progressistes et prennent ainsi part aux réformes qu'exige la permanence d'un système social qui se définit lui-même presque partout comme progressiste. S'il y a une force anti-révolutionnaire, c'est justement le consensus quasi général pour accroître la production industrielle et utiliser l'évolution des techniques industrielles et administratives, ou plutôt se mettre à la remorque de cette évolution, laquelle semble commander l'histoire récente. Les vrais conservateurs sont désormais en marge des affaires politiques.

J'étudierai trois types de conservateur : l'organiciste prisonnier de sa tradition, le libéral désireux de retrouver ses premières chances, le chauvin, membre d'une masse apeurée par les bouleversements sociaux. Seul le premier type me paraît original : il s'attache à un univers qu'il maîtrise et apprécie, qu'il tâche de perpétuer parce qu'il y a tissé son existence. Les second et troisième types veulent restaurer des temps anciens, qui d'ailleurs ne répondent à aucune expérience précise dans leur mémoire. Ils se nourrissent de chimères. Ils veulent recommencer une histoire irréversible ou, par peur du présent, jouent la foi millénariste, avec plus ou moins de mauvaise foi. Je pense ici aux fascistes nationalistes.

*

* *

Le premier type de conservateur que j'envisage, l'organiciste, apprécie la tradition. Il est satisfait des hasards de l'histoire et ne songe pas à les modifier. Aussi ne sécrète-t-il aucun idéal politique, si ce n'est à l'encontre des progressistes, contre lesquels il lui faut bien défendre le *statu quo* ou restaurer la coutume. Il ne prend conscience de sa position que parce qu'il doit la défendre. En ce sens, l' « idée conservatrice » est à posteriori et justificatrice, tandis que l' « idée progressiste » est à priori et transformatrice. N'empêche que même s'il n'a pas une vue claire de son idéal, le conservateur sait fort bien traiter le réel pour en tirer parti. L'ancien régime fut capable d'intelligence et de ruse ; même s'il n'avait aucune idéologie en vue de transformer la société, il avait beaucoup d'idées pour réduire au silence les libéraux.

La quiétude du conservateur (qui n'est troublée que par les idéaux progressistes) s'appuie normalement sur une situation sociale assez confortable mais marginale par rapport au mouvement rapide du développement social. Ce sont les rentiers, l'élite en place, les gens de robe, le clergé et non les techniciens en demande, les hommes d'affaires ambitieux et les assistants prometteurs, qui tiennent le plus aux situations établies. Ils craignent des changements dont ils n'ont pas l'initiative. Leur quiétude peut donc devenir angoisse devant le futur, dès que le mouvement de l'histoire s'accélère et semble menaçant. Cette angoisse, lorsqu'elle devient collective, peut donner lieu à des sursauts populistes d'extrême-droite.

Le conservateur dont je parle sous ce titre est prisonnier de sa culture et de son passé, mais prisonnier heureux dans sa prison. Il est dégoûté par une société qui lui paraît sauvage parce qu'il n'en a pas la clé. Il n'y trouve aucun style, aucun formalisme dans les manières, alors qu'il valorise (et peut-être pour se défendre contre le présent qu'il ne comprend pas, comme l'émigrant idéalise la culture de sa patrie et s'y attache outre mesure, pour se défendre contre l'anonymat et les mœurs inconnues de la société où il se trouve jeté) la distinction, l'esthétique des comportements quotidiens, les conventions sociales qui constituent le cadre où la coexistence peut se jouer dans l'intelligence des subtilités et des connivences.

Si j'ai parlé d'organiciste, c'est parce que, aux yeux de ce type de conservateur, perpétuer une certaine répartition des rôles et classes sociales, répartition déjà habituelle, apparaît favoriser le sens de la vie de chacun, la paix et le bonheur de la société. L'organicisme s'enracine dans une situation sociale et morale confortable et pratique la prudence vis-à-vis des changements. Il eut de brillants défenseurs en Burke, de Maistre, Hegel et Maurras. Leurs conceptions sont des conceptions politiques éminemment réalistes. Elles justifient la situation qui a le mérite d'être actuelle ou d'avoir déjà été éprouvée. Elles composent avec la fatalité non sans sagesse. D'ailleurs, n'est-il pas présomptueux de s'adonner à des utopies vaporeuses et de s'abîmer dans le chaos que toute révolution recrée quand on sait l'importance des coutumes établies et leur permanence, quand on s'y trouve bien et qu'on apprécie leurs particularités, quand on compare leur rôle de matrice vis-à-vis de l'existence, à la fragilité et à la partialité des idées politiques explicites. Puisqu'il faut un certain ordre à toute société, pourquoi ne pas conserver celui qui a le double mérite d'avoir fait ses preuves et de paraître naturel parce que déjà habituel ?

Pour expliciter ma pensée, je voudrais recourir à deux œuvres littéraires. Le docteur Jivago de Pasternak ne prend pas parti contre une révolution dont il souffre et dont il partage bien des idéaux ; mais son histoire illustre la richesse affective et poétique qui parvient à prendre racine dans un ordre social injuste, en face de la stérilité du chaos révolutionnaire, quelle que soit l'utopie qui le justifie. *Lettre à un otage* ou *Citadelle* de A. de Saint-Exupéry illustrent avec émotion l'attachement à un monde où l'on a tissé tant de liens et d'amitiés qu'on ne voit plus comment on pourrait les recréer et se recréer ailleurs [28]. Il est évident que ces œuvres littéraires débordent de beaucoup la signification que j'en retiens ici. Elles confèrent en tout cas quelque crédit à une cause que l'on décrie souvent avant de l'avoir entendue.

L'attitude conservatrice telle que décrite ici, n'est-elle pas foncièrement pessimiste ? S'il n'y a de sociétés viables que celles que m'offrent les hasards de l'histoire, si le projet de l'homme ne vaut rien contre les faits, qu'en est-il de l'homme ? Je comprends l'amour du présent, le goût du pittoresque qu'offre chaque époque et la peur devant l'inconnu que recèle toute utopie. Mais si je juge mon époque avec faveur, le jugement favorable à une valeur qui est encore à faire n'a pas moins de poids.

*

* *

Le chauvinisme populaire est un tout autre phénomène que l'organicisme. On a vu une petite bourgeoisie, effrayée par la dévaluation de ses revenus et de ses valeurs morales, se jeter dans les bras de leaders populistes et restaurer en plein XXe siècle un millénarisme de plus ou moins bonne foi. En effet, je m'interroge sur la foi fasciste. N'était-elle pas jouée ? On voulait d'abord échapper à l'inconnu de l'avenir en s'abîmant dans la ferveur de la conviction, de la solidarité et de l'action sans trop réfléchir à l'objet de la conviction, de la solidarité et de l'action. Les idéaux forcenés comme les théories racistes du troisième Reich sont sans commune mesure avec la science et les techniques mises en œuvre pour les défendre et les appliquer. Hélas! les enthousiasmes chauvinistes sont d'autant plus dan-

28. Cf. A. de Saint-Exupéry, *Lettre à un otage,* Paris, Gallimard, 1944, p. 17 : « Je me disais : je veux bien être un voyageur, je ne veux pas être un émigrant. J'ai appris tant de choses chez moi, qui ailleurs seront inutiles. Mais voici que mes émigrants sortaient de leur poche leur petit carnet d'adresses, leur débris d'identité. Ils jouaient encore à être quelqu'un. Ils se raccrochaient de toutes leurs forces à quelque signification. »

gereux qu'ils sont bien équipés. Le fait qu'ils détonnent dans un milieu éduqué n'y change rien. D'ailleurs nous savons le succès des calembredaines horoscopiques dans des milieux qui souffrent justement d'être trop instruits pour encore jouir des secours d'une tradition morale, mais qui ne sont pas assez autonomes pour pouvoir se passer de toute autorité morale.

Aux États-Unis, les pauvres Blancs du Sud, de larges portions du prolétariat et des classes moyennes pourraient bien réagir, face à la contestation des intellectuels, des sous-prolétaires et des groupes ethniques sous-privilégiés, selon un modèle fasciste. Il y a bien des sursauts d'extrême droite à craindre de la part des peuples dépourvus, devant une évolution morale trop rapide. Le poujadisme, le succès de Wallace ou du slogan *law and order* en sont des exemples connus ; ils se sont manifestés dans des cadres démocratiques mais s'ils avaient la force de les déborder, ils le feraient.

De nombreux électeurs de Richard Nixon ou d'Enoch Powell sont peut-être de pauvres Blancs apeurés. Mais ces hommes politiques ne sont pas des leaders populistes ou fascistes. Ils sont d'abord des libéraux ; ils veulent rendre à leur nation, détraquée par un interventionnisme désordonné et un humanitarisme inefficace de l'État, les vertus qui firent la force des *Wasps* (*White Anglo-Saxon Protestants*). Ils offriraient cette seconde chance à leur nation si l'électorat en voulait. Mais celui-ci, quand il leur accorde ses faveurs, ne les accorde que sur des questions bien délimitées, les dépenses publiques, par exemple. Le libéralisme de stricte observance me semble surtout un phénomène anglo-saxon ; il s'enracine dans une tradition vivace de l'initiative individuelle ; d'autre part, il se nourrit des déceptions du *Welfare State* et de l'inefficacité d'une bureaucratie envahissante dans des nations qui furent toujours soupçonneuses vis-à-vis de l'État.

6. LE SOCIALISME SCIENTIFIQUE

À propos du bourgeois, on pouvait parler de la tragédie d'une existence solitaire face à des idéaux infinis et indéfinis, idéaux qu'il fallait déterminer à travers les circonstances quotidiennes, sans jamais être assuré d'y avoir réussi. Évidemment la conscience bourgeoise s'inventait un code sur l'observance duquel, elle se reposait. Mais en principe, elle devait s'inquiéter au sujet de la pertinence de ce code. Le marxiste, en revanche, a trouvé les voies assurées de l'efficacité historique. Il est d'emblée justifié. Il prétend que les mouvements collectifs qui déterminent l'histoire sont pleins de sens. Il lui suffit de les favoriser pour réaliser un destin qui comble les espérances humaines.

Le socialisme scientifique reprend à son compte l'audace rationnelle et les visées universalistes de la bourgeoisie libérale. Il s'intéresse à l'humanité entière, argumente et élabore des stratégies avec méthode. Il a le sens de l'histoire d'un Hegel, s'appuie sur les événements et a la patience d'attendre leur déroulement pour en tirer parti. Enfin, il suscite une foi collective qui ressemble au millénarisme. Tous ces éléments, il les synthétise de façon originale, mais il les domine plus ou moins et est tiraillé par chacun d'eux dans la pratique.

L'idéal de justice et de raison adviendra dans l'histoire et n'en est pas seulement une norme morale. Cet idéal libéral doit se réaliser pour le bénéfice de tous. Mais il ne se réalisera et ne s'universalisera que par l'irruption dans l'histoire du ressentiment de certains opprimés. Il y aura lutte partiale avant la réconciliation universelle, mais l'une et l'autre sont fatales et s'enchaîneront fatalement. La conscience et la solidarité du prolétariat détermineront la révolution ultime. Le prolétariat, en effet, comprend la cause fondamentale de l'exploitation de l'homme par l'homme et, en s'y attaquant, il libérera l'humanité entière.

La révolution et la justice universelle qui doit en résulter procéderont moins des débats intérieurs de la conscience que de la nécessité macro-sociale. Celle-ci régit l'histoire en général mais aussi la conscience prolétarienne. Celle-ci et le parti qui l'explicite savent les lois de la nécessité, sont les produits (car le savoir de la nécessité ne devait apparaître qu'à un certain stade de l'histoire qu'elle régit) et les agents de cette même nécessité ; ils favorisent l'œuvre de la nécessité en en montrant les bienfaits et en l'organisant politiquement. Le marxisme galvanise les masses par ses certitudes ; il donne un sens à la colère sociale et la transforme en conviction unilatérale et agissante ; il organise une croisade à partir d'éléments encore informes. On voit d'emblée que le marxisme devra concilier, parfois difficilement, la discipline du parti et l'enthousiasme des foules, la science de la fatalité et l'habileté politique.

Il importe de qualifier le type d'espérance auquel donne lieu la lecture marxiste de l'histoire. Car même si l'espérance n'est qu'un épiphénomène, il est intéressant de l'analyser. En dépit de l'optimisme des Lumières, l'existence du bourgeois demeurait tragique. Par contre, pour celui qui épouse la perspective marxiste — et le prolétariat y est amené par la force des choses — une conscience claire de sa vocation apparaît en même temps que le sens et la fin de l'histoire. Il sait qu'il réalise et que se réalise l'objet de son espérance. L'œuvre du parti consiste à clarifier ce savoir et à organiser l'action qu'il éclaire. Il tâche de coïncider avec le mouvement de l'histoire en se situant au cœur de sa dialectique, en relançant celle-ci avec à propos. Une telle affirmation a cependant un sens tout différent suivant qu'elle s'insère dans un contexte pratique ou spéculatif. C'est ce que je voudrais envisager.

*

* *

La pratique marxiste a souvent sombré dans une foi messianique au prolétariat, ou dans l'appareil du parti, alors que ce dernier était au service d'un impéralisme particulier, celui de la Russie. Ceci n'apparaît pas toujours parce que cet impérialisme a le beau rôle de contrer l'impérialisme rival des États-Unis, impérialisme plus puissant et sans doute plus démesuré. « Nulle part le prolétariat n'a pu remplir sa mission « historique ». Pour croire qu'il remplit cette mission, il faut transférer l'essence du prolétariat, hors du prolétariat réel, sur le parti. Il faut confier au parti la mission du prolétariat. Il faut voir dans le parti la conscience désaliénée, le pouvoir capable d'opérer la révolution authentique. La foi dans le parti consacre pour mieux la dissimuler la mort de la foi dans la classe ouvrière. La foi dans le marxisme devient la foi dans le mythe du marxisme. L'homme aliéné dans le parti prétend être l'homme désaliéné [29]. » Pourtant, c'est ainsi que le marxisme a pu discipliner la spontanéité des masses qu'il contrôlait déjà, tout en demeurant capable d'émouvoir celle qu'il ne contrôlait pas en tant que pouvoir étatique.

On peut encore reprocher au marxisme d'avoir cru qu'un simple réaménagement des rapports sociaux, par la collectivisation des biens de production, suffirait à délivrer l'homme du mal, comme si ce n'était pas au cœur de l'homme que se situait le refus du respect et de la fraternité. Mais en simplifiant à outrance le problème de l'exploitation de l'homme par l'homme, il a mobilisé des énergies pour l'attaquer sur un point stratégique.

Le marxisme est d'abord une pratique qui repose sur un examen de l'histoire et des occasions qu'elle offre. Cette pratique renoue avec des projets que le XVIIIe siècle nourrissait déjà ; mais elle table sur les déterminismes sociaux pour définir ses objectifs comme ses stratégies. En composant avec ces déterminismes, le marxisme n'est-il pas en fait assuré de ne pas en être le jouet ? Il essaie de comprendre le devenir social et, corrélativement, ce qui est à faire dans ce devenir. Il tâche de déceler dans les circonstances la direction qu'il convient de poursuivre. Il réalise ainsi l'idéal d'efficacité du bourgeois avec moins de scrupule et plus de détermination. Il insiste sur les problèmes d'organisation et de stratégie politiques.

Il convient de distinguer trois types de projets qui s'articulent les uns sur les autres et se différencient selon le terme envisagé. Le court terme s'inscrit dans un plan à moyen terme et celui-ci dans une perspective à long terme, mais d'autre part, la signification que celle-ci peut conférer aux plans à moyen et court termes, s'enrichit de l'expérience et des démentis qu'apporte l'épreuve quotidienne.

a) Le « grand soir », utopie indéterminée, à long terme, correspond *grosso modo* à la réalisation des espoirs de justice que transmet la tradition culturelle [30] à laquelle appartient

29. E. Morin, *Introduction à une politique de l'homme,* Paris, Éditions du Seuil, « Collection politique », 1969, p. 22.

30. Tradition des Lumières en Europe, réinterprétée ailleurs selon la tradition du lieu.

le marxiste. Il s'agit d'un idéal ultime, même si le marxiste en attend la réalisation dans l'histoire, au terme d'un processus nécessaire.

b) Le développement, objet d'un plan, principal souci du politique, constitue un projet à moyen terme. Il correspond à une valeur particulière et médiate par rapport au Grand Soir. Il concerne la transformation de l'environnement et porte sur l'économique, c'est-à-dire sur l'ensemble des objectifs qu'il est possible de préciser de façon quantitative. Chaque plan s'inscrit évidemment dans une perspective plus longue et chaque année, il est réajusté. Son orientation est toujours à revoir, mais d'autre part, il constitue une hypothèse de travail stable à laquelle tiennent les technocrates et tous ceux, fort nombreux dans une civilisation industrielle, qui œuvrent dans les cadres de cette hypothèse, y trouvent respectabilité et gagne-pain.

En même temps que certaines privations sont comblées, la notion de privation devrait être redéfinie au regard des idéaux ultimes. Autant ceux-ci doivent être redéfinis par les moyens qu'ils nécessitent, autant le plus apparent des moyens, le développement économique, doit être apprécié par rapport à sa fin. La révolution pour sauver son idéal ultime peut fort bien devoir remettre en cause l'organisation économique où elle se perdait et provoquer une révolution (culturelle) contre une culture obnubilée par la croissance et l'efficacité économique.

c) À court terme, il y a l'administration quotidienne qui adapte les objectifs du plan économique à ce qui a été fait et à ce qui n'a pas été fait selon les prévisions. Il y a des mesures multiples qu'il faut prendre non seulement en considérant les objectifs lointains mais en tenant compte d'urgences actuelles. C'est parce que les fins sont problématiques, qu'elles ne justifient pas tous les moyens et que l'administration quotidienne est difficile. Aussi s'en tient-elle souvent, par prudence ou lâcheté, à une règle élémentaire : faire le moins de dommage, dans l'immédiat.

Lénine envisageait encore avec crainte et tremblement le mal commis par raison d'État ; le mal était certain et immédiat tandis que la raison d'État était d'autant plus contestable, qu'elle ne trouvait sa justification qu'à long terme. Et pourtant, il fallait bien inscrire son action dans un plan d'ensemble qui n'est garanti par personne mais à propos duquel le chef ne peut guère hésiter en public. La *praxis* marxiste a glissé parfois vers la tyrannie du parti et de la bureaucratie ; mais à l'origine, il s'agissait de tout autre chose. Il s'agissait de parier pour le sens, sens qu'il fallait faire avec la complicité des événements et l'immense espérance d'une heureuse fatalité, sens que l'on définissait au jour le jour, remettant en cause dans la pratique quotidienne les plans d'ensemble, acceptant cependant une discipline et des consignes du parti pour les temps de lutte. Malheureusement, ces temps se sont éternisés. En Russie, le parti a pris les habitudes des temps d'urgence et celles de l'autocratie. Ce fut une question de circonstances historiques, de personnalité, de facilité, de tradition despotique.

*
* *

Dans les pages précédentes le marxisme est apparu dans une perspective particulière : celle de la conscience en quête de stratégies politiques, conscience nourrie d'une idéologie humaniste et historiciste, résolvant avec cohérence les problèmes politiques du bourgeois libéral parce que plus soucieuse d'organisation et d'adaptation aux circonstances. Mais ne faut-il pas opérer une coupure radicale entre le marxisme pour qui le sens habite déjà l'histoire anonyme et une idéologie où les significations procéderaient d'un sujet, fût-il attentif aux possibilités de l'histoire ? Le marxisme ne peut être une voie de salut qu'emprunterait la liberté s'il est la révélation d'un déterminisme dont la conscience et la liberté ne seraient que les jouets. Il doit alors être conçu comme une théorie de l'histoire sociale qui permet aux sujets de coïncider, sans illusion, avec le destin. Dans cette perspective, il ne peut être que savoir des processus macro-sociaux et non pas mise en œuvre d'une politique axée sur une appréciation du désirable (appréciation dont le protélariat peut être le sujet) aussi bien qu'informée des occasions offertes par les processus macro-sociaux.

Si le sens advient par la force des choses et des passions collectives, si les entreprises humaines se réduisent aux péripéties (dialectiques) du matérialisme historique, la politique du parti est elle-même déterminée au moment où elle utilise les forces sociales selon ses vues. Cette interprétation de l'histoire rend compte des idéologies par lesquelles les hommes ont pu imaginer qu'ils choisissaient leur sort. Mais elle est elle-même une hypothèse qui n'a rien d'apodictique. Elle ne clôt pas, mais relance le débat politique en révélant le mouvement de la totalité et la dépendance du sujet vis-à-vis de cette totalité au moment où il en juge. Le génie politique tirera parti de ce savoir ; d'autres concluront à la vanité de toute entreprise. En fait, la théorie n'aura fait qu'assigner quelques limites à la réflexion et à l'action. Le défaitisme y trouve peut-être une justification spéculative. Mais il est d'abord une disposition affective que favorise peut-être la conjoncture culturelle où nous nous trouvons. Marx fut compris de façon bien différente selon la conjoncture. Il est certain qu'il rompt avec la philosophie des Lumières, par son matérialisme dialectique ; mais il est aussi vrai qu'il en épouse les vues optimistes et prétend fonder une pratique politique qui relancerait dialectiquement et exploiterait systématiquement les déterminismes de l'histoire.

7. LES ILLUSIONS DU PROGRÈS ET LES DÉSILLUSIONS DE L'HISTOIRE

Depuis le XVIIIe siècle, les succès de la science et des techniques, la révolution industrielle, le développement des mouvements démocratiques et nationaux, ont semblé favoriser le projet éthique de l'homme. Le progrès de la raison et de la justice paraissait inexorable. Je ne sais si c'était l'humeur optimiste des Lumières qui interprétait ainsi les événements, ou si les événements eux-mêmes justifiaient cet optimisme. En tout cas, une telle perspective a certainement encouragé les hommes à oser agir sur les mœurs selon des plans grandioses, et à réaliser partiellement ce qu'ils attendaient du destin. La société et l'histoire devinrent le terrain où s'employaient la science et le courage des hommes. Des philosophies de l'histoire prétendirent découvrir un accord entre la force des choses et les devoirs de la liberté. Celle-là aurait commencé l'itinéraire que devait poursuivre celle-ci.

Kant distinguait soigneusement le chemin parcouru par la force des choses (la nature) et celui que doit parcourir l'homme moral. Il considérait le premier comme une simple indication, et problématique encore, au sujet des fins de la liberté. Mais celle-ci pouvait en tirer un réconfort et une perspective audacieuse pour ses entreprises sociales. Dans la tradition hégélienne, la philosophie de l'histoire n'est plus une hypothèse limitée à une fonction pratique déterminée et à une fonction théorique encore plus déterminée. Elle est théorie totalitaire et absolument totalisante, se situant en deçà de toute critique, absorbant au sein de son discours tout événement et toute idée qui auraient pu la contredire. Chez Marx, la philosophie de l'histoire n'est peut-être plus qu'un élément modeste dans l'histoire, mais elle en révèle le sens unique. Elle contribue à titre d'indication théorique, à la dialectique des multiples facteurs historiques. Elle suscite des actions, cristallise des ressentiments, en les interprétant dans une perspective globale. Elle est devenue une arme dans l'affrontement social. Elle galvanise les démunis ; elle est le cadre où leur misère accède à la conscience d'une vocation et se transforme en exigence d'opérations précises. Dès lors la révolte, interprétée comme fatale, devient en fait un devoir et une étape cruciale de l'histoire, ce qui ajoute à toute l'affaire beaucoup de dignité. Nécessité et devoir ne sont plus pensés comme incompatibles mais vécus comme indissolubles. Le rôle de l'homme (ou du parti) qui sait le sens de l'histoire, est de favoriser une nécessité qui accomplit l'humanité et lui confère la liberté.

La philosophie de l'histoire a donc changé radicalement de sens. Elle a perdu ses caractères d'hypothèse partielle et problématique. Même si elle n'est que le cadre de référence d'une stratégie politique, ne fût-ce que pour des raisons d'ordre tactique, il lui faut être dogmatique. La philosophie marxiste est sans doute encore, comme la kantienne, une théorie qui suggère une pratique, mais elle prétend être bien plus : une théorie qui constate une pratique nécessaire et s'y intègre dialectiquement. La liberté morale perd toute transcendance et toute souveraineté ; elle est insérée dans une œuvre qui a commencé bien avant elle, entraînée par une fatalité macro-sociale. C'est celle-ci qui détermine l'histoire et la conscience. C'est à travers leur concurrence que se dessine progressivement une fin de l'histoire qui devient aussi l'objectif d'une conscience enfin déterminée à la clairvoyance.

Les Lumières proposaient des idéaux universels, conçus par une raison autonome qu'elles reconnaissaient en chacun. Parfois, elles croyaient reconnaître la réalisation progressive de leurs idéaux dans les événements de l'histoire. Sans doute s'illusionnaient-elles ou peut-être n'avaient-elles en fin de compte que des idéaux déjà favorisés par la conjoncture. Elles mettaient ainsi en forme exportable, un programme et une audace politiques. Elles ne s'intéressaient pas seulement aux progrès des constitutions mais aussi à la question sociale. En définissant les droits de l'homme, elles favorisèrent sans doute les revendications des misérables. Or celles-ci avaient un autre contenu et une autre allure que les projets des philosophes. Ces derniers, en dépit de leur pitié pour le peuple, jugeaient de la justice selon leurs vues, et ces vues étaient celles d'une certaine classe.

La révolution américaine fut *grosso modo* conforme à ces vues parce que les misérables et leurs urgences n'étaient pas de l'affaire. Mais la révolution française s'appuie sur les ressentiments et la colère des pauvres [31]. Des bourgeois les suscitèrent et les entretinrent pour arriver à leurs fins. Mais dès lors la situation leur échappait partiellement. Les masses se mirent en mouvement et réclamèrent violemment leurs droits, au regard desquels « les droits de l'homme » semblaient dérisoires. En fin de compte cependant, la situation demeura entre les mains de la classe bourgeoise.

Dans cette perspective, Marx apparaît non comme l'héritier de Hegel et de Kant, mais comme le théoricien et le prophète des mouvements populaires. Il veut comprendre l'irrationnel de ceux-ci dans une perspective rationnelle. Il leur confère une mission grandiose et les encourage d'autant plus qu'il prévoit une organisation et une stratégie où ils prendront tout leur sens. Il prétend se laisser informer par les faits, les luttes

31. Cf. Hannah Arendt, *Essai sur la révolution,* Paris, Gallimard, « Les essais », 1967, notamment le chapitre 2 : « La question sociale », où sont envisagées la dépendance et la contradiction entre idéal politique et nécessité des miséreux.

multiformes entre classes, les revendications des masses anonymes [32]. Le sens de l'histoire lui apparaît surgir de l'analyse de ces matériaux, de la marche de l'histoire économico-sociale (dans la dialectique de laquelle les idées ont un rôle) et non de la seule histoire des idées.

En faisant de la misère non une fatalité naturelle mais le résultat d'une violence faite à l'homme par l'homme, Marx fait de la libération de la misère une œuvre politique. D'autre part il fait de cette libération, comme de l'exploitation de l'homme par l'homme à un stade antérieur, une nécessité historique. Cette foi en un sens clair et fatal de l'histoire soutient le courage politique même si cette foi prétend ne guère compter sur le courage, même si elle n'est guère fondée d'un point de vue théorique.

En tout cas, même si on ne croit pas en la fatalité d'une révolution prolétarienne, la justice que tous disent vouloir est un objectif insensé dans sa définition s'il ne s'inspire pas des revendications des démunis, un objectif politiquement irréalisable s'il ne s'appuie pas sur la force sociale de ces revendications.

Les philosophies de l'histoire comme la religion biblique projettent un sens qui serait à l'œuvre dans l'histoire, et cela, pour offrir réconfort et espérance à la pratique. Mais alors que la religion invoque la puissance mystérieuse de l'au-delà, un secours indéterminé et toujours ambigu, la philosophie de l'histoire, même lorsqu'elle fait l'objet d'une foi collective, ne compte que sur un heureux enchaînement des existences, selon un sens clair et univoque, pour réaliser le salut. Dans les deux cas, il s'agit de foi pratique et non de vérité scientifique. C'est justement ce qu'essaie de masquer, selon les goûts rationalistes du temps, la philosophie de l'histoire.

32. Quand Marx prétend se laisser informer par le mouvement de l'histoire, il manifeste plus d'autonomie et de lucidité que les théoriciens de l'autonomie morale lorsqu'ils refusent d'étudier la dépendance de leurs valeurs et de leurs théories vis-à-vis de leur situation sociale et historique. Marx, quoi qu'il en pense, nous dit comment être le sujet de l'histoire au moment même où il dit en être le jouet. Et ces antagonistes risquent fort d'être les jouets de l'histoire, lorsqu'ils prétendent en être les sujets.

Même si certaines analyses marxistes au sujet des déterminismes historiques éclairent magistralement la réalité sociale, elles s'encadrent dans une philosophie de l'histoire qui n'a pas la même validité scientifique. Par contre, cette philosophie donne corps à une foi éthique, assigne des tâches à l'action, lui offre des perspectives qui invitent au courage. Elle assure une continuité du projet et lui désigne des relais. La foi et l'espérance sont peut-être des naïvetés. Elles demeurent nécessaires à toute entreprise.

*

* *

La philosophie des Lumières, la foi au progrès, le socialisme scientifique ont aidé les hommes à entreprendre de grandes choses et à les continuer. Mais dès que l'histoire effective révèle la fragilité des théories évolutionnistes et rationalistes, ceux qui s'appuyaient entièrement sur ces théories se trouvent sans aucun appui. Ce n'est pas seulement une hypothèse scientifique qui s'avère fragile ; toute une conception pratique, qui donnait sens aux circonstances, éclairait la vie de ses mythes moteurs et soutenait l'humeur, s'écroule. Le sens vient à manquer et le cœur aussi.

Le travail, la discipline, la rationalisation administrative, le progrès industriel furent des valeurs où notre civilisation a investi bien des énergies, mais elle est aujourd'hui acculée à mettre en doute ces valeurs qui la justifiaient, parce que ce qui en a résulté paraît injuste et insensé. On ne peut même pas compter sur une classe ouvrière qui serait victime de l'injustice et du non-sens, passionnée contre ceux-ci, solidaire et résolue pour renverser la situation. Cette classe a évolué autrement que prévu par le marxisme. Les idéologies établies s'adaptent difficilement à des imprévus qui leur paraissent des désillusions.

L'interdépendance des mouvements macro-sociaux demeure intelligible ; elle n'en semble pas moins tromper les espérances des hommes et écraser leurs initiatives. Que celles-ci soient individuelles ou concertées, elles paraissent dévoyées par le système économico-social qui absorbe tout le travail et toute la raison des hommes, même s'ils n'y mettent déjà plus tout leur cœur. D'une part, les initiatives se répercutent de façon imprévisible ; elles s'amortissent dans l'interdépendance d'une société plus large et plus complexe que jamais ; des conséquences malencontreuses prennent des proportions catastrophiques. D'autre part, les moyens mis en œuvre pour libérer l'homme et lui assurer le contrôle de l'histoire, le divertissent de ses intentions premières. Les institutions, les intérêts et l'intelligence que l'économie a établis ou favorisés, et sur lesquels elle se repose, font de cette économie un univers autonome, un système qui ne se réfère au souci éthique que pour utiliser sa ferveur ou amortir ses scrupules. Ce système nous est une raison d'inquiétude tout autre que les déterminismes psychologiques ou sociaux que révélait le positivisme scientifique, car ce système est l'œuvre des libertés qui voulaient façonner leur environnement politique et économique. Il est d'autant plus raisonnable qu'il fut voulu tel mais il fascine la raison.

L'histoire qui en résulte est raisonnable mais insensée, raisonnable dans chacun de ses détails mais sans but. Elle suscite évidemment des oppositions ; une politique audacieuse et imaginative pourrait faire de ces oppositions, l'occasion d'une redécouverte du sens. Mais il n'y a là aucune des garanties et des certitudes auxquelles les philosophies de l'histoire nous ont habitués. On peut accuser l'unilatéralité du projet des gestionnaires et l'esprit de conservation des institutions établies. Il faut, toutefois, bien remarquer que les responsabilités individuelles apparaissent davantage complices qu'initiatrices d'une histoire qui les emporte. Et si quelques-uns déterminent les événements, c'est parce qu'ils ont pu embrigader la classe ouvrière et obtenir l'assentiment des petits bourgeois, en exploitant l'honneur national ou l'idéal d'expansion et de rationalité économiques.

D'ailleurs, l'histoire a-t-elle mal tourné ? Elle définit une situation dont nous sommes et que nous comprenons. Elle n'est pas la seule vérité qui soit, mais un fait et un défi pour la politique. La liberté, au moment même où elle désespère de changer le système économico-social, consume de vieilles espérances quant à la faveur du destin. Il dépend d'elle d'en nourrir d'autres et d'imaginer une œuvre nouvelle. Il lui faudrait tirer parti d'un destin qui, cette fois, est fait de main d'homme quoique personne ne le maîtrise. Quand elle constate son aliénation dans ce qui est partiellement son œuvre et son choix, elle mûrit déjà sa conversion à une autre histoire, où ses prétentions seraient moins absolues, ses plans plus rusés, son vis-à-vis déjà plein de raison mais d'une raison devenue étrangère à ses plans initiaux et à ses attentes.

Si des contemporains désespèrent de l'histoire, c'est qu'ils attendaient trop d'elle. La justice libérale ou socialiste n'advient pas comme prévu. Non seulement des espérances sont déçues, mais c'étaient les seules que s'étaient réservées la culture rationaliste. Les ressources de la tradition biblique et de la Renaissance ont été réduites à une conception univoque, claire, simple, aux apparences scientifiques. Lorsque cette conception s'écroule, discréditée par une histoire imprévue, il ne reste plus rien de ces ressources, diverses comme les chemins que pourrait emprunter l'existence, ambiguës et nombreuses, habiles à faire d'un détail l'occasion d'un nouvel espoir. Il est devenu difficile de renouer avec la tradition antérieure aux espoirs unilatéraux du progrès industriel et démocratique. Les Lumières et leurs propagandistes ont simplifié cette tradition selon leurs goûts et leur entendement, et ont habitué leur postérité à des simplismes bien utiles hier, déjà stériles aujourd'hui. Ceux qui ont mis toutes leurs attentes dans une évolution favorable des institutions sociales et croyaient que le mal serait vaincu par ce seul biais se retrouvent déroutés et démunis devant la résurgence du mal, les insuffisances des réformes et des révolutions, et les conséquences contradictoires des politiques les plus vertueuses. Le développement industriel surtout n'a pas tenu ses promesses. Il entraîne autant de problèmes qu'il n'en résout alors qu'on s'était imaginé qu'il les résoudrait tous, soit directement, soit par le détour de la formation, de la révolte et de la dictature du prolétariat.

II

L'économique et l'éthique

Hui Tseu dit à Tchuang Tseu :

« Ton enseignement ne se fonde que sur l'inutile. »

Tchuang lui répondit :

« Si tu n'apprécies pas ce qui est inutile, tu ne peux parler de ce qui est utile. La terre, par exemple, est grande et vaste, mais de toute son étendue, l'homme n'utilise que quelques arpents sur lesquels il se tient. Imagine maintenant que tu lui retires tout ce qu'il n'utilise pas de sorte qu'autour de lui, un gouffre s'entrouvre et qu'il reste debout au milieu du vide sans rien de solide si ce n'est la terre encore sous ses pieds. Pendant combien de temps pourra-t-il faire usage de ce qu'il utilise ? »

Hui Tseu répondit :

« Cela cesserait de servir à quoi que ce soit. »

Tchuang Tseu conclut :

« Cela prouve l'absolue nécessité de ce qui n'a pas d'utilité. »

TCHUANG TSEU
IVe siècle av. J. C.

Pour avoir trop compté sur la raison, la sienne ou celle qui, telle un destin, serait à l'œuvre dans l'histoire, le contemporain se retrouve sans ressort devant les non-sens de la société. Il connaît un certain désenchantement vis-à-vis des moyens et des perspectives de l'expansion économique. Il n'a plus la foi en un progrès indéfini des mœurs et est coupé des ressources d'une tradition antérieure à cette foi quelque peu simpliste. On pourrait lui conseiller plus d'audace et d'imagination morales ; mais le problème ne réside pas seulement dans l'humeur du sujet. Il est en fait devenu extrêmement difficile d'ordonner les divers soucis et les diverses entreprises humaines selon un projet unifié. Les spécialisations déjà instituées sont nombreuses et leurs succès eux-mêmes contribuent à les diversifier davantage. Elles risquent d'absorber tant de crédit et d'attention qu'on en vient à perdre de vue leur fin initiale qui constitue pourtant leur raison dernière.

L'éthique et la politique ne disposent guère de l'économique ; d'ailleurs l'éthique ne dispose guère plus de la politique. Il y a là trois sujets de préoccupation, trois soucis qui s'interpénètrent difficilement. Le souci éthique est, par définition, souverain et totalitaire, mais rejoint-il les autres sur leur terrain ? Jadis, la politique apparaissait réfractaire à l'éthique et prisonnière des ambiguïtés du pouvoir. Pourtant, aujourd'hui, elle se définit davantage comme le lieu où les exigences de l'éthique et celles de l'économique se rencontrent explicitement. Elle semble constituer un recours des premières contre les secondes, de plus en plus envahissantes. C'est aux hommes d'État que revient la tâche d'aménager un compromis viable entre la justice et les puissants, entre les convictions éthiques et la logique d'un système de production et de consommation, modèle d'organisation fonctionnelle. Ceci ne signifie pas que les hommes d'État soient meilleurs que leurs compatriotes. Dans l'affrontement des forces qui s'affirment politiquement et dont les politiciens ne sont souvent que les commis, les convictions éthiques seraient oubliées si elles n'étaient pas défendues par des groupes de pression qui trouvent un intérêt immédiat à les défendre.

Dans ce chapitre, je me mettrai au point de vue de l'économique et dans le chapitre suivant, au point de vue de la politique. Dans le chapitre IV, je tâcherai de montrer, d'une part, la supériorité intrinsèque de la perspective éthique et, d'autre part, le processus d'autonomisation des perspectives politiques et économiques. Celles-ci apparaissent à la fois autosuffisantes et pourtant insensées dès qu'on ne les situe pas dans la perspective des finalités éthiques.

1. LA VISION UTILITARISTE DU MONDE

L'économie [1] est plus qu'un secteur de notre savoir. Elle détermine partiellement la perspective selon laquelle notre culture perçoit et évalue les choses, se réfléchit elle-même et envisage son avenir. Dès lors, les moyens rares sont évalués en fonction de leur rendement dans divers usages alternatifs. Il est donc possible d'obtenir un rendement optimal de ces moyens. L'économie constitue une appréhension du monde, particulière dans ses procédés, coextensive à la volonté d'aboutir dans son intention la plus générale. Elle est devenue habituelle et en vient à réduire le monde à ce qu'elle saisit. Si l'économique importe aujourd'hui, ce n'est pas seulement parce que de tout temps l'homme eut besoin de pain, engagea son existence dans le travail ou trouva pouvoir et prestige dans l'avoir et le savoir-faire, c'est aussi parce que la formalisation du monde et des projets utilise aujourd'hui des concepts économiques. Ceci mérite quelques éclaircissements.

La perspective économique utilise un langage apparenté à celui des sciences exactes. Du coup, elle confère au projet qui s'exprime selon ses termes, une espèce de rigueur qui plaît. L'homme moralisateur croit y découvrir un instrument d'évaluation et une volonté d'efficacité qui le comblent. La perspective économique permet de juger chaque geste du point de vue de sa rentabilité. Une fois l'objectif désigné, elle permet de choisir la ligne de conduite la plus rationnelle et de la justifier comme telle. Elle offre à l'homme des instruments nécessaires à la maîtrise de son avenir et à l'estime de soi. Mais elle ne lui permet pas d'envisager avec un égal bonheur tous les possibles qui s'offrent à lui. Il finit par ne s'intéresser qu'à ce qu'analyse l'économie et par se complaire dans la perspective comptable et organisatrice. Le travail était une nécessité ; parce qu'il est devenu l'objet d'un calcul et de plans clairs, une occasion d'intelligence et non seulement de lucre et de puissance, il est aussi devenu le projet privilégié de l'existence.

1. Je me propose d'utiliser le mot « économie » dans le sens de théorie ou science économique et le mot « économique » dans le sens de réalité, société ou contrainte économique.

Max Weber voyait les origines d'une telle attitude dans l'éthique protestante qui veut épouser le point de vue rationnel et productif qu'elle prêtait au créateur. L'esprit du « capitalisme » une fois à la mode, l'économique ne pouvait manquer de constituer l'infrastructure de l'histoire puisque la classe qui prenait l'initiative de l'histoire adoptait la perspective de l'efficacité comptable et discréditait les objectifs comme les moyens qui ne pouvaient y être compris. Cette classe avait le pouvoir de poursuivre ses intérêts, c'est un truisme ; mais de plus, elle poursuivait ses intérêts de façon systématique, avec le souci du rendement de ses opérations. Surtout, elle instituait une société de production et de consommation dont les structures allaient assigner les tâches de chacun, enrôler l'intelligence, se justifier par son efficacité et passer pour l'expression d'un droit naturel.

Depuis le XVIIIe siècle, la perspective et le souci économiques ont donné lieu à une science [2] qui non seulement a réussi, mais qui désormais renforce du prestige de ses succès et de son appareil conceptuel la perspective et le souci préscientifiques. D'emblée, les investissements scolaires sont perçus en termes de coûts et rendements ; ils sont établis dans le cadre d'une planification de la « formation de la main-d'œuvre ». Il est évident qu'un tel langage repose sur l'habitude d'une analyse économique des différentes mesures politiques. Cette analyse clarifie le débat politique et en même temps réduit son objet à ce qu'elle peut en saisir. Il ne s'agit pas de la récuser ou de la justifier mais d'y réfléchir et de secouer la torpeur avec laquelle nous en usons.

Nous héritons d'une vision du monde et des institutions qui la prolongent puis la conditionnent. Nous sommes acculturés

2. Depuis qu'il y a croissance du revenu national et que se propage l'espoir de vaincre une nécessité à laquelle presque tous étaient soumis, le souci économique n'est plus seulement le souci de vivre au jour le jour. Il est devenu un des thèmes principaux de la politique. Il est devenu souci d'assurer à long terme un progrès des outils techniques et une croissance des revenus. Il fallut que se manifeste la révolution industrielle pour que la science économique trouve un point d'application séduisant, puisse s'établir et devenir une mode. À ses débuts, elle fut une conséquence et non un facteur de l'expansion.

par une mentalité et des structures sociales dont nous n'avons pas l'initiative mais qui définissent nos préoccupations et les significations qui nous émeuvent. Elles constituent l'horizon de la réflexion avant même d'en être l'objet.

La réussite de l'économie est théorique et pratique ; elle se développe en un savoir qui structure une vision du monde, une morale et une politique. La science décrit des comportements sociaux mais contribue aussi à la vision du monde qui les justifie et aux institutions qui les encadrent. Les bourgeois, démiurges du développement industriel, et les néo-bourgeois intégrés fonctionnellement à l'appareil mis en place par les premiers, acculturés par cet appareil, sont préoccupés de rendement en tout ce qu'ils font, en matière religieuse et technique comme en matière financière. Ils recherchent moins l'avoir que la puissance de faire. Le prestige qui était attaché à la propriété du capital, au temps où cette propriété était associée à la qualité d'entrepreneur, passe à la fonction hiérarchique du gestionnaire, capitaliste ou non, dans l'entreprise industrielle ou financière. Fondamentalement, les bourgeois, anciens et nouveaux, s'apprécient les uns les autres selon leur capacité de produire et d'organiser, évaluée par le profit ou, et c'est le cas des néo-bourgeois, selon leur insertion dans une puissante organisation économique, à un poste important, ce qui est évalué par un salaire et la possibilité de recourir à un compte de dépenses professionnelles. Le revenu qu'ils poursuivent est signe de l'efficacité dont ils se flattent et du prestige que confère cette efficacité. Mais signe et signifié se confondent facilement. Dans certains cas, c'est le profit qui est devenu l'objectif principal ; la recherche de l'efficacité ne serait alors que le moyen et la justification idéologique du profit.

Il y a plusieurs moyens d'acquérir de hauts revenus, mais dans la société industrielle et bourgeoise, les revenus sont considérés comme la récompense d'un travail productif ou du placement adéquat des épargnes, sinon ils n'apparaissent guère licites et ne sont pas avoués. Pour préserver son équilibre et sa légitimité, une telle société doit reconnaître valeur et capacité — en l'occurrence il s'agit du sens des responsabilités et de l'efficacité — à ceux qui, en fait, ont l'argent et le pouvoir. Celui dont la fortune et le pouvoir sont manifestement usurpés mais qui réussit à tenir son rôle, met en cause tout le système de légitimation, qui tendait à assimiler mérite et position sociale [3]. Il réussira peut-être à s'établir mais sa réputation demeurera entachée ; il faudra bien qu'on se rappelle qu'il s'agit d'un cas exceptionnel.

*

* *

En principe tout événement est susceptible d'être réfléchi dans une perspective morale. La puissance et la rationalité économiques peuvent être considérées comme des matériaux pour le projet éthique. Cette référence à l'éthique, en l'occurrence à la politique puisqu'il s'agit de la société entière, semblait facile à établir aux économistes classiques. Les systèmes de Walras ou de Pareto, par exemple, établissent clairement les rapports de subordination du point de vue économique à celui de la politique.

Mais que signifie cette subordination si les objectifs politiques sont déjà délimités de façon irréversible, et avant d'avoir donné lieu à des questions clairement posées aux instances politiques, par ce qui apparaît possible ou impossible du point de vue économique établi, non seulement aux industriels et aux financiers, mais à la nation entière dans la mesure où elle est éduquée, par son travail comme par l'école, à envisager d'abord les problèmes des coûts et des rendements selon des schémas consacrés ? Il est évidemment peu sage de poursuivre des objectifs qui d'un point de vue économique, ne seraient pas recommandables. À refuser de calculer les coûts, on se donne peut-être des airs de héros, mais on court aussi le risque de gaspiller beaucoup de ressources en pure perte. Néanmoins, la volonté d'aboutir n'est pas liée nécessairement aux habitudes de calculer à la mode. Elle doit parfois séjourner dans l'utopie et essayer d'inventer un raisonnement économique qui soit adapté à l'ampleur de ses ambitions, qui en évalue les chances et les traduise en programmes administrables. En fait, l'équipement mental, institutionnel et technique d'un pays industralisé peut devenir

3. Cf. Erving Goffman, *The Presentation of Self in Everyday Life*, Garden City (N.Y.), Doubleday and Co, 1959, p. 58-59.

le cadre de bien des routines et faire le jeu d'une classe particulière, plutôt que de servir la justice.

Un projet éthique ne peut se concevoir indépendamment d'une appréciation des coûts et il ne peut se réaliser que dans les rapports de l'homme aux choses et à autrui, par des médiations concrètes telles que les aménagements de l'environnement et la répartition des rôles, droits et responsabilités. Or l'activité économique est un lieu de rencontre de ces médiations. Elle est un lieu où s'éveille et s'active le génie technique et administratif, un lieu où la pensée économique a reçu des formes systématiques et opératoires. Elle est une des formes les plus courantes, en tout cas une forme obligatoire, de la coexistence ; elle suppose des relations au sein desquelles surgissent des requêtes d'autrui et des occasions d'y répondre favorablement. Mais l'activité économique est aussi une occasion d'aliénation. La capacité de produire au plus bas coût, théoriquement définie comme un moyen disponible pour n'importe quelle fin, se concentre sur des opérations particulières, rémunératrices pour ceux qui en décident ou, en tout cas, facilement justifiables et comptabilisables.

La production comptabilisable est un but très partiel mais clair ; en fait, elle devient une fin ultime, dévorant ressources et motivations, s'alliant subtilement au goût de la puissance et du lucre, goût auquel les nations sont sujettes, tout autant que les individus et les firmes. L'équipement des armées fournit du travail à pleine capacité, des commandes planifiables et l'occasion de maîtriser les techniques les plus avancées, et donc de dominer le marché, civil comme militaire, pour un long avenir. La lutte contre la pauvreté apparaît sans doute plus utile aux consciences, mais la machine économique s'y adapte mal une fois qu'elle a goûté aux prouesses techniques, à l'échelonnement prévisible et aux profits de la production militaire. La machine anonyme pourvoyeuse d'emplois et de puissance nationale pèse assez pour qu'« on » préfère la guerre à la paix [4], la course à la

4. Le réarmement de l'Allemagne dans les années 30, la course aux armements entre les grands dans les années récentes, la promotion de la production d'armes très avancées (et de leur exportation), même chez les moins grands, sont des exemples de ce phénomène. Chacun les

lune, à la création harmonisée d'utilités sociales plus urgentes [5]. On le voit déjà, l'intérêt des « requins de la finance », pour reprendre un terme mythologique, n'est pas seul en cause.

Si les hommes s'aliènent dans l'industrie et le commerce, ne pourrait-on espérer qu'en retour ceux-ci favorisent une société et un langage universel ? Mais c'est au prix de l'originalité des cultures que l'universalité est acquise. Elle résulte pratiquement de l'imposition du système d'échange et de production de la société dite développée au reste du monde et de l'exploitation des démunis par les détenteurs du capital et du savoir-faire économique. Si une culture universelle se constitue, elle se réduit aux relations fonctionnelles requises par l'économique et réduit l'homme à n'être que le terme ou l'intermédiaire de ces relations.

Au moins pourrait-on espérer que l'aliénation économique soit l'occasion pour les pauvres, qui la ressentent cruellement, de découvrir les chemins qui permettront de s'en libérer. N'y a-t-il pas des revendications et des révoltes prolétariennes et paysannes dans lesquelles s'affirme la volonté d'autonomie des peuples, des classes et des régions, victimes plutôt que bénéfi-

déplore mais beaucoup y consentent. La production d'armes crée de l'emploi et favorise la croissance d'un empire industriel et financier, soutient les visées politiques impérialistes, les nourrit même en leur donnant des moyens matériels et en conférant de l'importance aux professionnels de la guerre. La passion de la production s'allie à la passion de l'impérialisme armé parce que les dépenses militaires soutiennent l'industrie. L'insolence des grandes puissances est aussi actuelle que proverbiale. Même si les super-grands ne poursuivaient explicitement que leur propre puissance économique, ils se donneraient par le fait même les moyens et les groupes de pression de l'impérialisme militaire, une industrie de l'armement et une armée pour l'employer et en exiger le développement.

5. Les promesses techniques exercent un pouvoir de séduction qui a un effet propre d'entraînement sur la production et la consommation. La recherche correspond à une institution, à un groupe de pression et à une mode prisée par de nombreux usagers, avides d'essayer les appareils du dernier modèle. Les compagnies de transport aérien, par exemple, sont obligées d'ajouter à leur flotte des appareils excédentaires et coûteux mais dont veulent les clients. S'interroge-t-on sur l'utilité des transporteurs supersoniques ? Ils existent ; donc « on » en éprouve le besoin sans trop s'interroger sur les coûts, si ce n'est du point de vue du bruit et de l'écologie.

ciaires de l'expansion économique ? Mais ces revendications sont trop souvent dispersées et sans force.

D'autre part, ceux-là même qui paraissent les bénéficiaires de cette expansion, sont de moins en moins convaincus du bien-fondé de celle-ci. La production et la consommation des biens et services sont des activités dans lesquelles toute leur existence s'est déjà engagée et en dehors desquelles, ils ne voient pas comment retrouver un bon salaire et une justification [6]. Les bourgeois et techniciens d'aujourd'hui sont insérés dans un monde qu'ils ne font que continuer et qui leur est un milieu quasi naturel. Ils savent le malheur des pauvres, ils ne le nient pas mais ils n'ont pas instauré eux-mêmes les structures sociales qui les avantagent plus ou moins et écrasent les autres. Fondamentalement, ils ne sont pas concernés. Ils sont membres d'une société déjà faite, non plus les promoteurs et les coupables de l'état des choses. Tant qu'ils n'y seront pas acculés, ils ne renonceront pas à cet état qui fait leur affaire, répond à leurs habitudes de vie et de pensée les plus invétérées. D'ailleurs la science économique qui s'est développée dans le contexte de l'expansion industrielle, tend à justifier celles-ci. Une telle justification, parée du prestige de la science, tient lieu d'idéologie à beaucoup de contemporains, même s'ils en devinent les insuffisances. Mais comment une science a-t-elle pu se transformer en instrument idéologique ? C'est à ce problème, déjà évoqué, que je reviens.

2. *LA SCIENCE ÉCONOMIQUE*

L'expression « économie politique » est tombée en désuétude. On parle d'économie, et c'est assez. Que pouvait signifier l'adjectif ? Il précisait que la science économique concerne une société organisée. Il pouvait aussi signifier que la théorie économique s'oriente vers la pratique politique et l'éclaire. Dans la première acception, l'adjectif indique que l'industrie et le

6. « La société industrielle est à l'homme une série de minuscules déterminations qui ne lui laisse à aucun moment la possibilité de prendre un recul, une distance pour s'affirmer en face et contre la nécessité » (J. Ellul, *Métamorphose du bourgeois,* Paris, Calmann-Lévy, 1967, p. 277).

commerce doivent être envisagés dans les rapports sociaux qui se nouent à leur occasion et affectent la cité. Dans la seconde acception, il indique l'orientation pratique de la spéculation économique. Lorsque Adam Smith définit le projet de l'économie politique : procurer au peuple un revenu ou une subsistance abondante et fournir à l'État ou à la communauté un revenu suffisant pour le service public [7], il entend bien fonder une recette politique sur une nouvelle intelligence, c'est-à-dire mieux appropriée à son objet, des richesses et des possibilités de les accroître.

C'est cette seconde acception du terme « politique » qui discrédita l'expression « économie politique » lorsque la mode fut au positivisme. Les sciences étaient sciences de constat. Il fallut que celles des mœurs comme celles de la nature s'encadrent dans les préjugés positivistes. Il n'en demeure pas moins vrai que la science économique parle de l'effort des hommes qui assurent, accroissent, organisent leur avoir et éventuellement leur bien-être selon des normes et un cadre institutionnel qui relèvent du choix éthico-politique.

L'économie peut-elle arrêter son élucidation à mi-chemin, analyser, par exemple, le mécanisme des prix, et ne pas se soucier des motivations et des résultats tels qu'ils sont appréciés par les protagonistes du marché ? C'est son mérite d'avoir forgé des méthodes et délimité un objet qui font d'elle une science autonome. Mais des questions telles que le développement ou la politique conjoncturelle amènent l'économiste à utiliser d'autres disciplines ; plus profondément ils amènent l'économiste à se familiariser avec le choix de politiques alternatives, non seulement quant à l'utilisation de moyens administratifs mais aussi quant aux objectifs à poursuivre. C'est la volonté de mieux poser les problèmes qui oblige des auteurs formés par le positivisme, mais impressionnés par les problèmes sociaux, à écrire en se laissant solliciter par les problèmes pratiques de l'heure, dans le choix des sujets traités comme dans le souci

7. A. Smith, Introduction au livre IV, *Wealth of the Nation,* New York, Édition Cannen, The Modern Library, Random House, 1937, p. 397.

d'argumenter au sujet de propositions politiques et administratives [8].

La distinction entre économie sociale et économie positive est moins une question de doctrine qu'une question de matière. Mais il faut ajouter que, pour des raisons de doctrine, certaines questions sont abordées et d'autres esquivées. La planification indienne et le Fonds monétaire international ont des buts différents et c'est pourquoi leurs analyses diffèrent. Elles sont sans doute neutres, mais leur usage l'est-il ? Il y a une façon de poser les questions qui dépend des intérêts en jeu et commande un certain développement de l'économie. Celle-ci tâche bien de reformuler les questions spontanées et veut même en susciter de nouvelles. Mais fondamentalement, elle se situe dans la perspective des interrogations de la culture auxquelles appartiennent les économistes. Dans la mesure où l'économie réussit à répondre à ces interrogations le plus objectivement du monde, du fait même de son prestige, elle semble justifier la manière dont elles étaient amenées. Dans la mesure où les intelligences sont mobilisées par la science établie, elles n'ont plus le loisir d'envisager les choses sous un autre angle. Bien sûr, de grands économistes furent très perspicaces et certains furent même des moralistes avertis. Mais que pouvaient leurs essais contre la routine scientifique, elle-même entraînée par la routine de l'organisation économique établie ?

La science n'a pas besoin d'être corrompue pour servir unilatéralement les intérêts d'une classe ou d'une nation. Il suffit qu'elle limite sa curiosité et ses prémices. À propos des problèmes monétaires, des analyses théoriques apparemment solides soutiennent les politiques divergentes de la France et des États-Unis. Dans ce cas, les analyses paraissent à première vue indépendantes des options et des intérêts politiques. En fait, il n'en est rien. Les données et les perspectives de la théorie économique sont telles dans les deux républiques, qu'on en

8. Cf. notamment parmi les plus classiques : A. C. Pigou, *The Economics of Welfare*, Cambridge, University Press, 1910 ; J. M. Keynes, *The General Theory of Employment, Interest and Money*, Cambridge, University Press, 1936 ; Gunnar Myrdal, *An International Economy*, Londres, Routledge and Kegan Paul, 1956 ; Joan Robinson, *Introduction to the Theory of Employment*, Cambridge, University Press, 1937.

arrive, très scientifiquement d'ailleurs, à des conclusions opposées. À propos de la construction du barrage de Cabora Bassa, le mouvement de libération du Mozambique a des vues diamétralement opposées à celles de Rio Tinto Zinc, Anglo-American ou De Beers. Ces derniers cependant convainquent facilement tous ceux qui épousent, non pas nécessairement leurs intérêts, mais les préjugés habituels du monde industrialisé. À partir de ceux-ci, un argument routinier et chiffré s'élabore, éclipsant subrepticement le point de vue du mouvement de libération.

Ne faut-il pas restituer un contenu plus compréhensif au langage de l'économie en le resituant dans un projet d'aménagement du monde et des rapports sociaux ? C'est d'un tel projet qu'est né le langage économique. Il en fait abstraction pour ne s'intéresser qu'à sa propre opérativité. Mais il risque de glisser vers l'insignifiance ou, plus vraisemblablement, de servir des fins inavouées si on ne se souvient pas des intérêts comme des mœurs de ceux qui l'ont conçu, si on ne le juge pas à la lumière de sa raison d'être idéale : la maximation des utilités sociales.

Il demeure que l'économie se complaît facilement dans ses abstractions. Dans la mesure où elle est science des choses comptables, elle s'assure un domaine particulièrement propice à l'exactitude et à la formalisation. Elle prélève sur les choses et le comportement social, tout ce qui peut être évalué avec précision comme moyen en vue d'une fin. Elle vise à agencer les moyens en vue d'atteindre la fin au plus bas coût. Son objet est assez large et assez complexe pour donner lieu à des structures de relations fonctionnelles qui valent la peine d'être étudiées pour elles-mêmes. La théorie en faisant, par souci de méthode, de la recherche du profit au sein d'une organisation délimitée (entreprise, secteur, nation), une sphère de préoccupation autosuffisante, habitua les bénéficiaires de ce profit à ne rien envisager au-delà. Ils suivaient ainsi une pente bien naturelle. Comme la science ne mettait en forme que leur point de vue, beaucoup l'adoptèrent comme le seul qui se présentât à eux, structuré et donnant une prise précise sur l'avenir.

*

* *

Les modèles théoriques à propos du comportement de l'entreprise ou du développement économique, furent conçus non seulement pour éclairer les voies d'intérêts particuliers mais aussi à partir de faits historiques localisés. On les prétendit universels alors qu'il n'en était rien. Ils devinrent cependant des modèles pratiques qu'il fut bien difficile d'imiter. La gestion et l'expansion économiques ont exigé plus de vertus et d'enracinement culturel qu'on ne l'a imaginé. Elles sont affaire d'inventivité, de dosage délicat, d'organisation judicieuse, d'adaptations incessantes, prudentes et audacieuses. Elles devaient compter sur certaines conditions sociales pour devenir réalité et pratiquer une rationalité qui se présentait comme universellement imitable.

D'une part, ceux qui mettaient en œuvre des entreprises prospères et bénéficiaient d'une expansion générale considéraient qu'ils cueillaient les fruits d'une mentalité supérieure et exemplaire. Ils tiraient une justification idéologique de leurs avantages. D'autre part, on comprend qu'il soit difficile d'exporter les conditions sociales d'un développement selon le modèle de Rostow. Il ne suffit pas d'accuser l'impérialisme capitaliste pour expliquer que ses concurrents efficaces soient rares.

3. LA RATIONALITÉ IMMANENTE AU SYSTÈME ÉCONOMIQUE

Dans sa *Philosophie des conjonctures économiques* [9], Léon Dupriez tente d'élaborer une théorie cohérente et générale du phénomène économique. Mais ce qu'il étudie, ce sont des phénomènes propres aux deux derniers siècles de l'Occident libéral et industrieux. L'intérêt de son livre n'en est pas moindre. Il souligne l'autonomie relative et la cohérence de l'univers économique de cette période ; il explicite la rationalité qui lui est propre, qui résulte des mœurs établies et crée de nouvelles conditions sociales.

Ce livre veut comprendre la nature propre des phénomènes micro-économiques, dégager leur rationalité et les prendre pour

9. L. Dupriez, *Philosophie des conjonctures économiques,* Louvain, Paris, Nauwelaerts, 1959. Il s'agit d'une réflexion sur les théories économiques plutôt qu'une nouvelle théorie économique.

ce qu'ils sont, à savoir des comportements intelligents et volontaires dont rend compte l'analyse marginaliste ; mais dans un même cadre théorique, il veut aussi comprendre les mouvements économiques en tant qu'ils résultent des multiples décisions personnelles. Il considère les mouvements économiques comme réalisations historiques et successives d'un équilibre aléatoire et tendanciel entre les multiples décisions individuelles réagissant les unes aux autres. La formule walrasienne de l'équilibre général apparaît donc comme l'idée régulatrice et le principe d'intelligibilité des mouvements économiques. Mais de plus, Dupriez veut expliquer les mouvements qui vont de déséquilibre en déséquilibre, s'engendrant les uns les autres comme autant d'oscillations particulières autour du point d'équilibre idéal, oscillations qui correspondent chacune à un climat conjoncturel où les anticipations du grand nombre sont tantôt optimistes, tantôt pessimistes.

En d'autres mots, il s'agit d'expliquer les comportements économiques en établissant une liaison entre leur sens vécu et leur effectuation telle qu'elle peut apparaître à l'échelle d'observation macro-sociale. Dans le cadre d'une telle explication, le sens effectif d'un comportement est compris comme résultant du sens intelligé et voulu par l'acteur individuel. Cela ne signifie pas que le sens vécu et le sens effectif se recouvrent. C'est parce qu'ils diffèrent que le discours se diversifie notamment en micro et macro-économie. Mais le sens effectif ne sera vraiment compris que s'il est compris comme résultante d'un sens vécu. Celui-ci peut fort bien donner lieu à un comportement dont les répercussions sur d'autres comportements et les interactions avec d'autres comportements, ayant eux aussi leur sens vécu, forment une résultante imprévisible pour chacun des acteurs. Ils n'auront pas intelligé, ni voulu, ni prévu la situation qu'ils auront engendrée, mais ce qu'ils auront engendré, à savoir une certaine conjoncture sociale, peut s'expliquer à partir de leurs anticipations et de leurs actes, et par la façon dont ceux-ci réagissent les uns aux autres. Cette explication porte sur les phénomènes eux-mêmes, tels qu'ils sont, subjectifs et s'objectivant à la fois, comportements individuels et conjoncture sociale.

Indépendamment des soucis présents à l'esprit de l'acteur économique à court ou long terme, l'activité économique donne lieu à des résultats qui n'ont pas été prévus et qui n'avaient pas à être voulus pour se réaliser. Ceux-ci sont immanents à l'activité économique. Dans une économie de marché, ils résultent de la poursuite par chacun des acteurs de ses intérêts, plus ou moins bien compris. Ces fins immanentes peuvent se ranger sous deux rubriques : l'équilibre général et le progrès séculaire.

a) *L'équilibre*

L'équilibre n'est jamais parfaitement réalisé. Il n'est que tendanciel. Il résulte d'un effort des participants au marché pour s'adapter les uns aux autres dans la poursuite de leurs intérêts respectifs. Il s'établit entre eux un certain ordre objectif, aléatoire et mouvant, qui peut être compris comme tentatives successives d'atteindre l'équilibre entendu comme lieu de compatibilité des initiatives individuelles. L'équilibre (toujours en voie de réalisation) « est le résultat de décisions qui ne portent pas directement sur lui ; il est le résultat de la confrontation de décisions ayant un objectif plus limité [10] ». Il s'agit en fait d'une concordance [11] inconsciente réalisant non seulement l'équilibre du système économique mais aussi son progrès.

Les acteurs économiques, en tâchant chacun de leur côté de maximer leurs profits, « tendent en longue période, vers l'égalité du prix et du coût marginal de production. Cette égalité tendancielle est l'expression de la cohérence du système économique et constitue sa finalité propre ; les finalités individuelles qui y conduisent sont différentes [12]. » Cette finalité propre qui, à travers la concurrence, se réalise inconsciemment, signifie une organisation sociale de plus en plus complexe, de plus en plus rentable. Ceci m'amène à parler du progrès qui s'est manifesté en longue période. Le progrès, comme l'équilibre, correspond à une tendance réelle et à un concept qui rend compte d'une cohérence spécifique dans une économie libérale saine.

10. L. Dupriez, *Philosophie des conjonctures économiques*, p. 13.

11. Cette concordance inconsciente n'est contrariée que par des événements fortuits et des décisions dont la rationalité n'est pas économique, tels les changements historiques des échelles de valeur.

12. L. Dupriez, *Philosophie des conjonctures économiques*, p. 15.

b) Le progrès

Il n'y a aucun argument théorique pour prétendre que l'évolution à long terme soit toujours ascendante mais en fait, depuis la révolution industrielle, il y eut progrès économique. L'expansion est le résultat des actes des concurrents sur les différents marchés, quoique les motivations de ces concurrents soient beaucoup plus limitées. Leurs actions se combinèrent, donnèrent lieu à des conjonctures successives et à travers cette succession, un progrès s'est manifesté.

La croissance économique a pour ressort principal le progrès technique. Or celui-ci exige des producteurs certaines dispositions qui ne sont pas universelles. Le progrès semble résulter automatiquement d'une rationalité immanente à l'économie, lorsque les cadres et les mentalités y sont propices, lorsque l'entrepreneur fait preuve d'innovation mais dans les limites permises par le marché. Une erreur de perspective signifie la faillite [13]. Le progrès a exigé la curiosité intellectuelle des chercheurs pour les techniques de production, des dispositions à l'épargne et à la discipline chez beaucoup, la détermination de transformer le monde chez quelques-uns. En tout cas, il faut pour qu'il y ait progrès économique que la société situe ces dispositions bien haut dans l'échelle de ses valeurs ou les rémunère largement.

De prime abord, le bilan de l'expansion industrielle fut trop positif pour que l'on s'interroge beaucoup sur sa valeur morale. Celle-ci semblait trop évidente. Mais, et c'est là-dessus que Dupriez conclut son livre, l'homme en est arrivé au point de sa révolution intellectuelle et technique où le sort de sa grande entreprise dépend de la réponse qu'il donnera au plan de la morale. Or, ce plan n'est pas celui où se situe l'agent économique. La question du Bien et du Mal est d'autant plus cruciale maintenant que l'on sait la douleur que coûte la révolution industrielle, que la puissance de l'homme sur le monde

13. Selon Dupriez, il faut qu'à travers la succession des conjonctures, les progrès techniques soient assimilés, tantôt en vue de l'expansion de la production, tantôt en vue de minimiser les coûts afin de pouvoir passer à travers une période de récession. L'assimilation des techniques constitue un avantage qui s'équilibre entre les concurrents, et ceux qui n'en profitent pas finiront par être évincés.

et les autres hommes apparaît ambiguë, que le remède à la misère semble disponible et que la misère ne décroît guère. La science économique et les techniques industrielles offrent tant de possibilités que la responsabilité des technocrates et des gestionnaires de l'économie dépasse de beaucoup celle de l'entrepreneur des décennies précédentes. L'aventure a peut-être perdu en couleur mais jamais l'expérience de la gestion et le potentiel industriel n'ont conféré tant de responsabilité aux hommes.

Parce qu'il peut envisager la résultante des comportements des agents économiques, l'État capitaliste joue de plus en plus le rôle d'informer ces derniers, de tempérer les soubresauts des mouvements conjoncturels, de créer un climat favorable à l'expansion. Il possède les moyens d'éduquer, d'encourager et d'encadrer l'esprit d'entreprise, d'assurer la justice et la distribution, de promouvoir la recherche technique et scientifique. L'expansion économique est une conséquence que les individus ne peuvent pas prévoir tant qu'ils ne se situent pas au point de vue macro-social, une conséquence que les individus ne peuvent pas contrôler tant qu'ils ne consentent pas à orchestrer leur comportement selon un projet commun. C'est là l'œuvre de la politique : imposer un projet unificateur et continu qui contraigne les individus pour mieux préparer le bien général, et pour cela modifier des structures ou aménager des incitations.

Aujourd'hui, le projet politique est en présence d'un devenir macro-économique recelant bien des virtualités et bien des dangers qui n'ont pas été voulus. Mais en fait l'expansion séculaire constitue une finalité immanente à l'histoire, finalité dans laquelle les libéraux mettaient une confiance sans mélange et dans laquelle les marxistes voyaient une étape nécessaire à l'avènement du socialisme. Cette finalité immanente définit partiellement la situation où intervient le vouloir de l'homme. Qu'il l'oriente ou lui fasse une confiance totale, l'homme d'État peut compter sur ce sens déjà à l'œuvre. Il peut trouver dans l'intelligence de ce sens l'occasion d'intervenir à bon escient.

Mais à priori, rien n'assure l'homme d'État qui veut maîtriser l'économique qu'il y réussira. S'il ne peut tout organiser, il vaudra mieux qu'il trouve le compromis prudent grâce auquel il ne perdra pas tout contrôle. Ce sont là des problèmes que la théorie économique ne domine pas mais qu'un art prudent de la politique peut aborder d'autant mieux qu'il est assisté par la théorie.

*

* *

Une politique poursuit ses objectifs selon les possibilités qu'elle ose envisager. Dès que la question du comportement pratique est abordée, la distinction entre moyens et fins n'est pas nette. Les moyens disponibles influencent les fins que l'on a l'audace d'imaginer et de poursuivre [14] ; d'autre part, les fins que l'on poursuit effectivement ne sont pas toujours claires et ne se révèlent qu'à travers les moyens mis en œuvre.

Les libéraux croient qu'une certaine maximation des revenus se réalise d'elle-même et la répartition spontanée leur paraît à la fois efficace, en ce sens qu'elle permet d'entretenir au mieux la croissance, et équitable, en ce sens qu'ils ne voient pas comment faire mieux en pratique, du moins dans certaines circonstances. Ils estiment qu'une certaine mentalité acquise et quelques institutions en place pour corriger les malformations de la concurrence ou la conjoncture, le mouvement des affaires ira de soi vers l'expansion, non pas mécaniquement (il a besoin pour ce faire de l'audace des hommes et de l'intelligence de leur intérêt) mais en vertu des lois économiques qui formalisent des comportements volontaires prévisibles. Il y aura des errements ; ils se corrigeront d'eux-mêmes. Aucune planification ne peut faire mieux que les adaptations par essais et erreurs d'un marché libre, plus ou moins protégé et encadré par l'État.

Telle est, *grosso modo,* la version néo-capitaliste du néo-capitalisme. Le constat et la justification s'y mêlent du fait même des lacunes du constat. On reconnaît les imperfections du marché mais la théorie les traite comme exceptionnelles alors qu'elles sont courantes, comme transitoires alors qu'elles tendent à s'accroître en dépit des lois contre les monopoles. On reconnaît qu'il y a des récessions. Mais on explique qu'elles sont utiles

14. Par exemple, l'absence d'un marché « vigoureux » peut obliger un gouvernement à intervenir et à oser beaucoup plus que s'il pouvait compter sur une économie dynamique et spontanée. Mais en ne comptant que sur des moyens éprouvés, on court moins de risques d'erreur.

à un réajustement : elles obligent à des rationalisations ou à des faillites qui préparent l'appareil économique pour une nouvelle période d'expansion. On oublie de noter que les fournisseurs du Tiers Monde ou les chômeurs, victimes les uns et les autres de la récession, ne seront pas les premiers bénéficiaires de l'expansion, qu'ils n'ont pas les moyens disponibles pour l'attendre. On reconnaît que les décisions sont prises par ceux qui détiennent des fonds ou qui les gèrent mais d'autre part, on prétend que le jeu du marché permet de réaliser de façon approximative une maximation des utilités sociales. On oublie, à ce point du raisonnement, les imperfections du marché. On réclame que les pouvoirs publics interviennent en faveur de l'expansion en laissant dans l'ombre le fait que celle-ci soit commandée par ceux qui détiennent le pouvoir d'investir ou le pouvoir d'achat. Que les gérants aient remplacé les capitalistes et que les grands magasins ou les centres de location aient supplanté les acheteurs privés ou les petits commerçants ne fait qu'ajouter à la concentration du pouvoir économique, si ce n'est à son iniquité.

Le libéralisme, ou le (néo-)capitalisme, est un choix éthico-politique [15]. Il prétend n'imposer aucune direction arbitraire à

15. Je voudrais expliciter cette affirmation en recourant aux remarques que fait T. Parsons dans *The Structure of Social Action* (Glencoe (Ill.), The Free Press, 1949, p. 245-249), à propos de la notion d'utilité sociale chez W. Pareto. Je résume l'argument de Parsons. La comparaison entre des utilités hétérogènes n'est possible que si on la ramène à un commun dénominateur. Il s'agit d'introduire un critère de justice distributive. Or ceci relève d'une décision politique. Si la politique s'en remet à l'économie de marché, c'est qu'elle accepte de remettre la décision à une autre instance, qui n'hésite pas à trancher mais d'une façon arbitraire. En tout cas ce n'est pas au nom de la justice que tranche le marché alors que le souci de la justice n'est pas étranger au souci politique. Le marché tient compte de la demande qui dispose de l'argent mais on pourrait imaginer un autre critère défini par le pouvoir politique et qui permettrait une redistribution effective dans la mesure où il serait imposé. Il faut le noter, laisser le marché évoluer, c'est aussi imposer un critère de distribution qui repose non d'abord sur les besoins mais sur la demande monnayable. D'autre part juger des utilités n'est pas absolument arbitraire : *il y a déjà une société et donc il y a déjà consensus sur un système de fins.* On pourrait à l'intérieur de cette société suggérer des critères qui indiqueront le commun dénominateur à partir duquel il devient possible de comparer les utilités, et donc de produire et de distribuer des biens et des services.

la vie économique ; il s'en remet aux mécanismes du marché. Il table sur un ordre spontané qui vaudrait mieux que ce qui résulterait de l'organisation gouvernementale. Je ne sais s'il faut, dans ce cas, parler d'optimisme social ou de pessimisme politique. La foi en l'harmonie préétablie est l'endroit d'un envers : le manque de foi en la sagesse du gouvernement des hommes. Il convient de juger une telle attitude sur le plan éthico-politique et en fonction des circonstances. Pour ce faire l'analyse économique est un instrument. Elle s'est d'abord développée dans le contexte du libéralisme. Ce fut le cas, entre autres, pour l'œuvre de Walras et c'est encore le cas pour l'étude de Dupriez. Mais, même si l'analyse économique demeure dans les limites du pari libéral et correspond même parfois à une apologie de ce pari, elle peut clarifier le débat politique et permet déjà d'apprécier les prétentions du « laisser-faire ».

4. CONTEXTES DES UTILITÉS ET CONTEXTES DES FINS ULTIMES

La science économique s'est développée en un discours relativement autonome. Mais le secteur qu'elle inventorie, lui aussi, s'est constitué en un système autonome. L'autosuffisance de la science et la réussite de son abstraction dépendent partiellement de l'autonomie de son objet et la renforcent. L'activité économique donne lieu à un réseau social, à des habitudes de pensées et à des valeurs qui mobilisent les hommes et leur offrent un champ où exceller. Ils sont d'autant plus enclins à ne pas se référer à d'autres perspectives que l'intelligence qu'ils ont de l'économique en fait un champ clos. Dire que l'économie et l'économique ont une certaine autonomie, c'est affirmer une vérité très partielle mais qui fait l'affaire de l'idéologie libérale.

En théorie pourtant, l'intelligence et la chose économique se présentent respectivement comme abstraction et objet d'une abstraction, exclusivement méthodique, sans aucun lien avec une idéologie ou des mœurs particulières. Dans son *Essai sur la nature et la signification de la science économique,* Lionel Robbins définit celle-ci comme « la science qui étudie le comportement en tant que relations entre les fins et les moyens rares à usages alternatifs [16] ». Cette science recherche le meilleur emploi des possibilités limitées en vue d'une satisfaction maximale ; elle énonce les règles de cet emploi qui doit combiner les disponibilités de telle façon qu'un maximum d'utilité en résulte. « Il s'ensuit que l'économie est absolument neutre vis-à-vis des fins ; il s'ensuit également que la poursuite d'une fin quelconque se rapporte aux préoccupations de l'économiste dans la mesure où elle dépend de moyens rares. L'économie ne s'occupe pas de fins comme telles [17]. »

Il n'y aurait donc aucune fin économique en elle-même. Toute fin, philanthropique, religieuse ou d'investissement intéresse l'économiste dans la mesure où le sujet doit, pour la poursuivre, calculer ses ressources et renoncer aux usages alternatifs qu'il pourrait en faire. On voit dès lors que la notion de fin économique n'a pas un contenu homogène. Elle est l'utilisation maximale de moyens limités en vue de n'importe quoi. Mais en un autre sens, elle peut être recherche systématique des seuls objectifs comptabilisables et plus particulièrement du seul profit.

On appelle la plupart du temps fin économique, l'utilisation la plus rentable des ressources dont il est possible d'établir la comptabilité. Une fin économique correspondrait dans ce cas au plus grand profit monnayable et aux moindres frais monnayables, puisque le numéraire est un commun dénominateur pratique dans une comptabilité ; les comparaisons que celle-ci doit établir ne pourraient se passer d'une réduction préalable de tous les biens et services à un prix exprimé en un multiple d'une même unité de compte qui est habituellement la monnaie.

La fin économique correspond donc à une rentabilité maximale dans deux sens différents :
a) Le sens où l'entend Lionel Robbins : une combinaison de moyens rares, qui soit la plus économe de ces moyens rares, et dont résulte une utilisation maximale de ces moyens dans

16. Lionel Robbins, *Essai sur la nature et la signification de la science économique,* Paris, Librairie de Médicis, 1947, p. 30.
17. *Ibid.,* p. 36. Il faut ajouter que ces vues sur le comportement humain préjuge de sa cohérence et de sa rationalité mais ne le réduit pas aux perspectives hédonistes.

quelque but que ce soit. Le calcul exact de l'utilisation maximale (ou de la combinaison la plus économe), habituellement, passe par une comptabilité en termes monétaires ;
b) Aussi, le rendement maximal correspond-il habituellement à la réalisation d'un rendement monétaire le plus élevé possible ou à l'établissement d'un potentiel qui peut l'assurer. Ces objectifs sont calculables et conviennent à une mentalité qui, aussi bien que le profit, poursuit la puissance de faire et de prévoir, veut pouvoir rendre « compte » et savoir la justification de ses opérations.

Même si on donne à la notion de fin économique, le sens de rentabilité maximale de moyens rares en vue de quelque fin que ce soit, on se situe dans le cadre d'un système où en fait on devra négliger la considération des fins dont le coût est difficilement calculable. Aussi en pratique donne-t-on d'emblée à la notion de fin économique, le sens du plus grand rendement comptable. Il ne s'agit alors que d'un sens particulier par rapport au premier. C'est cependant dans ce seul sens particulier que la maximation de l'utilité a un sens précis.

Ce qui ne se laisse pas calculer de la sorte est exclu du domaine économique. Son efficacité et dès lors sa valeur sont mises en doute. D'autre part, le profit monétaire est, bien sûr, un des moyens d'évaluer l'efficacité d'un comportement. C'est dans ce sens de moyen d'évaluation qu'est entendue, en principe, la notion de profit dans le cadre des réformes décentralisatrices de l'économie socialiste, notamment en Hongrie. Mais le profit d'une unité de production devient rapidement un but en soi, en vue duquel on détourne l'activité économique.

La discipline du calcul des rendements comptables, la « vérité » des prix, des profits et des pertes, sont plus que des techniques au service de l'action raisonnable. Quand on en use, on est amené à ne plus considérer que ce qui est comptabilisable et à considérer comme évaluation exclusive celle qui résulte du système de prix adopté. D'ailleurs ce n'est pas assez de critiquer le marché comme mécanisme de la détermination des prix. Il faut observer que même la planification qui met en œuvre des choix indépendants du pouvoir d'achat des citoyens, ne retient que ce qu'elle peut maîtriser dans un système de comptabilité. La compétition internationale aidant, le progrès technologique et le goût de la consommation se développant unilatéralement, certains socialismes en viennent à aligner leurs objectifs sur ceux de la société industrielle capitaliste. Le malheur ne vient pas seulement de ce que l'homme cherche *son* profit (en tout cas, ce malheur n'est pas particulier aux temps présents) mais de ce qu'il est obnubilé par ce qui se laisse calculer, à savoir *le* profit, que ce soit celui de la nation, de l'entreprise ou le sien.

La perspective d'un bénéfice déterminé, celui dont la comptabilité et la réalisation sont favorisées par la structure économique établie, risque de laisser de côté bien des considérations et bien des groupes sociaux. Elle paraissait sensée dans la perspective d'un projet plus compréhensif. Mais celle-ci s'estompe. C'est la perspective plus particulière, mieux précisée, qui l'emporte sur celle qui l'est moins. D'ailleurs, les hommes sont enrôlés et entraînés par les entreprises en place ; ils sont bientôt obnubilés par des objectifs immédiats et partiels. Indépendamment du profit qu'ils se partagent, très diversement d'ailleurs, ils trouvent dans ce jeu, devenu insensé, des règles et une organisation qui leur tiennent lieu de raison. Occasionnellement, à des fins idéologiques, ils se réfèrent à la perspective générale du développement moral où pourraient s'inscrire leurs objectifs. Seuls ceux qui sont exploités par ces non-sens, ceux qui les ressentent comme une injustice dont ils sont les premières victimes, peuvent les contrarier et peut-être les interrompre. Eux seuls y sont résolus. Ils devront l'être car ceux qui ont intérêt à ce que le jeu continue, à cause du gain qu'ils en tirent et de l'importance du rôle qu'ils y occupent, ne voudront pas qu'il cesse. Ils n'éprouveront pas le besoin de le redéfinir tant qu'ils n'en ressentiront pas eux-mêmes, à leurs dépens, l'injustice et ensuite le non-sens.

Ceux qui sont avantagés par l'unilatéralité du progrès industriel ne sont pas les mêmes dans un régime socialiste ou dans un régime capitaliste ; leurs avantages ne sont pas non plus les mêmes dans ces deux régimes. Une bureaucratie et un appareil de parti ne sont pas une classe de capitalistes et de gestionnaires à la solde du capital privé. En principe, il semblerait même que le plus grand pas vers la justice et le contrôle du sens de l'histoire soit déjà accompli dès que les biens de production sont socialisés. Il faudrait encore vérifier ce qui advient en fait ; l'absurdité et l'injustice renaissent indépendamment des prévisions les plus optimistes.

*

* *

La maximation du revenu et plus généralement le style d'existence qui consiste à ordonner le plus efficacement possible des moyens en vue d'une fin déterminée, à propos de laquelle on ne s'interroge guère, peuvent être des fins dans la poursuite desquelles l'existence individuelle et toute une culture s'absorbent. Elles s'en trouvent d'autant plus justifiées, à leurs propres yeux, que de telles fins supposent une formalisation de la réalité qui permet de déterminer, à tout moment, le meilleur usage possible des moyens disponibles et donc, de la comprendre et de l'exploiter avec méthode. Mais les fins que sont l'efficacité et la maximation des revenus ont aussi comme propriété d'être subordonnées. Elles ne sont que médiates, par définition.

Le pouvoir est aussi par définition un moyen. Il n'en est pas moins voulu pour lui-même. Les hommes et les cultures qui maîtrisent certains moyens peuvent en être profondément affectés. Le savoir-faire et la richesse ne sont pas des accessoires que l'on met au rancart ou que l'on utilise à volonté. Ils supposent une discipline sociale, une mentalité industrieuse, un goût du rendement qu'il a fallu valoriser. La civilisation industrielle se complaît tant dans l'usage de ses instruments qu'elle les perpétue, les multiplie et les perfectionne sans éprouver le besoin, si ce n'est sporadiquement, de les destiner à des fins concertées. Par contre, il est des peuples qui n'éprouvent pas le besoin de sortir de ce qui semble être la pauvreté. Ils ne se donnent pas les moyens d'en sortir [18]. Leur apathie nous étonne mais la nôtre est aussi étonnante. Elle

18. Ils n'en maximent pas moins leurs utilités mais avec moins de méthode. Ils accordent une grande place au loisir et au maintien des traditions, parmi les utilités auxquelles ils tiennent ; ils n'attachent pas énormément d'importance au calcul de la maximation de leurs utilités ; ils ne jouissent guère de se savoir justifiés par une efficacité que l'on a conscience d'avoir maximé.

est plus absurde encore puisque nous avons déjà vaincu l'apathie pour ce qui est de la fabrication des moyens et y retournons pour ce qui est de leur emploi.

Peut-être y a-t-il là une espèce de fatalité. En effet, le processus d'industrialisation repose sur des anticipations de plus en plus audacieuses au sujet de l'interdépendance de biens et de services de plus en plus différenciés, et sur des investissements de plus en plus spécialisés, conformément à ces anticipations. Les investissements réalisés, les anticipations vérifiées, le système économique ayant retrouvé son équilibre, mais à un niveau plus complexe (ou moins entropique), un nouveau cycle d'anticipations et d'investissements peut recommencer. Le moteur de ce processus ne réside pas seulement dans la perspective d'un plus grand rendement du capital mais aussi dans la spécialisation des compétences et le progrès du savoir. On ne peut réduire ces deux derniers facteurs au premier [19]. La recherche scientifique et la promotion professionnelle sont voulues pour elles-mêmes, même si c'est dans le cadre de structures économiques données, même si elles signifient prestiges et salaires accrus, et contribuent à fortifier les structures établies. Ainsi se constitue un univers de plus en plus complexe, rationnel et absorbant. Les anticipations, puis les institutions en place conformément à ces anticipations, constituent finalement l'horizon commun de toutes les préoccupations.

On ne dispose pas des mœurs qui commandent le comportement, comme le poète dispose des mots. Son art est quasi souverain tandis que la morale des peuples naît à l'occasion des façons de faire et de penser autant qu'elle commande ces façons. On peut définir l'économique comme un moyen, mais elle entraîne un mode de vie qui est une entrave à la poursuite de certaines fins.

19. Voir à ce propos, le chap. III : « La spécialisation », dans *Comportement bureaucratique et organisation moderne,* de Victor A. Thompson, Paris, Éditions Hommes et Techniques, 1967. Ce chapitre établit une distinction intéressante entre la spécialisation (ou micro-division) des tâches et la spécialisation des hommes qui cherchent ainsi à s'identifier et à se valoriser. La première s'oppose à la seconde comme l'ouvrier non qualifié, interchangeable, s'oppose au spécialiste, seul compétent pour aborder une espèce de problèmes.

Les raisons de vivre se constituent au hasard des occasions et des traditions qu'offre l'histoire. L'individu organise sa vie comme il peut, là où et avec qui il se trouve. Insensiblement, sans qu'il s'en aperçoive, les moyens par lesquels il s'est laissé accaparer prennent le pas sur des fins qu'il poursuivait d'abord. Il est bien difficile de suivre à la trace le processus au cours duquel les procédés que l'on maîtrise bien influencent et finissent par déterminer les objectifs que l'on s'assigne.

Lorsqu'il s'agit du gouvernement de la société, il faut bien expliciter ses projets pour les défendre et les transmettre aux appareils administratifs qui les mettront en œuvre. Dans ce cas, il est nécessaire de tirer au clair les objectifs et les moyens préconisés. Idéalement, le débat politique stimule ses protagonistes à formuler des utopies audacieuses afin d'enthousiasmer, à calculer avec rigueur les moyens afin de convaincre. Le non-sens et l'injustice habitent la politique mais ils s'objectivent dans des institutions et dans des comportements publics ; il est dès lors possible de les dénoncer. On pourrait croire que l'aliénation dans l'économique qui est une affaire sociale serait démasquée avec pertinence et efficacité grâce à l'affrontement entre partis politiques. Il faut cependant remarquer que cet affrontement s'inscrit dans l'horizon d'une culture particulière où certains objectifs vont de soi. Une nation peut ne pas soupçonner que la maximation du revenu national ou le plein emploi de toutes les ressources disponibles ne sont pas des objectifs incontestables. Chaque parti peut se limiter aux seuls arguments qui convainquent élus et électeurs, étant donné la mentalité qu'ils ont contractée dans une culture dominée par des intérêts, des institutions et une idéologie déterminés [20].

Une fin est toujours conditionnée par les moyens et les conséquences de sa mise en œuvre. La science a sans doute ramené ses ambitions à ce que pouvait l'outil logico-mathéma-

20. Si la conscience insulaire peut s'égarer sans témoin et sans espoir de retrouver le bon sens, il semblerait qu'un comportement social, parce que public, s'offre à la critique de plusieurs. Mais si tous s'égarent dans une idéologie, il n'y a même plus de témoin possible, si ce n'est à l'extérieur de la culture collective. C'est dire que seul l'ennemi de classe, ou l'ennemi national, peut offrir un point de vue critique mais il ne peut l'offrir qu'à travers la lutte.

tique, à cause même des succès de cet outil. La politique et l'éthique aussi sont conditionnées par les outils qu'elles maîtrisent le mieux et par les institutions qu'elles ont favorisées. L'équilibre du budget et de la balance des paiements, par exemple, sont des objectifs très partiels mais ils sont aussi quelques-uns des moyens dont voulait disposer un gouvernement libéral. Ils ont fini par définir toute la politique économique d'un tel gouvernement. L'industrialisation et la puissance militaire sont des moyens importants pour assurer l'indépendance nationale mais ne sont-elles pas devenues dans bien des sociétés des objectifs permanents et indiscutables ?

Je ne prétends pas que la réduction de la politique à de tels moyens s'explique uniquement parce que ceux-ci accapareraient l'intelligence et l'esprit de compétition des hommes. Cette explication est insuffisante. Elle se situe sur le plan de l'idéologie ; et pourtant ce plan a parfois une importance déterminante [21]. C'est parce que des groupes sociaux multiples [22] y trouvent ou croient y trouver leur avantage que l'équipement industriel et militaire se poursuit à l'encontre d'autres urgences, à l'encontre de ce qui semblerait le bien commun si on prenait la peine de l'apprécier. Spécialistes et cadres, chercheurs et ouvriers s'entendent pour perpétuer certaines structures écono-

21. Cela paraît évident lorsque la science et l'école se concentrent respectivement sur le progrès technique et la formation spécialisée de la main-d'œuvre ; elles favorisent ainsi la cadence des innovations et la concentration industrielle.

22. Il faudrait ici distinguer quatre groupes : 1) la masse des salariés qui trouvent avantage à suivre la politique réformiste de leurs syndicats ; 2) les techniciens bien rémunérés, parce que très demandés ou parce qu'ils ont obtenu la parité de salaire avec ceux qui sont très demandés ; ils constituent une fraction avantagée du premier groupe ; si Galbraith parle de technostructure à propos de ces deux groupes, c'est que le premier, estime-t-il, voudrait s'identifier au second, et à travers ce dernier aux technocrates ; 3) les technocrates qui constituent les cadres de l'appareil administratif public et privé ; il est évident que les technocrates de l'État et des grandes firmes collaborent et que leur pouvoir est lié à celui du quatrième groupe ; 4) l'oligarchie ; il s'agit des ministrables, des cadres supérieurs des ministères, de l'industrie et du crédit. La complexité des affaires dont ils traitent et l'interdépendance de leurs décisions sont telles qu'ils doivent tabler non seulement sur la collaboration étroite du troisième groupe mais aussi sur l'assentiment du deuxième et du premier.

miques et faire l'affaire des oligarques, mieux encore que la leur, parce qu'ils trouvent dans ces structures et dans la collaboration qu'elle commande, emploi et occasion de promotion. Ils ne voient guère au-delà si ce n'est à l'occasion de critiques globales, n'aboutissant à aucune conclusion pratique et précise. L'idéologie ambiante et l'organisation sociale en place se combinent pour donner forme et ajouter au pouvoir déterminant d'intérêts particuliers. Ceux-ci gèrent prudemment la situation dont ils héritent et qui les a d'ailleurs définis. Ils ne peuvent pas la recréer de toutes pièces du jour au lendemain.

III

La politique et la société

Chaque option politique comporte des avantages et des sacrifices, des risques et des chances, des manques à gagner mais aussi des occasions heureuses plus ou moins prévisibles et appréciables selon de multiples points de vue. La délibération politique, si elle repose sur une information précise, est le lieu le plus propice à une prise en main de notre destin. C'est qu'elle procède moins en invoquant de grands principes plus ou moins inopérants, qu'en comparant des plans alternatifs concrets dont on peut tenter d'envisager les conséquences. La politique a, théoriquement du moins, le souci de l'ensemble et les moyens de contrôler cet ensemble.

1. DÉBAT POLITIQUE ET PRÉVISION

La plupart de nos actes ont une incidence sur l'entourage. Leurs répercussions échappent rapidement à leurs auteurs. Elles s'étendent à l'infini et l'on perd la trace de leurs conséquences multiples, imprévisibles, ambiguës. L'existence se déploie dans la coexistence mais celle-ci risque fort d'aller au hasard si personne n'a la charge de la mener d'un point de vue d'ensemble. C'est ce que veut faire l'État. Il tâche de prévoir et d'organiser les interactions des groupes et des personnes. La communication intelligente et bienveillante pourrait peut-être supplanter la contrainte de l'État et suffire à l'organisation politique. En fait l'État a beaucoup à gagner en suscitant la bienveillance et l'information des citoyens. Mais il conserve l'initiative de l'organisation sociale et impose une orientation particulière, même lorsqu'il croit pouvoir compter sur le « laisser-faire ».

Il y a des options politiques diverses et l'État ne peut éviter d'en choisir une. Chaque option peut être examinée en détail mais on ne peut jamais être assuré de sa validité, et ce en deux sens différents. D'abord, il faudrait les avoir expérimentées toutes et pouvoir les comparer pour savoir quelle est celle qui réalise au mieux les valeurs auxquelles elles se réfèrent. Ensuite, ces valeurs ne sont pas susceptibles d'une justification théorique. Elles ne pourront d'ailleurs être appréciées qu'une fois en voie de réalisation, c'est-à-dire une fois qu'on aura déjà déterminé l'ordre social en leur faveur. La politique d'une nation, comme l'existence d'un seul, est affaire de courage ou de lâcheté, et pas seulement d'analyse. Même la science des futuribles ou l'analyse des systèmes [1] ne sont au mieux qu'une projection des conséquences et des interactions des conséquences, dans un système social donné dont on ne retient que les quelques variables recensées et indexées, de certaines mesures qui pourront ainsi être mieux connues. Le gouvernement des hommes trouve là des instruments précieux mais en dernier ressort, il est pari moral [2]. Il met d'ailleurs en

1. Voir à ce propos les travaux de Jay W. Forrester, professeur au M. I. T., au sujet de ce qu'il nomme lui-même *Industrial dynamics,* et qui est une application de l'analyse des systèmes aux futuribles : *Industrial Dynamics,* Cambridge (Mass.), The M. I. T. Press, 1961 ; *Principles of Systems,* Cambridge (Mass.), Wright-Allen Press, 1968 ; *Urban Dynamics,* Cambridge (Mass.), The M. I. T. Press, 1969 ; *World Dynamics,* Cambridge (Mass.), Wright-Allen Press, à paraître.

2. Ceux qui veulent la justice et en font la nécessité de leur vie ne peuvent en démontrer la nécessité. Ils savent qu'il ne s'agit pas d'un goût anodin, mais au regard de la logique comment faire la différence entre « j'aime les caramels mous » et « tu ne tueras point » ? Savent-ils même ce qu'est la justice ? Ils la poursuivent et s'en font une opinion provisoire nécessaire à l'action. Peut-être même cèdent-ils à la tentation d'ériger l'objet de leur espérance et le fait même de l'espérance en système de vérité. Mais ils encourent alors le reproche de prendre des illusions pour des vérités. Il ne s'agit pas d'illusions mais, comme il

jeu des variables plus nombreuses et plus complexes que celles qu'on pourrait jamais recenser.

*

* *

Depuis que les moyens de prévision sont perfectionnés, les paris politiques qui sont proposés sur le « marché » font l'objet d'anticipations plus ou moins précises quant à la suite de leurs conséquences. Les décisions gouvernementales tendent à s'intégrer les unes aux autres et à se formuler en un plan cohérent qui tâche de s'inscrire dans une perspective à long terme [3]. La politique gouvernementale, dans la mesure où les instruments de prévision et les appareils administratifs s'améliorent, semble devenir plus ambitieuse et plus directive. Elle prétend animer l'évolution sociale et non seulement maintenir l'ordre.

Une telle prétention suppose un certaine cohésion de la nation ou une certaine autorité de l'État. En effet ceux qui croient recevoir moins que ce qu'ils attendaient du fait d'un plan d'ensemble ne s'y convertissent pas parce qu'il exprime clairement ce qu'ils perdent. Il faut en tout cas que l'État

ne s'agit pas non plus de vérités, le fait de les confondre avec des vérités provoque un tel reproche. L'idéologie politique, falsification réactionnaire des possibilités sociales, et l'utopie courageuse qui explore, suscite et exploite les possibilités, ne sont pas à confondre ; mais ni l'une ni l'autre ne sont sciences. L'utopiste aurait tort de vouloir établir en théorie ce qui demeure théoriquement invérifiable, ce qui est pourtant la source ultime du sens de l'existence. Le parti pris de rigueur intellectuelle nous oblige à ces remarques ; mais lui-même est un indémontrable, une modalité du courage de vivre devenu habituel dans notre culture, un élément du respect d'autrui et de la justice. Il est nécessaire à la vérité mais n'est pas une vérité nécessaire ; il est antérieur à la vérité qu'il fonde. Habituellement, ce genre de réflexion n'accompagne pas le souci politique parce que celui-ci ne s'interroge pas sur les fondements de son inspiration. Il la trouve disponible et sollicitante dans sa mémoire culturelle. Il n'en est pas moins vrai que le souci politique s'inscrit dans un choix existentiel, une certaine ouverture à l'être même si le choix et l'ouverture ne sont pas explicites.

3. Je parle ici de plan en un sens général. Je ne m'occupe pas de savoir s'il est indicatif ou impératif, s'il vise au développement industriel ou non. Il faut noter que l'existence d'un plan formel ne garantit pas nécessairement la cohérence des politiques qui suivront. Celles-ci peuvent obéir à de multiples pressions et contredire ce que prévoyait le plan.

puisse compter sur la collaboration des fonctionnaires et des différents secteurs de la population. Au cas où il ne veut pas prendre en main la direction économique du pays mais seulement le contrôler de loin, il lui faut pouvoir compter aussi sur la collaboration des syndicats, des chefs d'entreprises et des investisseurs sans devoir leur concéder trop de faveurs. Dans le chapitre précédent, on a pu voir combien le libéralisme économique tablait sur de tels facteurs.

Si l'économie nationale dépend entièrement du marché international sans le dominer, si elle dépend d'une économie particulière dominante, si elle n'est pas aux mains des nationaux, il est presque impossible pour un gouvernement de la contrôler, ne fût-ce qu'indirectement, sans en modifier la structure. Les pays du Tiers Monde dont la situation semble justifier un dirigisme économique ferme n'en ont pas le pouvoir quand ils dépendent surtout de firmes étrangères. Du reste, la cohésion nationale et l'appareil administratif nécessaires à une prise en main de l'économie leur font souvent défaut. Quant aux pays industrialisés mais ouverts comme la Belgique ou le Canada, leur marge de manœuvre est quasi nulle.

Quoi qu'il en soit, l'élaboration d'une politique, élaboration qui recourt à des prévisions rigoureuses et se fait contester dans un débat où divers points de vue sont représentés, me semble à la fois préoccupée du destin national et d'efficacité. Elle doit s'adapter aux vicissitudes de la situation ; elle échafaude des plans en fonction d'intérêts divergents, prévoit et combine des possibilités limitées.

Si les représentants de toutes les classes sociales concernées participent à l'élaboration et au contrôle d'une politique, celle-ci visera non des intérêts particuliers mais ni plus ni moins que la moralisation des rapports sociaux, ou à tout le moins, la coexistence des intérêts. Si ce n'est pas là la fin ultime de l'humanité, c'est au moins une fin dont la généralité n'est pas à mettre en doute. La « cité juste » est à l'horizon de tout débat politique ; elle est la norme et la raison avouables du pouvoir politique, au moins dans les traditions démocratique et socialiste.

Provisoirement, on pourrait définir la politique par cette norme : moraliser la société et notamment la production et la distribution des richesses, en tant que celles-ci déterminent de façon implacable les relations interhumaines, l'existence de chacun et la culture de tous. Un certain contrôle de la production et de la distribution des richesses constitue le noyau de toute politique qui se veut efficace. C'est un secteur qui est propice aux prévisions et à une politique déterminée. C'est un secteur qui concerne la situation sociale, nécessiteuse et industrieuse de l'homme. Mais, plus largement, la politique doit se formuler en termes budgétaires ; la précision comptable est nécessaire au choix rationnel des priorités. J'ai déjà parlé longuement des avantages et des pièges de cette précision [4].

2. *LIMITES DE LA DÉLIBÉRATION POLITIQUE*

Je voudrais rapidement passer en revue quelques procédures de prise de décision politique en vue de pondérer la confiance que je semblais mettre en la politique et plus particulièrement dans la délibération démocratique.

Dans la démocratie parlementaire, l'exécutif ne relève guère plus du parlement que de l'électorat. Celui-ci mandate celui-là pour le gouverner mais le parlement presque partout ne fait plus qu'approuver les budgets de l'exécutif, contester l'une ou l'autre de ses décisions particulières et souvent mineures, et discuter ses projets de loi. D'ailleurs ceux-ci ont été élaborés, discutés et soumis à de multiples consultations avant d'arriver au parlement sous une forme qui sera quasiment

4. Voici un texte de Pigou cité par Bertrand de Jouvenel, dans *la Seconde Société industrielle,* études coordonnées par J. Roustang, Paris, Les Éditions ouvrières, 1967, p. 66 : « Une étude exhaustive de toutes les causes contribuant au bien-être social nous entraînerait dans un travail dont la longueur et la complexité dépassent les forces humaines. Il est donc nécessaire de limiter notre recherche sur l'économie du bien-être à l'analyse des causes où les méthodes scientifiques sont possibles et efficaces. Ce sera le cas lorsque nous serons en présence de causes mesurables : l'analyse scientifique n'a solidement prise en effet que sur le mesurable. L'instrument de mesure qui est à notre disposition pour l'étude des phénomènes sociaux est la monnaie. C'est la raison qui nous conduit à limiter notre recherche au domaine du bien-être qui se trouve, directement ou indirectement, en relation avec l'unité de mesure qu'est la monnaie. » C'est là une méthode qui clarifie le débat politique tout en l'abordant par un biais qui risque de devenir exclusif à cause même de son succès.

définitive. Si le parlement fait encore une besogne utile, c'est en travaillant au sein des commissions particulières qu'il constitue en marge de ses assemblées.

L'exécutif est soumis à bien d'autres pressions qu'à celle des parlementaires ; ces mêmes pressions peuvent d'ailleurs s'exercer, à l'occasion, sur ces derniers afin d'influencer par eux l'exécutif. Les partis, la presse, les Églises, les différents groupes de pression que sont les syndicats, les oligarchies financières et industrielles, les étudiants, ont des influences qui se contrarient ou se combinent mais qui vont bien au-delà du pouvoir électoral de leurs membres, tel que défini par la constitution.

L'administration en donnant suite aux décisions de l'exécutif les transforme non seulement en fonction des contraintes et possibilités du moment mais aussi en fonction de sa mentalité. Même si elle est parfaitement neutre du point de vue des partis, elle a une façon d'envisager l'avenir qui lui est propre. Depuis que les sciences de la prévision se sont développées, elle a une influence accrue en amont, et non plus seulement en aval, des décisions politiques. Ce sont des fonctionnaires qui mettent en forme les problèmes politiques. Ils ne sont plus seulement ceux qui administrent les arrêtés. Dès lors le modèle wébérien de la neutralité administrative paraît de plus en plus difficile à pratiquer.

En démocratie libérale, on monte en épingle la liberté de parole qui préside à la critique des décisions, au contrôle de leur exécution ou à l'élaboration des lois. Mais très souvent quand une décision ou une loi font l'objet d'un débat public, elles sont déjà bien mûries par l'examen des technocrates et les conseils de différentes instances consultatives ; elles se sont déjà assuré une majorité par des voies qui tendent à s'institutionnaliser. Avant d'arrêter une politique, le gouvernement prend l'initiative de consulter les différents groupes concernés. C'est une façon efficace de les circonvenir et de les obliger à collaborer dans la perspective du bien commun, ou tout simplement de savoir leurs besoins. D'autre part, la spécialisation administrative, l'ampleur de l'information disponible, et donc requise, confèrent à bien peu de citoyens les moyens d'éprouver la pertinence d'une décision. Enfin, le débat ignore non seulement ceux qui lui sont indifférents mais aussi les extrémistes qui n'en acceptent pas les prémisses et rejettent en bloc le système dans lequel il s'inscrit. Je reviendrai plus tard sur le phénomène des récentes oppositions extra-parlementaires. Je voulais noter ici les limites du parlementarisme.

Par une évolution graduelle, on peut passer de la procédure parlementaire de prise de décision à une forme d'élaboration des politiques où les principaux responsables sont les membres d'un exécutif restreint assistés de fonctionnaires jouissant pratiquement d'un monopole de l'information. Le débat entre technocrates peut être aussi fécond que celui d'un parlement démocratique. Il ne rassemble pas des représentants de secteurs variés de la population mais il peut rassembler des personnes dédiées au bien commun et informées. Ce n'est pas parce que le débat est moins large qu'il est moins compétent, ce n'est pas parce qu'il est moins représentatif des opinions de la population qu'il est moins efficace, ou même moins imaginatif. Il peut avoir pour témoin non le peuple mais un milieu d'administrateurs informés et dévoués.

Dans une démocratie libérale, l'appareil du parti opère un premier tri parmi les candidats qui veulent briguer le suffrage populaire. Quant à l'administration, elle peut être recrutée parmi une élite intellectuelle dont on n'a pas de raison de suspecter le civisme tant qu'elle est payée et honorée. Dans des pays développés comme la France et l'Angleterre, l'école et l'intégration sociale assuraient la cohésion et la formation morale de l'élite d'où viennent les fonctionnaires, le personnel politique des partis bourgeois et les cadres de l'entreprise privée. Les partis de gauche et le syndicalisme ont d'ailleurs des leaders qui acceptent les règles du jeu de cette élite.

Il est des régimes qui réclament de leur personnel politique et administratif une allégeance avouée et sans partage à une ligne particulière définie par un parti. Celui-ci tend à rassembler dans une discipline et un enthousiasme communs. C'est le cas dans les régimes socialistes, dans bien des régimes nationalistes africains et au Mexique. La fonction du parti unique (quasi unique ou d'union nationale) dans des pays en voie de développement consiste à former des cadres et une cohésion nationale que l'école et la tradition étatique n'ont pas pu former. Ce parti vit éventuellement sur la lancée d'une guerre de libération nationale ou d'une révolution sociale. Dans la guerre ou la révolution, une première génération de cadres eut l'occasion de faire ses preuves et l'unité nationale eut l'occasion de se forger à neuf. Il y a là des possibilités démocratiques.

Il faut aussi noter que des cadres, révolutionnaires ou non, développent des réflexes spécifiques qui touchent à leur mode de recrutement ; ils tâchent de se perpétuer et pratiquent un certain népotisme. Le groupe qui détient le pouvoir a les moyens de préparer sa progéniture à réussir les concours qui mènent aux différents postes de commande. Quant à l'enthousiasme révolutionnaire, il s'amortit plus ou moins vite. Il ne subsiste bientôt plus qu'une rhétorique qui empêche la naissance de nouvelles utopies et amortit les anciennes.

*
* *

Dans la mesure où l'État vise non seulement à atténuer les désordres mais aussi à ordonner un développement global, harmonisant les différents secteurs nationaux, dans une perspective à long terme, le nombre de facteurs à envisager, la complexité des relations qui s'établissent entre ces facteurs, la quantification de ces facteurs et la formalisation de ces relations posent des problèmes très spécialisés. Les principales mesures politiques et administratives sont dès lors soustraites à la compétence de l'honnête homme et même du parlement.

Les projections statistiques et les recherches opérationnelles, l'analyse des bénéfices cumulatifs et en interaction (*cross benefits analysis*), la rationalisation des coûts budgétaires, bref, toutes les techniques d'aide à la décision ont conféré un immense pouvoir aux fonctionnaires. Le phénomène de la diffusion du pouvoir aux échelons supérieurs et moyens de l'administration affecte l'État comme l'industrie. D'une part, la clarification des problèmes est certaine à terme mais d'autre part l'ésotérisme administratif semble s'accroître dans l'immédiat.

L'informatique permet d'intégrer les différentes variables d'un plan complexe et de tenir compte immédiatement de la modification d'une variable affectant l'ensemble dans le cours même de mise en œuvre du plan. Elle augmente la puissance d'analyse et de contrôle de l'administration. Elle permettrait aux plans impératifs de l'U. R. S. S., par exemple, de gagner en souplesse ; encore faudrait-il que l'U. R. S. S. puisse se procurer des calculatrices, en dépit de l'embargo des États-Unis. L'informatique d'autre part, pourrait sans doute simplifier la formulation de politiques alternatives et clarifier le choix entre ces alternatives, à n'importe quel moment de la conjoncture et en fonction de celle-ci. Elle conférerait dès lors la possibilité d'un pouvoir de décision accru, aux instances les plus démocratiques. Mais il faudrait pour cela que les mœurs politiques se modifient, que l'administration aide élus et électeurs à poser les vrais problèmes.

En attendant, les parlementaires n'ont généralement ni la compétence ni l'information nécessaires pour élaborer des politiques alternatives à celles du gouvernement. L'interdépendance des décisions, leur complexité et leur formalisation sont telles qu'il ne savent comment s'y mêler. Ce n'est pas que l' « administration des choses » ait remplacé le « gouvernement des hommes ». Mais une fois qu'une orientation est prise, dans la mesure où, de cette orientation, dépendent mille décisions qui s'intègrent les unes aux autres, il devient très difficile de changer le cours des choses de façon harmonisée. Pour intervenir à bon escient, il faudrait connaître l'ensemble des dossiers, savoir leur interdépendance et la façon dont l'exécutif l'a conçue dans les programmes en cours.

Même dans le cas où l'homme politique serait parfaitement informé, oserait-il plus ? S'il veut économiser les moyens, profiter au maximum des mesures amorcées, cette prudence n'évacue-t-elle pas l'audace morale en même temps que les risques et les incertitudes ? En fait, le calcul économique est d'abord destiné à maximer les moyens du gouvernement, sa capacité d'innover et d'affronter l'inconnu. Mais il faudrait que ceux qui ont l'imagination politique sachent apprécier ce que leurs plans coûteraient, et que ceux qui ont l'habitude et l'habileté du calcul économique aient toute l'imagination que requiert le gouvernement des hommes ?

L'opposition extra-parlementaire n'a pas le souci de l'économie des moyens. Elle pratique une liberté de langage qui séduit les uns et effraie les autres. Chez elle, le sens des responsabilités ne semble pas étouffer des convictions aussi audacieuses que généreuses. Les habitués du pouvoir leur apparaissent prisonniers de préjugés de gérant. Le radicalisme est rare chez un premier ministre de même que la contestation chez un agent de police. L'homme qui détient le pouvoir doit s'appuyer sur des valeurs sûres et une analyse des faits. L'analyse, en révélant l'interdépendance des gestes et le coût d'un renversement de priorités, conduit à la prudence. Elle exclut la capacité d'investir son enthousiasme dans une cause isolée du cadre des priorités déjà définies. Dans ces circonstances, il est normal que ce soient des marginaux ou des étudiants non encore absorbés par un rôle défini qui se fassent contestataires et champions d'idéaux radicaux [5]. Que se joignent à eux des travailleurs, constitue une accusation beaucoup plus grave du système économico-social. Cela signifie qu'il est largement considéré comme impossible de modifier les institutions par les canaux prévus [6].

5. Les rêves indéterminés (c'est-à-dire riches de possibilités et prometteurs de déceptions rapides) de justice sont à la mode chez tous les étudiants. Mais de plus, ceux d'aujourd'hui, en Occident, sont acculés à dénoncer l'absurdité d'un système qui les déçoit. On leur avait promis rôle et statut sociaux au terme de leurs études et ils n'ont en face d'eux que la perspective d'un sous-emploi généralisé ou d'une instabilité croissante des rôles et des statuts. Leurs frustrations de petits bourgeois expliquent leur révolte aussi bien que l'attrait des idéologies de gauche. Je ne nie pas leurs sentiments moraux mais j'affirme qu'il y a des causes moins épisodiques à la révolte estudiantine contemporaine.

6. Que des clubs ésotériques d'universitaires aient pu émouvoir une masse estudiantine et même une masse ouvrière comme ce fut le cas en France en 1968, prouve au moins la carence des institutions syndicales et parlementaires à canaliser les insatisfactions diffuses, à les transformer en objectifs et à les utiliser dans un programme d'action politique. Est-on bien sûr de la distinction entre factions et mouvements nationaux ? Si le langage des partis ne correspond plus à la réalité, les factions pourraient bien essayer leurs moyens à travers la nation et connaître un certain succès. L'État parle encore de liberté mais le développement économique est sa seule perspective. L'Université elle-même a-t-elle des perspectives plus larges ? Peut-elle même se poser cette question ? Aux États-Unis, les plus résolus tendent déjà à se retrouver

Les fruits de la prospérité sont meilleurs dans l'illusion de la droiture et de la cohérence morales. La cohésion nationale a d'ailleurs besoin de bonne conscience. Le patriotisme s'accommode mal d'un soupçon quant à son bon droit. Si les responsables politiques soupçonnent leur mauvaise foi, ils ne peuvent la laisser soupçonner. La confiance de leurs administrés leur est nécessaire. Les peuples ne maintiennent au pouvoir que ceux qui leur promettent la prospérité, leur garantissent un confort moral et font semblant de ne jamais douter d'eux-mêmes. Mais les hommes politiques risquent de perdre beaucoup d'énergie à concilier ce qu'ils font et les idéaux qu'ils prétendent poursuivre, pour la bonne conscience de leurs administrés et la leur [7]. Il leur arrive d'ailleurs de ne plus pouvoir juger de leur politique effective et de se prendre eux-mêmes aux pièges de leur rhétorique [8].

3. GENÈSE DE L'IDÉAL

Une politique n'a de sens que si elle est dédiée à la réalisation de certains objectifs compatibles les uns avec les autres. Choisir une politique c'est choisir une orientation définie, un système de priorités et surtout un programme de mesures qui s'ordonnent selon ce système de priorités. Il faut cependant

dans les mouvements extrémistes bien plus que dans les syndicats ou les partis traditionnels. Les Black Panthers ne sont pas un groupe de pression ethnique qui tente de faire sa place dans la société américaine comme le firent les Irlandais puis les Italiens et les Polonais. Leur mouvement correspond à l'échec de la société américaine qui refuse de tolérer certaines différences, de faire justice à qui ne s'est pas d'abord soumis à ses façons de faire. Quand le dialogue politique est bloqué, il faut bien le refuser. Les mouvements factieux menacent la paix parce que d'abord, la concorde s'est avérée impossible. Ils refusent l'ordre établi parce que d'abord, ils en ont été exclus.

7. Dans son *Histoire de la révolution russe,* Paris, Éditions du Seuil, 1960, L. Trotsky démontre comment Kerensky fut acculé à une politique velléitaire et insensée du fait de sa double allégeance, l'une à une idéologie plus ou moins révolutionnaire et en laquelle il croyait, l'autre aux partis de droite sur lesquels il n'osait pas ne pas s'appuyer. Aussi perdit-il le plus clair de son énergie à s'illusionner et illusionner le peuple sur ses idéaux révolutionnaires.

8. On ne joue pas impunément avec les notions du juste et de l'injuste. On risque de ne plus être capable de faire la différence.

remarquer que les conséquences et les moyens d'une politique peuvent en contredire les intentions les plus sincères. Ce qui semblait n'être que détail renverse la signification et cause l'échec d'un programme. La révolution libératrice glisse vers la terreur ; la paix devient habitude des capitulations ; l'expansion économique s'accommode de l'injustice sociale ; le glissement est insensible mais fatal à l'idéal que l'on s'était d'abord assigné.

Il arrive qu'une politique n'ait pas pour fonction de réaliser les objectifs qu'elle proclame bien haut mais d'en réaliser de tout autres. Les premiers servent d'alibis aux seconds. Bien sûr la rhétorique gouvernementale se doit de manier la ruse ou du moins le style noble qui incite à l'effort et à la concorde, et accroît la confiance des administrés. La conduite des hommes exige un certain style. Mais la ruse est parfois poussée trop loin. Elle devient mensonge éhonté ou bien tromperie où le trompeur se laisse tromper. La ruse alors ne mène nulle part ; elle égare l'homme d'État plutôt que de flatter le peuple pour l'acheminer malgré lui vers un objectif défini.

Bref, il est vrai que la politique la mieux intentionnée peut se perdre pour un détail. Il est vrai que des alibis justificateurs masquent souvent les véritables intentions d'une politique. Il est vrai que la concorde nationale a besoin de tels alibis et que certaines intentions qui conviennent à tous ne peuvent être avouées devant tous. Ce sont là des faits irrécusables. Mais avant d'étudier comment l'idéal politique se pervertit, il faut voir ce qu'il est et comment il émerge d'une situation déterminée. Je parlerai d'abord de l'émergence des fins politiques et de leurs transformations au fur et à mesure de leur réalisation. Ensuite, j'aborderai la question des idéologies justificatrices. Enfin, je parlerai de la contrainte comme moyen obligé de la politique.

*

* *

Les contraintes et les possibilités de la situation sociale ne sont pas toujours prévisibles. L'homme public ne peut hésiter longtemps sur le choix d'une politique. Les circonstances le pressent. Il doit faire preuve de détermination. Le chemin qu'il prend, il ne sait pas toujours où il mène. Il lui faut cependant choisir une direction. Telles sont les conditions dans lesquelles il lui faut imaginer des idéaux, ou plus exactement réévaluer ceux dont il hérite.

Il y a des programmes effectivement poursuivis et qui n'aboutissent à rien. Il y a des programmes qui échouent et qui n'étaient pas des alibis. C'est un fait, mais il faut vouloir qu'il n'en soit pas ainsi. Il y aura peut-être plus de sens dans l'histoire si l'homme imprime la marque de sa raison sur les institutions et pèse ainsi, non seulement sur les événements qu'il contrôle directement, mais aussi sur un avenir qu'il n'influence que par le biais des lois et des mœurs qu'il aura instituées. La réussite d'une politique est sans doute toujours problématique. Ce n'est pas une raison pour renoncer à poursuivre des objectifs ambitieux à travers des événements que personne ne domine tout à fait. À s'abandonner aux hasards de l'histoire, on perd sans doute l'occasion de transformer ces hasards en possibilités propices aux projets humains.

Quelle que soit la conception générale du sens de l'histoire et du projet de l'homme, une fin politique se conçoit à partir des perspectives d'avenir qu'offre le temps présent. Elle est fonction d'une situation donnée et de l'audace de ceux qui l'énoncent et l'entreprennent. Cette audace est elle-même fonction de la situation culturelle : moyens de prévision et valeurs en cours. Quand un parti imagine une politique qui restructurera ou réorientera une situation plus ou moins médiocre ou plus ou moins prometteuse, ce parti est influencé par cette situation non seulement parce qu'il doit en tenir compte comme d'un donné irrécusable sur lequel s'appuie son projet (ressources morales et physiques disponibles), mais aussi parce qu'il ne conçoit de projet qu'à partir des utopies et des idéaux qui ont cours, alimentant et limitant l'imaginaire. D'ailleurs, une initiative n'a de répercussion sociale que parce qu'elle tient compte des perspectives de la société, provoque, renforce ou contrarie des tendances en cours aussi bien dans le domaine des idées et des valeurs que dans d'autres domaines.

Le sens des responsabilités et le courage politique se manifestent non seulement dans l'audace des idéaux mais aussi dans la façon d'assumer les répercussions de ses actes et les circonstances. Même le prophète ne peut se désintéresser ni du prolongement de l'émotion qu'il a soulevée, ni des occasions qui conféreront une pertinence manifeste à ses exhortations.

Le prophète ou le moraliste envisagent les fins ultimes de l'homme. Il leur convient d'énoncer des absolus et de rappeler des comportements exemplaires. L'homme d'État (ou l'aspirant homme d'État) fait plus et moins ; il veut imposer à tous un certain ordre. Et quand il en appelle à la grandeur morale, c'est pour sauver l'ordre national en danger, face à la guerre ou à la subversion, c'est pour sauver une prospérité minimale, peut-être nécessaire à la grandeur morale. Mais évidemment l'ordre public et la prospérité ne sont pas toute la grandeur morale imaginable. Les fins du gouvernement sont spécifiques : la paix et la sécurité, la concorde et la justice. Il ne peut les poursuivre qu'en imposant des règles de conduite générales. Pourtant ces fins, sans être toutes les fins ultimes de l'homme, prétendent parfois s'en approcher, en être une étape privilégiée et nécessaire (l'État socialiste, par exemple) ou un aspect (la justice en tant qu'annonciatrice du royaume de Dieu).

Il est évident que les fins spécifiques de la politique sont déjà très générales et constituent un idéal régulateur plutôt que des objectifs concrets. Julien Freund dans ses livres sur la politique [9] distingue : *a*) l'eschatologie qui traite des fins éthiques ou fins ultimes et générales de l'homme, *b*) la téléologie qui traite des fins spécifiques de la politique et *c*) la technologie qui parle des objectifs concrets, limités et précis. Or c'est seulement à propos de ceux-ci que naissent les oppositions et le débat politique. Ils révèlent le vrai visage de la fin spécifique dans la perspective de laquelle ils s'inscrivent. Entre la technologie, la téléologie et l'eschatologie, il y a une dialectique qui interdit de considérer l'une comme définitivement antérieure aux autres. Le projet ultime est évidemment premier à titre d'esquisse, mais ce sont les moyens mis en œuvre qui le déterminent, révèlent ses ambiguïtés et exigent qu'il se définisse davantage. Même si le débat politique ne porte que sur la technologie, il se répercute

9. J. Freund, *l'Essence du politique,* Paris, Sirey, 1965, ou *Qu'est-ce que la politique ?,* Paris, Éditions du Seuil, 1967.

sur les fins spécifiques de la politique et sur les fins ultimes. J'ai déjà montré combien nous étions entraînés, par l'usage et la maîtrise de certains procédés économiques, à limiter nos ambitions à la perspective ouverte par ces procédés. Mais il faut aussi remarquer que sans ceux-ci, que d'ambitions n'auraient jamais pu émerger et se réaliser.

*

* *

Nous n'avons pas présente à l'esprit une vision claire de la justice ou de la cité idéale (fins spécifiques conçues dans le prolongement des fins ultimes). Nous concevons la justice par le truchement de ce qui nous frappe comme manque de justice. Ces manques n'apparaissent que sur le fond d'une idée positive, dira-t-on, mais celle-ci est à peine explicite. Ce que disent d'abord les oppositions parlementaires ou journalistiques et les théories sociales, ce sont les insuffisances par rapport à un idéal de justice inexplicité et, pour cette raison, largement partagé [10].

Grâce à la critique des insuffisances du présent, critique soutenue par l'impatience des victimes de ces insuffisances, une stratégie s'élabore, qui dégage dans le mouvement de la réalité sociale les possibilités d'un progrès des mœurs [11] et veut les

10. Les utopies sociales sont imaginées en fonction et à partir d'un manque précis. Elles sont donc très partielles. Leur réalisation intégrale serait catastrophique. Il faut, à ce sujet, se référer au *Meilleur des mondes* d'Aldous Huxley et à son exergue. Elle est de Nicolas Berdiaev et commence ainsi : « Les utopies apparaissent comme bien autrement angoissantes : comment éviter leur réalisation définitive ? [...] » Platon rêvait innocemment de sa république raisonnable parce qu'il n'avait pas les moyens de la réaliser. Heureusement !

11. Le progrès n'est pas nécessairement linéaire ; il peut y avoir progrès sur un front et retrait sur un autre. D'ailleurs, la politique est le plus souvent accaparée par les multiples sollicitations qui surgissent à gauche et à droite. Elle répond aux situations de crise bien plus qu'elle n'impose un plan à l'ensemble de la vie sociale. C'est parce que l'économique est une matière aussi pressante qu'administrable qu'elle absorbe constamment l'attention de la politique; mais que d'aspects elle ne soupçonnera jamais tant qu'ils ne donneront pas lieu à des problèmes aigus et inévitables. Un plan d'ensemble n'est lui-même le plus souvent qu'une réponse cohérente aux manques les plus évidents. Mais pour se donner du cœur, et en donner aux électeurs, aux contribuables et à

actualiser. La moralisation des rapports humains ne peut plus être un souhait indéterminé dès qu'elle se trouve préconisée, en négatif par la protestation des journaux, des parlementaires ou de la rue, concrètement amorcée en positif par des lois et des mesures administratives. Non seulement l'homme veut en principe agir sur l'histoire de sa communauté mais celle-ci lui en donne l'occasion. Elle lui offre des alliés et lui indique des objectifs. En fait, le désir de justice ne devient opératoire que lorsqu'il rencontre un besoin social déjà défini et impatient. Il se détermine alors et, de plus, trouve la force de s'accomplir.

Les malheurs et les faillites elles-mêmes sont des leçons ; les guerres ont ravagé le monde ; il faut bien vouloir la Société des nations ou l'O.N.U. Cet exemple donne une mesure à l'optimisme. L'O.N.U. est un espoir et une occasion d'établir plus de justice. Mais l'espoir est fragile, l'occasion souvent manquée ; les horreurs de la guerre s'oublient ; il y a toujours des puissants disposés à les rejouer sur le terrain des pauvres ; d'ailleurs les guerres ne laissent pas que de la désolation et l'espoir d'une société des nations, mais de l'amertume et des problèmes envenimés, bref, d'autres guerres en perspectives.

Il n'est que trop évident que la loi et les mœurs établies dans un milieu sont loin de l'idéal. Cette évidence est le moment du projet : le moment où le vouloir peut s'articuler sur l'histoire sociale. Mais à la réflexion et dans la pratique, le projet qui semblait simple l'est beaucoup moins. On protestait globalement mais voici qu'il faut agir de façon précise en saisissant des occasions toujours ambiguës, en rejoignant un mouvement populaire plus ou moins irrationnel, en alimentant une colère qui mènera Dieu sait où [12]. On a grand besoin de toutes les ressources de l'intelligence pour mettre en forme l'avenir et tirer le meilleur parti possible des circonstances, y compris les conséquences malencontreuses et inattendues des initiatives de son propre parti.

l'administration, l'homme politique a tout avantage à situer son action parcellaire dans une perspective grandiose et à ne pas trop spécifier le progrès qu'il veut.

12. On est toujours partie d'un mouvement populaire : celui de la passivité, celui de l'indignation morale ou celui de la colère agissante. Mais cette appartenance n'interdit ni la critique ni le doute. La lucidité n'est pas exclusivement l'apanage des inactifs ou des solitaires.

4. PERVERSION DE L'IDÉAL

La politique a des fins et des moyens spécifiques mais, en définitive, ces fins spécifiques se réfèrent à des fins ultimes et générales, définies et considérées comme telles par la culture où elle opère. Dans notre culture, la liberté et la justice passent pour de telles fins. Mais en tant qu'elles se réduisent à ce que peut la politique, avec des moyens tels que la loi et la contrainte étatique, elles sont des fins spécifiques de la politique. Leur signification est alors moins générale.

La politique ne peut vouloir la liberté de chacun qu'à sa façon. Elle peut défendre un statut des professions, un salaire minimal garanti, la sécurité de l'emploi ; elle peut établir des allocations familiales et la gratuité de l'enseignement ; elle peut même tenter d'accréditer le pluralisme idéologique. Ce sont là autant de facteurs déterminés qui concernent toute une société ; leur influence se répercute dans l'histoire et jusque dans la vie intime des citoyens. Mais ces facteurs ne suffisent pas à garantir le respect de chacun, en dépit du fait qu'ils ont été très souvent définis et justifiés dans la perspective d'une telle valeur, considérée comme ultime.

L'État est plus que le gérant de la police. Il est devenu le principal organisateur de la culture et de l'enseignement. Il encourage les arts, définit l'environnement des hommes. Il choisit pour ou contre une forte natalité, pour ou contre des investissements publics dans l'habitat à loyer modique, pour ou contre la médecine préventive et sociale. Il choisit de réglementer la publicité et l'information avec plus ou moins de sévérité. De plus en plus le destin de chacun dépend des décisions politiques. La prospérité et la redistribution des revenus exigent une société de plus en plus complexe, de plus en plus réglementée.

Dans cet âge, prospérité et solidarité nationales ou internationales, croissance et interdépendance économiques sont des valeurs qui vont de soi. Elles apparaissent comme des conditions des valeurs ultimes et passent pour des fins spécifiques de la politique. Mais en pratique, elles sont souvent réduites à ce que peut la routine des administrations et à ce que veulent les intérêts établis. L'idéal d'un développement socio-économique est plus souvent un alibi qu'un guide pour le progrès d'une firme ou d'un secteur de la nation. Les industriels et les hommes d'État en voulant la croissance des affaires ne résolvent pas les problèmes sociaux et peuvent même les envenimer. De même la police, en voulant à sa façon la paix et la concorde, les rend parfois impossibles. La police ainsi que les hommes d'État ou les industriels, ont une perspective limitée par les cadres et les institutions dans lesquels ils œuvrent. Ils trouvent des valeurs vénérables (l'ordre, la civilisation chrétienne, le plein emploi ou la démocratie) et un peuple crédule pour justifier la partialité de leur perspective.

Je distinguerais deux cas où le recours aux idéaux est mensonger : *a*) celui où l'on professe un idéal pour se concilier des alliés nécessaires alors que la politique poursuivie est indifférente ou contraire à leurs intérêts. Il s'agit d'un masque idéologique de la politique effective pour des besoins de propagande ; *b*) celui où l'on tient à un idéal vénérable parce qu'on n'a rien d'autre à vénérer, alors qu'il est inopérant et inadéquat à la réalité. La première attitude n'est pas toujours de mauvaise foi. On peut confondre intérêt et vertu et ne plus savoir les démêler. Les missions et le commerce estimèrent parfois sincèrement que leurs buts convergaient. La seconde attitude n'est pas nécessairement naïve et de bonne foi. Don Quichotte en tira parti : il était pur et intègre à ses propres yeux. Mais on peut imaginer un Don Quichotte plus rusé, qui sciemment aurait cultivé une rhétorique désuète mais propre à enthousiasmer et lui-même et des fidèles. Il aurait pu réussir cyniquement comme chef d'un parti de petits bourgeois désillusionnés, en leur offrant, comme à lui-même, le confort moral d'une croisade. Il aurait pu même sauver sa bonne foi, en oubliant la mauvaise foi de son enthousiasme au fur et à mesure que celui-ci montait à la tête des autres et de lui-même.

Dans les deux cas, il s'agit de créer une illusion mensongère. L'auteur est plus ou moins conscient de son mensonge. Dans le premier cas, on défend des intérêts objectifs et dans le second, des habitudes mentales. Je parlerais de mensonge habile à défendre des intérêts dans un cas et dans l'autre, de complaisance dans des illusions vénérables. Mais il faut se rappeler que l'illusion vénérable peut être entretenue sciemment et que le mensonge vraiment habile finit par tromper tout le monde y compris son auteur lui-même.

a) Illusion vénérable

Les droits politiques du citoyen en démocratie constituent un bel exemple d'illusion vénérable et le pouvoir politique du parlement en constitue un autre [13]. Les citoyens croient encore à la souveraineté populaire alors que les machines électorales leur vendent président, gouvernement et chambre selon les méthodes éprouvées par les firmes publicitaires [14]. D'autre part, les parlementaires sont embarrassés par la complexité et la taille des outils de leur puissance. Les machines administratives sont douées d'une vie propre qui leur échappe, du moins dans les grands États industriels. Enfin, l'intégration du point de vue des entreprises dans les plans de développement soumet l'État à la mentalité des gestionnaires et aux exigences de la croissance et de la concentration industrielles, mais le point de vue des électeurs n'a guère de poids. Les politiques sociales-démocrates en Europe occidentale depuis 1945 prouvent que la revendication des salariés en faveur d'une participation au contrôle des entreprises n'a pu convaincre les gouvernements élus par ces mêmes salariés. Par contre, ces gouvernements poursuivent une politique néo-capitaliste qui s'aligne sur les intérêts des monopoles nationaux [15] et sur le préjugé largement répandu que la croissance du revenu national brut est un bien qu'il faut poursuivre presque à tout prix.

Que signifie la démocratie si les peuples démocratiques ne s'intéressent qu'aux en-têtes des journaux, aux réclames et à des bribes de nouvelles télévisées ? Ces signaux constituent l'atmosphère des foyers. L'image, le titre, la tache de couleur sont partout, fugitifs et présents. Ils véhiculent de l'information mais à notre insu. Lorsque nous pouvons formuler pour nous-mêmes ce qui a été transmis, nous en rendre compte et

13. C'est le thème du livre de J. Ellul, *l'Illusion politique,* Paris, Robert Laffont, 1965.

14. Cf. J. McGinniss, *Comment on vend un président,* Paris, Arthaud, 1970.

15. Cf. E. Mandel, *la Réponse socialiste au défi américain,* Paris, François Maspero, 1970.

le critiquer, il y a longtemps que nous y sommes déjà adaptés et que notre comportement en a tenu compte. Bref, le progrès technique et tel dentifrice sont bons ; nous sommes imprégnés de ce message ; lorsque nous y réfléchissons, nous avons déjà acheté notre dentifrice et voté. Les journaux soucieux de leur tirage le savent bien, qui ne courent pas le risque de déplaire aux conditionnements du lecteur en matière politique, et augmentent dès lors leur tirage et leurs revenus publicitaires. Leur règle est de ne pas heurter les convictions du client. Celles-ci sont inconscientes, tant qu'on ne les contrarie pas ; mais elles façonnent déjà un comportement et ne tolèrent pas la contradiction (qui les révèle).

Au moment où la politique, par sa prétention de poursuivre un développement global de la société nous concerne plus que jamais, elle échappe au contrôle de l'électorat et même des élus. Pourtant la démocratie demeure une valeur proclamée comme la nécessité de se brosser les dents. La situation n'est pas seulement fausse ; elle est surtout favorable aux errances et aux mensonges collectifs.

b) Mensonge habile

La solidarité internationale est une valeur tout aussi falsifiée que la démocratie. On la préconise et on la vénère mais on n'en pratique qu'une caricature. Il faut dire que cette caricature est conforme à des intérêts puissants. L'illusion vénérable apparaît ici davantage comme un mensonge habile utile à quelques-uns. La pratique de la solidarité est à la remorque des intérêts impérialistes de tout poil. Les alliances culturelles et techniques, les aides économiques et les unions tarifaires sont en harmonie avec les allégeances politiques et la domination d'une économie sur une autre. Les nécessités du développement régional et du plein emploi dans les pays industrialisés fournissent une raison humanitaire à la concurrence écrasante [16] que livrent ces mêmes pays (les É.-U., par exem-

16. Cette concurrence est écrasante parce qu'elle ne porte pas seulement sur les coûts de production. Il y a aussi le contingentement à l'importation et notamment les contingentements volontaires qui résultent d'une espèce de chantage. Il y a également les barrières et les unions douanières, les accords et exemptions tarifaires qui constituent souvent une véritable barrière aux exportations manufacturières du Tiers Monde.

ple) aux industries manufacturières (notamment les textiles) qui pourraient démarrer dans le Tiers Monde. L'aide économique au Tiers Monde se réduit la plupart du temps à financer des exportations de biens et de services en provenance des pays développés [17]. L'aide est un aspect de leur néo-colonialisme [18]. Et je ne parle même pas ici des livraisons d'armes et des interventions militaires contre des mouvements populaires pour maintenir un certain ordre des choses, livraisons et interventions qui se font passer pour aide au Tiers Monde ou aux pays « alliés ».

*

* *

On pourrait continuer à énoncer et à dénoncer les illusions vénérables et les mensonges habiles au sujet des idéaux politiques. Mais toute nation n'a-t-elle pas besoin de croire en sa vertu pour vivre et demeurer une ? Qui peut faire le partage entre l'utopie qui polarise l'action commune et vertueuse, et l'idéologie qui justifie et console la nation de ses faillites et de ses crimes [19] ? « La politique est dure, parfois impitoyable au regard des exigences de la pureté morale. Une collectivité a besoin de bonne conscience. Celle-ci peut être irritante aux autres, à ses voisins et à ses ennemis, encore qu'il faille soi-même avoir bonne conscience pour en faire reproche aux autres. Dès qu'une unité politique est ravagée par le complexe de culpabilité, elle perd tout dynamisme politique, elle doute d'elle-même [...]. Aussi se montre-t-elle le plus souvent très sévère à l'égard du pouvoir qui ne sait pas lui inspirer confiance même si son activité a été louable... [20] » Une personne peut se maintenir dans l'aveu ; ce n'est guère

17. Cf. à propos de l'aide liée, *le Rapport Pearson. Vers une action commune pour le développement du Tiers Monde,* Paris, Denoël, 1970, p. 235-237.

18. Cf. P. Jalée, *le Pillage du Tiers Monde,* Paris, F. Maspero, 1969, chap. 9, 10, 11 ; C. Bettelheim, *Planification et croissance accélérée,* Paris, F. Maspero, « Petite collection F. Maspero », 1967, chap. 3.

19. Je parle ici d'idéologie et d'utopie dans le sens où K. Mannheim emploie ces mots dans son livre *Idéologie et utopie,* Paris, Librairie Marcel Rivière, 1956.

20. J. Freund, *Qu'est-ce que la politique ?,* Paris, Éditions du Seuil, 1967, p. 68.

possible pour une nation. Tous ne sont pas également coupables ; il y a des responsables, des consentants, des ignorants, des opposants, et encore ceux-ci furent-ils plus ou moins courageux. Surtout, la nation pour subsister requiert une estime d'elle-même, en dépit des habitudes de dénigrement qu'elle peut affecter.

Bref, une conscience lucide et pratiquant l'ironie vis-à-vis d'elle-même est non seulement très problématique pour une collectivité aussi disparate et nombreuse qu'une nation, mais elle risquerait de miner la cohésion nécessaire à la concorde et à tout projet collectif. Ce n'est pas une raison pour excuser les outrances du nationalisme mais c'est une raison de veiller à l'utilisation judicieuse du narcissisme national. L'État a ses rites. Il faut les connaître avant de prétendre moraliser à ce sujet.

5. POLITIQUE ET CONTRAINTE

La parole vraie transgresse tous les partis. Elle veut être entendue de tous pour ce qu'elle est. Dès qu'elle s'entoure des prestiges académiques, des pompes sacerdotales, des ruses publicitaires, électorales ou pédagogiques, elle a déjà cessé d'être respectueuse de l'interlocuteur, elle a cessé d'en appeler à sa seule autonomie, elle est déjà sur la pente de la violence. Le Christ refusait le couronnement, Gandhi mettait son seul espoir dans la conversion de l'ennemi, courant le risque de n'éveiller que son sadisme. Il est des prêtres qui sont hostiles aux honneurs que leur confère la chrétienté. Sartre refusa le prix Nobel. Gandhi et Sartre ne manquaient ni de ruse, ni d'à-propos, mais leur ruse et leur à-propos consitent à donner à leurs gestes toute la résonance qu'ils méritent. Pourquoi le prophète ne se soucierait-il pas de donner un écho à ses scandales ?

Socrate, Antigone séduisent par la seule vertu de la vérité et de l'exemple. Ils ne manipulent pas les foules mais en appellent au jugement et au cœur de chacun. Ils proposent sans imposer. Cela ne veut pas dire qu'ils ne tiennent pas à leur foi. Leur témoignage peut aller jusqu'à la mort, mais la force de leur conviction ne contraint que celui qui choisit de la faire sienne. Cette conviction est un exemple sublime. En manifestant sa liberté, le héros en appelle à la liberté des autres, les laisse être dans leur effarement et, par cet effarement même, les fait naître au souci qui l'habitait. Il faut aussi évoquer les bonzes qui s'immolaient par le feu pour questionner Saigon et le monde.

Le pouvoir politique procède autrement. Même si la loi est raisonnable, juste et exemplaire, elle s'impose *manu militari*. Sa fonction est d'organiser tous les citoyens et non seulement ceux qui sont convaincus de son bien-fondé. Dans l'État le plus civilisé, il y a une police pour corriger les comportements qui enfreignent les lois. En effet, une légère perturbation de l'ordre peut entraîner des conséquences incalculables, ne fût-ce qu'accréditer un tant soit peu la non-observance de la loi.

La loi peut n'être pas équitable ni conforme aux attentes de chaque citoyen. Sa fonction essentielle est d'assurer l'ordre et de garantir à chacun un traitement prévisible. La sécurité de chacun l'exige. Une injustice avec laquelle on peut compter vaut parfois mieux qu'un jugement qui sera peut-être équitable mais est encore en suspens. Bref, la loi organise le réseau des relations sociales en leur imposant un cadre explicite.

La spontanéité de ces relations peut donner lieu à des conséquences désordonnées qu'il faudra bien contrôler. Par exemple, la révolution industrielle amorça un processus de transformations sociales rapides et violenta les plus faibles. Les bonnes volontés n'y pouvaient rien tant qu'elles ne purent utiliser la puissance politique pour faire passer des lois générales, modifier des structures économiques et transférer massivement des ressources prélevées par les moyens fiscaux. Pour ordonner et éventuellement moraliser l'économique, il ne fallait rien de moins que l'autorité de l'État. Des lois contraignantes peuvent garantir la liberté mieux que le « laisser-faire ».

La force est au cœur de la politique. Même l'ordre juste s'impose par la contrainte s'il doit être plus que vœu pieux. D'autre part, dans les mœurs qui ont cours actuellement, la justice ne rallie à sa cause les partis que parce que la défendre avec une certaine habileté, c'est s'assurer des faveurs populaires et du pouvoir. Si des hommes de bien poursuivent avec succès les honneurs de la politique c'est que leur candidature est soutenue par la force d'une masse organisée ou que leur modération fait l'affaire de la classe dominante, de ses intérêts et de sa bonne conscience. La vertu fait partie des artifices nécessaires pour se concilier une majorité et détenir le pouvoir. C'est pourquoi elle est voulue durablement. Sans doute est-elle aussi voulue pour elle-même, mais sans la justice que réclament l'électorat et la presse, sans la menace des groupes désavantagés, sans la prudence des riches et des puissants, la justice ne serait qu'une velléité sporadique [21].

*
* *

Il demeure que l'ordre établi est souvent scandaleusement injuste. Il se protège par les armes. La paix de l'empire n'est la plupart du temps que l'organisation rationnelle de l'exploitation. Les faibles qui se rebellent sont considérés comme des agresseurs et condamnés selon le droit. C'était le Front de libération nationale qui était hors la loi en Algérie. Durant l'hiver 67-68, les municipalités américaines se sont armées contre les Noirs et ces armes ont servi dès le printemps, mais qu'un Noir brise une vitre, il est considéré comme un danger public et les puissants sont déjà justifiés d'être sur pied de guerre.

La violence est partout et il n'y a pas moyen de l'éviter. On est du côté des faibles ou des forts mais l'on appartient toujours à l'un ou l'autre des deux camps. La violence est déjà un fait qui larve toute paix et, pour établir la justice, il n'y a parfois pas d'autres moyens que de répondre à la violence par la violence. Les mouvements de libération nationale ou prolétarienne entrent en guerre parce que leurs raisons ne sont pas entendues, que l'interlocuteur refuse même leur nom. Ainsi, au Viêt-nam, les États-Unis et le gouvernement qu'ils y protègent de leurs moyens démesurés ont longtemps refusé de reconnaître le Front de libération nationale. Ils n'y voient

21. Cf. à ce propos M. Duverger, ***Introduction à la politique,*** Paris, Gallimard, « Idées », 1964. Duverger centre son exposé sur les deux faces de la politique : vouloir de la justice et concurrence pour le pouvoir. Il montre comment le vouloir de justice aide à gagner le pouvoir.

qu'agression étrangère en provenance du Nord, fût-il vietnamien. Quelles que soient les raisons des adversaires, il faut noter ces particularités du vocabulaire politique.

Mais ce qu'il faut aussi remarquer, c'est que parfois (ni toujours ni fatalement) des intérêts vitaux, parce que niés, ont acculé la classe ou la nation opprimée, à se battre. Dans le meilleur des cas, ces intérêts ont fait l'objet d'une volonté commune et ont donné lieu à une organisation politique et militaire. Les nécessités de la lutte ont progressivement exigé la définition d'objectifs politiques clairs et partagés. Une communauté organisée et décidée d'atteindre ces objectifs, une nation peut-être, se constituait. Corrélativement au développement de la lutte, à la constitution d'un corps politique et de ses cadres, à la définition de ses objectifs, le monde extérieur et les défenseurs de l'ordre établi étaient obligés de reconnaître qu'il y avait lutte et interlocuteurs.

Non seulement la lutte impose un programme à l'attention, elle est l'occasion de sa genèse et de sa détermination. La conscience de l'injustice provoque une révolte et celle-ci est occasion de prospecter les chemins de la justice. Mais les occasions ne sont pas toujours saisies et les nécessiteux ne sont pas souvent les plus forts. Il n'y a là aucune fatalité. Certains veulent ne pas le savoir afin de conserver optimisme et assurance dans la lutte. D'autres tiennent aux illusions pour se dispenser de l'intelligence politique et du courage.

6. LES RISQUES DE LA VIOLENCE

Il ne faut pas nommer violence toutes les contraintes légales ni non plus prétendre que la politique pourrait faire l'économie de toute lutte. La paix de la société et le respect des hommes se gagnent à travers les revendications de plusieurs. Si l'on veut moraliser les relations sociales, il faut d'abord reconnaître les heurts auxquels elles donnent lieu. La politique n'est pas une forme de la violence mais une tâche qui en tient compte, table parfois sur elle mais en vue de la réduire. Certains gardent comme objectifs politiques l'élimination définitive de toute forme de violence. Il en est d'autres qui établissent la paix sur une violence mesurée et se réconcilient avec ce fait.

On peut s'en scandaliser, mais si la paix, à l'intérieur comme à l'extérieur de la nation, demeure une fin immédiate de la politique, il faut bien souvent l'acheter au prix de certaines violences et d'injustices relatives.

La paix est une des tâches de la politique. La justice en est une autre même si elle est liée à la première. En tant qu'elle poursuit la justice, la politique doit reconnaître les adversaires et les amener à l'expression de leur point de vue. Elle ne peut régler souverainement tous leurs conflits mais elle peut au moins les arbitrer. Elle n'éliminera pas toutes les injustices mais elle laisse ouverte la possibilité de négocier une nouvelle entente, tandis que la guerre se coupe avec ivresse d'une telle possibilité. La guerre en démontrant l'irréductibilité des uns peut acculer les autres à les respecter et relancer les négociations; mais plus souvent elle installe les deux parties dans une irréductibilité dont chacune se fait gloire.

Si la paix à laquelle tend la politique signifiait non seulement ordre et apaisement relatif des griefs mais concorde des cœurs, la tâche serait impossible. Le droit ne pourrait consacrer que les résultats des négociations où tous se rencontreraient et recevraient justice au sens où chacun l'entend. Mais la paix à laquelle vise la politique est plus humble. Elle est ordre plutôt que concorde. L'ordre repose sur ceux qui craignent de le troubler et sur ceux qui y trouvent leur avantages. Bref, une certaine paix est réalisable mais elle n'épuise pas l'idéal de justice. Celui-ci peut être au cœur de la politique ; mais la prudence, et non seulement des intérêts particuliers, commande de sauvegarder la paix minimale déjà acquise.

Il arrive que l'ordre établi soit injuste et cependant le respect de la loi assure un minimum de sécurité à chacun, favorise la prospérité, l'apaisement de ressentiments et le rétablissement d'un dialogue entre tous les partis, même si certains sont apparemment interdits.

Bien sûr, après un affrontement violent, quand les protagonistes sont fatigués de la lutte, un *modus vivendi* finit par s'établir, comme après des transactions pacifiques. Dans les deux cas, l'influence de chaque groupe de pression correspond à sa force et à sa détermination d'en user, à la force et à la détermination d'en user que lui prête l'adversaire. Mais l'habitude et les avantages de la paix amènent les partenaires à renoncer à l'usage et même à la menace de la guerre. Tant que la paix n'est pas une tradition, derrière toutes les transactions entre groupes de pression, se profile la menace d'une épreuve de force. La valeur des arguments dépend dès lors de la puissance de feu qui les soutient. La paix profite peut-être aux puissants ; ils font ainsi l'économie des armes et gagnent à meilleur compte [22]. Mais la garantie de la paix offre au moins la possibilité d'une discussion raisonnable entre les partenaires. Leurs arguments pourront dès lors peser non seulement selon la force qui les soutient et qu'on leur prête, mais aussi selon le souci du bien commun qui les anime peut-être. Ne fût-ce que pour bien apprécier leurs avantages respectifs à terme et tâcher de les maximer, les partenaires doivent discuter à froid et renoncer aux allures belliqueuses.

*

* *

Lorsque les possibilités d'une discussion raisonnable sont épuisées, le recours à la violence est-il légitime ? La question est partiale et biaisée. La violence est déjà mise en œuvre par les détenteurs du pouvoir dès qu'ils refusent de se rendre aux bonnes raisons de l'opposition, dès qu'ils organisent la société à leur profit exclusif. Il faut donc reformuler la question : la violence une fois établie, peut-on y répondre par une autre violence, en vue d'établir une paix juste ? Je ne répondrai que par des considérations de principe empruntées à l'idéologie libérale, optimiste quant à la puissance de la raison et de la volonté morale. Oui, il faut oser recourir à la violence mais dans le cadre d'une stratégie qui songe aux conséquences et veut économiser le recours à la violence. Il n'y a aucune honte à se révolter. La loi brime parfois davantage. Mais comment

22. L'habitude de la paix peut encourager les prédateurs aussi bien que la guerre. Le *White Collar Crime,* les vols et infractions des sociétés anonymes prospèrent à l'abri et à l'aide des lois ; ils purent parfois les tourner à leur avantage. La notion du bien commun auquel se réfèrent les instances judiciaires et morales, est définie par l'idéologie en cours et la classe dominante la contrôle. Qu'il suffise de comparer les conséquences pénales d'une faillite frauduleuse et du vol d'un pain.

briser sans remords un ordre établi quand on ignore jusqu'où la situation se détériorera ?

Il y a deux raisons différentes, et souvent confondues, de condamner la violence : ajouter à la violence peut entraîner une escalade incontrôlable de la violence et, d'autre part, il y a une valeur intrinsèque et une valeur de propagande dans la non-violence. Parlons d'abord des dangers de l'escalade.

La contrainte, l'injustice, la violence sont toujours présentes dans la paix politique mais à des degrés divers. Une possibilité de discussion existe aussi dès qu'il y a une politique. Elle n'est jamais que force brutale ; au moins elle formule ses décisions pour les communiquer à l'administration. Elle est donc expression et par là s'expose à la critique d'une autre expression. Elle est aussi organisation de l'État à plus ou moins long terme et se soucie de la permanence de son ordre. Elle formule ce souci sous forme de lois. Elle est expression de la raison et même la raison d'un dictateur est ouverte aux considérations d'une autre raison ; elle n'écoute d'abord que celle qui partage ses préjugés mais, une fois la discussion entamée et l'intelligence en exercice, des aménagements plus avantageux aux parties peuvent être trouvés.

Il fallut peut-être des décennies aux ploutocrates pour accepter les raisons du suffrage universel mais ils les acceptèrent. Elles étaient devenues irrésistibles. Des générations s'étaient succédé. Les classes supérieures avaient eu le temps de s'habituer aux raisons des classes inférieures qui dans l'entretemps avaient fait preuve de leur respectabilité, gagné en nombre et en force. On le voit, les raisons les plus puissantes en faveur de ces classes étaient muettes ; c'étaient leur importance économique et aussi leur civisme industrieux. Elles n'en furent pas moins comprises. Les grands cèdent du pouvoir au peuple quand ils se rendent compte qu'ils ne peuvent pas lui résister ou qu'ils n'y perdent rien en fin de compte. Dès que le calcul remplace l'affrontement spontané, des aménagements profitables à tous peuvent être imaginés, peut-être même des considérations éthiques peuvent-elles prévaloir. Entre la menace de la guerre civile et la menace d'une grève générale, il y a toute la distance qui sépare l'hystérie collective des tractations prudentes, calculatrices mais aussi éventuellement ouvertes à des considérations au sujet de la justice et du bien général.

La discussion raisonnable n'est peut-être jamais absente de la politique mais les structures sociales et les habitudes du pouvoir ne sont pas très fluides. Elles mettent du temps à s'adapter aux arguments : il faut tant de démonstrations de leur absurdité avant que les détenteurs du pouvoir entendent raison, il faut tant de temps pour changer les lois dans l'ordre. Le coup d'État expéditif est peut-être plus conforme à la justice. En fait, c'est parce qu'on désespère de la légalité qu'on entre dans l'illégalité. Mais briser l'ordre, celui qui est d'abord quiétude des puissants, c'est cependant déclencher une violence dont on perd facilement le contrôle et qui fera peut-être le malheur de tous.

L'ordre recelait une violence faite aux faibles en vertu d'un calcul ; l'intérêt des puissants y trouvait son compte. C'est bien pourquoi l'argument des faibles était entendu dès qu'il constituait une menace réelle pour l'intérêt des puissants. Mais la violence qui détruit la paix amorce un processus passionné qui oublie de calculer le coût des moyens [23]. L'honneur de la guerre devient une fin qui passe avant le profit comme avant la justice. L'esprit de revanche grandit et les nations déchirées mettent des décennies à se reconstituer dans la pratique des institutions qu'elles se donnent au lendemain d'une guerre civile. La révolte brise un ordre imparfait mais un ordre quand même. Elle instaure le chaos en attendant l'ordre nouveau. Son seul

23. En fait, la passion guerrière ne veut pas calculer. La violence, c'est le choix qui consiste à ne plus marchander, à ne plus évaluer les dommages mais à prendre le chemin de l'agressivité sauvage. Mais il y a deux types de violence : celle que l'on joue et celle dont on est le jouet. La première fait partie d'une diplomatie dont la raison a la maîtrise. Elle est menace calculée jusqu'à ce qu'elle sombre dans la seconde. Celle-ci est la seule vraie violence, celle qui s'enivre de sa puissance (pour oublier son impuissance peut-être). Si elle se donne une diplomatie, c'est en vue de la victoire totale. Heureusement, il arrive que cette violence rencontre une résistance. Elle connaît la fatigue ; l'humeur change ; ses diplomates se mettent en quête d'une paix négociée. La paix honorable semble suffire quand la victoire s'avère impossible ; on rentre ainsi progressivement dans l'univers du calcul, quitte à parler d'honneur pour ne pas perdre la face devant l'électorat et le monde.

droit est dans le futur ; c'est celui qu'elle établira peut-être, celui pour lequel on ne peut parier qu'avec crainte et tremblement.

L'Espagne a rompu une légitimité en 1936. Le pouvoir actuellement établi, quelles que soient ses raisons, n'a pas encore reconnu le droit de certaines paroles. Il est né d'une violence non encore oubliée. Il n'en perd ni la crainte ni le style. Je ne fais pas ici un reproche mais un constat. En 1964, le Brésil connaissait un coup d'État qui visait à rétablir les libertés démocratiques qu'il supprima tout à fait. Le gouvernement issu du coup d'État a pris le chemin de la répression. Pourrait-il revenir à un état de civilisation dont il a pris l'habitude de se passer ? En aurait-il l'énergie ou même le goût ? Il y a beaucoup de dictatures, militaires ou non, de par le monde, qui sont financées par et pour la cause du « monde libre ». Elles s'instituèrent au nom des idéaux de la liberté mais se maintiennent dans l'habitude de la tyrannie. Ce n'est pas seulement parce que cette liberté dont on parlait ne concernait que les mouvements des capitaux, c'est aussi parce que la violence engendre la violence. Le dictateur a bientôt peur de la riposte et terrorise, parce qu'il est terrorisé. Il terrorise aussi et surtout parce qu'il n'a pas à rendre compte de ses faits et gestes à une opposition. La violence, une fois déclenchée, se perpétue dès qu'elle a supprimé toute mesure.

*

*   *

À cette menace qui pèse sur les hommes, il y a une réponse simple, directe, naïve : la non-violence. On peut l'envisager comme un geste politique de protestation ou comme un geste qui symbolise la pureté morale.

La non-violence en appelle à la conscience du violent. Elle présume de son cœur : elle espère qu'il sera touché par la force d'âme de sa victime et reconnaîtra ses droits. Gandhi et Martin Luther King ont cru en la vertu politique de la non-violence. Ils ont cru que les oppresseurs seraient émus de leur magnanimité et de la douceur exemplaire qu'ils affichaient ; ils ont cru que la cause de tous les faibles en serait reconsidérée. Mais il faudrait que les oppresseurs soient capables d'apprécier la douceur et de reconnaître la force d'âme. À la vue de la soumission, ne s'enhardissent-ils pas ? Ne confondent-ils pas volonté de concorde et faiblesse ? Les Anglais admirèrent sincèrement Gandhi mais qui pourrait prouver qu'ils ne trouvèrent pas en lui une garantie de paix qui leur permettait de demeurer aux Indes un peu plus longtemps, sans coup férir ? Et peut-on imaginer Gandhi respecté par les autorités fascistes qui prônaient les vertus guerrières sans la moindre honte ? Pourtant Gandhi était habile homme. L'inquisition (d'une idéologie quelconque) se serait-elle laissé attendrir, elle qui doit défendre une foi et le confort de l'intégrisme, cette illusion de l'intégrité ?

La non-violence n'est pas un moyen politique efficace si ceux qu'elle voudrait émouvoir ne se laissent pas émouvoir, si elle présume de leur sensibilité. En politique, elle est une arme dont le succès n'est guère assuré. À moins de la manier avec beaucoup de ruse et de jouer avec habileté sur les sentiments de culpabilité du puissant et de l'opinion mondiale, elle est souvent naïveté car elle ne peut fléchir par sa faiblesse ceux qui ne comptent qu'avec la force. Mais elle est un comportement qui affiche une conviction admirable. Elle est un signe d'espérance dans une société encore livrée à la violence. Nous avons besoin de ces signes, besoin qu'ils ne s'abîment pas dans le ridicule et l'irresponsabilité.

IV

L'éthique et l'autonomie des fins médiates

« La multitude de disciplines ainsi émiettées ne doit plus aujourd'hui sa cohérence qu'à l'organisation technique d'universités et de facultés ; elle ne conserve un sens qu'à travers les buts pratiques poursuivis par les spécialistes. En revanche, l'enracinement des sciences dans leur fondement essentiel est bel et bien mort. »

HEIDEGGER[1]

« Il faut donc se rappeler ce que nous avons dit plus haut et éviter de rechercher en toutes choses la même précision : loin de là, il importe sur chaque question de tenir compte de la matière que l'on traite et des conditions propres à chaque recherche. Le charpentier, en effet, et le géomètre ne procèdent pas de la même façon pour découvrir l'angle droit : le premier ne se préoccupe que de l'utilité de celui-ci relativement à son travail. Tandis que l'autre recherche ses propriétés, le géomètre étant le contemplateur du vrai. C'est de la même manière qu'il faut procéder également dans les autres domaines, afin que l'accessoire n'étouffe pas l'essentiel. Gardons-nous de réclamer en toutes choses l'explication par les causes ; parfois, au contraire, il suffit de bien établir le fait. »

ARISTOTE[2]

1. *Qu'est-ce que la métaphysique ?,* traduction de Henry Corbin, Paris, Gallimard, « Les essais », 1951, p. 22.

2. *Éthique à Nicomaque,* traduction de Jean Voilquin, Paris, Librairie Garnier, 1950, livre 1, chap. VII, paragr. 18-21.

L'économique, la politique et l'éthique correspondent chacune à un point de vue spécifique. Elles sont pourtant inhérentes les unes aux autres. En dernier ressort, elles se définissent par leurs références réciproques. La politique et l'économique trouvent leur signification dernière dans les fins éthiques qu'elles sont censées servir. Le vouloir éthique trouve des moyens et des perspectives dans les occasions que lui offrent l'économique et la politique.

Il lui arrive de se perdre dans ces domaines qui ont leurs propres contraintes et paraissent clos ; mais il peut aussi trouver une provocation, qui l'oblige à se ressaisir et à se radicaliser, dans le ressentiment de ceux qui sont sacrifiés à l'évolution sociale et dans les injustices flagrantes de l'ordre établi. C'est parfois après s'être laissé entraîner par des événements qui lui échappent, que la liberté se trouve dans une situation qui la révèle à elle-même. Elle y découvre des voies pour s'actualiser, des voies tout autres que ce qu'elle aurait pu prévoir, mais qui ont l'avantage d'être praticables.

Pour contrôler les rapports sociaux et ramener à la raison le mouvement spontané de l'économique, il faut compter sur la protestation de ceux que ce mouvement lèse. Seule l'instance politique peut mener une stratégie de cette envergure ; encore faut-il qu'elle prépare de longue main ses forces et ses plans, qu'elle soit inventive et habitée par le souci éthique, qu'elle ne se laisse pas absorber par ses propres nécessités ou soudoyer par celles de l'économique. Il lui faut être rusée et brutale à l'occasion mais ce, toujours en vue d'instaurer l'ordre défini par la raison éthique.

Jusqu'ici, j'ai comparé diverses attitudes culturelles mais ce n'était pas sans à priori ; il faut le dire. Dans les pages qui suivent, le projet éthique sera défini selon une conception libérale et rationaliste. Je m'efforcerai de montrer les faiblesses et les impasses d'une telle conception. Ce n'est guère difficile pour qui hérite de la critique marxiste. Mais c'est à partir du pari libéral et rationaliste que je prétends juger de celui-ci et tirer parti du marxisme, connaître les mœurs et avoir prise sur leur devenir, trouver goût à les savoir et à les influencer

1. L'ÉTHIQUE

Le vouloir éthique vise à s'en tenir à un système de valeurs et, évidemment, se réfère aux circonstances d'où les valeurs tirent leur signification précise, ici et maintenant. Il tend à réaliser une certaine cohérence du comportement [3] en dépit d'une pluralité de sollicitations et d'objectifs entre lesquels l'existence se trouve déjà partagée. On pourrait dire plus exactement qu'il tend à polariser le comportement dans un sens, qui n'est pas donné d'emblée mais qui s'invente au cours de l'existence. Il naît de la conscience d'un devenir sur lequel la liberté aurait prise, un devenir qui en appelle à la responsabilité et la suscite.

Le vouloir éthique ne correspond ni à un système de valeurs inamovible, ni à plusieurs systèmes de valeurs, disparates mais successifs, qui prétendraient, chacun à son tour, faire table rase du précédent. Il naît dans l'histoire et donne lieu à une histoire qui lui est propre, au cours de laquelle les valeurs s'approfondissent et se transforment progressivement, au fur et à mesure que l'épreuve de la pratique les révèle. La fidélité à soi et l'intégrité ne se réalisent qu'à travers des comportements multiples, adaptés aux différentes situations rencontrées. Quant à l'intégrisme, il n'est qu'une illusion de l'intégrité, une fuite devant la réalité mouvante où le projet doit se concrétiser et s'inventer quotidiennement. D'ailleurs l'intégrisme conduit tôt ou tard à l'incohérence, car la réalité finit par en accuser l'impraticabilité. Et de l'incohérence au cynisme et au relativisme, il n'y a pas loin.

Le vouloir éthique est projet, mais projet inséparable de l'évaluation et de la mise en œuvre des moyens nécessaires à son accomplissement. Il est vouloir d'une résultante historique, à travers des circonstances dont il faut tirer le meilleur parti. C'est dire que le vouloir éthique, à moins de se renier et se

3. Cette cohérence peut apparaître incohérente à certains, mais elle n'en est pas moins ordonnée et voulue par le sujet, en vue de minimiser la dispersion spontanée de son comportement, en vue de remplacer cette dispersion par ce qui pourrait apparaître encore une dispersion, mais une dispersion recherchée cette fois, correspondant à un projet.

réfugier dans les illusions de la belle âme ou de la fidélité forcenée à des principes érigés en absolu, doit réajuster ses intentions et réinventer ses plans en fonction d'une histoire qu'il est difficile de prévoir, qu'il est encore plus difficile de contrôler. Pour pouvoir transformer celle-ci, il faut que les objectifs eux-mêmes se transforment.

Il faut surtout insister sur la suprématie du souci éthique. C'est parce qu'il apparaît d'emblée ultime que l'existence qui le nourrit s'éprouve transcendante à l'histoire, même si celle-ci l'emporte. L'existence qui se veut éthique, refuse la dispersion dans l'événement à moins de l'avoir choisie sciemment. Elle prétend se fonder elle-même en rattachant ses comportements à une préoccupation totalisatrice et dernière. Elle prétend ainsi, en son intériorité, se justifier et justifier son action. Évidemment, la conscience d'un soi intime et le souci d'une justification devant cette conscience ou devant un Dieu qui sonderait les reins et les cœurs, ne sont pas universels. L'attention peut être entièrement absorbée par l'action à faire, par une entreprise collective déjà commencée et à laquelle on participe. Le sentiment de la justification peut ne dépendre en rien de la qualité de l'intention et se confondre avec la jouissance de la réussite. Mais, même dans ce cas, on peut parler de vouloir éthique si le sujet juge de ce qui, en dernier ressort, vaut la peine d'être poursuivi. Point n'est besoin d'accorder une grande importance à ce jugement, il suffit qu'il fonde le comportement.

L'existence éthique est toujours plus qu'un phénomène privé. Les valeurs auxquelles elle se dédie, appartiennent à une tradition ; les attentes d'autrui, parmi les occasions du moment, en rappellent l'actualité ; et surtout les valeurs concernent un avenir qui peut être collectif aussi bien qu'individuel. Au chapitre XVIII du *Prince,* Machiavel justifie la conduite cruelle et cynique qu'il conseille à l'homme d'État, en invoquant une valeur qui lui semble justifier cruauté et cynisme. Les ruses du prince sont nécessaires à la paix. On peut reprocher à Machiavel de ne voir que l'urgence de la paix mais ce sera au nom d'une autre valeur qui, à son tour, passera pour ultime et totalisante, et donnera plus ou moins d'importance au problème de l'ordre public.

La morale privée et la politique ont un fondement commun : la volonté d'une pratique sensée. Elles ne s'excluent pas mais se complètent, si elles ont l'une et l'autre le courage de situer leur souci respectif, l'un par rapport à l'autre, de considérer la multiplicité des valeurs et des circonstances, et de se définir dans l'horizon d'une même échelle de priorités (système de valeurs). L'éthique pourrait d'ailleurs se définir comme ce souci qui situe tous les soucis les uns par rapport aux autres ; elle requiert dès lors une lucidité et une volonté de cohérence qui portent sur l'existence privée et sociale. Elle doit embrasser dans une même vue les différents plans de l'existence et hiérarchiser les urgences de l'action. Et si la tâche lui paraît écrasante, elle ne lui en revient pas moins.

En fait, les hommes vivent sur plusieurs plans ; il est difficile, sinon impossible, d'embrasser ces plans dans une seule vue. Parce que les plans de son existence se sont multipliés, parce que chacun de ces plans a ses lois et ses fins absorbantes, le contemporain trouve extrêmement laborieuse la tâche de l'unification éthique de son existence. Il lui faut tenir compte de la diversité et de la richesse des moyens disponibles, et d'un espace social élargi où chaque geste se répercute d'une façon souvent imprévue. Non seulement les moyens immenses mis à sa disposition accaparent toute son attention, mais aussi ils rendent vains bien des travaux qui, jadis, étaient valorisés et suffisaient à justifier l'existence. Bref, le contemporain est sans assurance, sans perspective claire et unifiante. Aussi lui arrive-t-il, en dépit de toute sa science, de se réfugier dans le fanatisme d'une secte ou d'un groupuscule, où il peut trouver, à bon compte, identité et sécurité, grâce aux illusions d'une foi exclusive, intégriste et ésotérique, souvent fabriquée pour les besoins de la cause.

2. *LA POLITIQUE*

Se comporter de manière éthique, c'est vouloir un objectif, en poursuivre la réalisation et, corrélativement, le déterminer à travers le choix des moyens et l'adaptation aux circonstances. L'existence qui poursuit ses intentions avec constance, à travers une histoire multiple, gagne la seule intégrité à laquelle elle puisse prétendre. C'est en utilisant les occasions qui se présentent, et qu'il lui faut discerner, qu'elle peut atteindre ses buts et revêtir elle-même une signification exemplaire. C'est dire que l'existence doit inscrire son œuvre dans le cadre d'une intelligence de la suite des occasions, dant le cadre d'un sens présumé de l'histoire où elle gravite, si elle veut aboutir dans ses projets. Elle doit même contribuer à se rendre propice ce sens présumé avant de tabler sur lui pour réaliser le sens qu'elle veut. C'est là une tâche que la politique poursuit à la plus grande échelle qui soit.

La politique a pour objet une histoire englobante ; elle tend à ordonner le devenir d'une large communauté. Elle poursuit la paix, l'ordre public et même parfois la justice. Elle réalise l'ordre légal plutôt que la concorde, et l'ordre légal peut dégénérer en état policier aussi bien que favoriser la concorde. Il demeure que la politique est une voie privilégiée pour l'éthique. Elle n'a de justification ultime [4] que si elle en constitue la matrice, et ce dans deux sens différents. Elle doit réaliser une paix minimale dans laquelle le souci éthique puisse émerger. Surtout, elle doit réaliser ou au moins dessiner, au cœur du devenir social, un certain sens dans la perspective duquel des groupes et des individus pourront œuvrer avec un minimum de continuité et d'espérance.

Pour pondérer ces allégations, il faut répéter que la politique ne peut que ce que peuvent la loi, la force armée, la propagande idéologique, la ruse diplomatique. Ces moyens sont adaptés à l'organisation et à la protection d'une collectivité nombreuse. Ils donnent la mesure du bien commun que prétend poursuivre le pouvoir. Ils indiquent les impasses où il risque de s'engager.

À supposer que le bien commun soit vraiment le but de la politique, son contenu n'en est pas moins équivoque. Il correspond aux mœurs qui ont cours. Il peut être entendu comme ordre et stabilité nécessaires à tout projet continu des citoyens, ou comme implication de tous dans une aventure collective dont l'État aurait l'initiative. Le but de la politique peut se

4. C'est-à-dire du point de vue éthique comme du point de vue d'un formalisme fonctionnel de l'action humaine.

présenter comme une raison de vivre universelle et ultime, non comme un but partiel parmi d'autres. On peut arguer que la politique réalise un ordre qui est le chemin exclusif de la concorde, de la rencontre et de l'épanouissement d'existences originales. On peut aussi tâcher de confondre une politique particulière et les espoirs diffus que chacun nourrit. Le démagogue qui joue avec les espérances au cœur de chacun et un manichéisme facile, commence par rassembler des fidèles dans la ferveur. Mais il ne peut esquiver un choix capital : ou bien il faut s'entendre sur des objectifs délimités, sur lesquels il y a moyen de s'entendre même si on ne professe pas une même vision éthique du monde, ou bien il faut recourir au lavage de cerveau, à l'intolérance et à l'inquisition. Il faut peut-être passer par là pour accomplir de grands desseins mais c'est aussi se couper des ressources de toutes les initiatives divergentes et en imposer une seule, intelligente et juste peut-être, mais violente et arbitraire dans l'immédiat.

En tout cas, la paix idéale n'est pas la paix à tout prix. Elle est un lieu de tensions. Elle est coexistence dans la mesure où des existences originales s'affrontent au sujet de leurs besoins et de la justice à rendre à chacun. Quand la discussion porte sur les conditions que la société fait à chacun et qui définissent chacun, l'enjeu est trop grave pour que l'on puisse s'en remettre longtemps à un bon-ententisme poli ou à un despote éclairé. La paix exige un climat et des institutions où les divergences au sujet du bien commun et de la justice ont l'occasion de se faire valoir, de mûrir, de se compléter et de trouver les meilleures voies de la coexistence. Ces voies devront être imposées, une fois définies, mais leur définition devrait être concertée.

Le souci de la compatibilité des différentes existences, de façon à ce que chacune puisse s'épanouir en tablant sur un certain ordre, n'est pas toujours présent dans la politique, mais elle seule peut le porter. On comprendra aussi, que pour préparer les conditions de la justice, on ose prendre de grands moyens qui semblent en contradiction avec la justice. Il faut bien oser. Mais les hommes prennent très rapidement l'habitude de certains moyens et oublient de les apprécier en fonction des objectifs qu'ils disaient poursuivre. On prend goût au pouvoir et on oublie pourquoi on avait prétendu le vouloir.

3. L'ÉCONOMIQUE

Le développement économique et social, comme la justice, est un but collectif et se situe dans la perspective des fins ultimes pour l'homme moderne. Mais il obéit à ses propres lois et se coupe de toute autre perspective plus rapidement encore que la politique. Au moment où l'on croit pouvoir le réduire à un moyen de la justice, il apparaît comme une fin autonome qui lui fait concurrence. Il est déterminé par les intérêts qu'il met en jeu et les institutions qu'il a mises en place. Il se constitue ainsi en mouvement de plus en plus puissant, se déterminant lui-même et déterminant notre histoire.

La politique, pour être efficace, doit composer avec ce mouvement spontané et autonome, avec les passions et les besoins sociaux qu'il provoque, les intérêts et les institutions qu'il met en branle. Quant à la volonté éthique, si elle doit s'adapter à la situation dont elle émerge, c'est peut-être surtout à travers des stratégies politiques visant à ordonner l'économique qu'elle pourra le faire.

Il est des nations où l'économique est sans vigueur ; elles ont alors peu de moyens pour se réformer : il est difficile de pratiquer la justice sociale quand il n'y a pas de bénéfices à investir ou à répartir. Il est d'autres nations où l'économique semble à la fois dynamique et nettement subordonnée à la volonté de l'État, mais pour combien de temps ? Quand le salut national n'est plus en cause, quand la guerre est passée ou la ferveur révolutionnaire amortie et que les succès industriels importent toujours, l'État ne se retrouve-t-il pas en présence d'un principe rival d'organisation (ou de désorganisation) sociale ? La volonté politique a fort à faire pour moraliser l'économique sans l'amortir. Celle-ci lui est une voie qui l'entraîne à la dérive. Pour soutenir une telle affirmation, il faut se mettre au point de vue, *a*) de l'analyse économique et voir comment elle donne lieu à un discours qui devient idéologique ; *b*) des intérêts et structures économiques et voir comment ils donnent lieu à une société qui a les moyens de se perpétuer. Je reprendrai ici certaines des affirmations du chapitre II.

a) L'analyse

Dans n'importe quelle société, il y a des ensembles d'activités et des structures sociales qui sont économiques de façon prédominante mais aucune ne l'est de façon exclusive. Les motivations s'entrecroisent et sont toujours complexes. Elles se réduisent rarement au seul profit. Même au sein de l'entreprise, « *les individus les plus développés élargissent leur point de vue dans un sens éthique et social.* Les entrepreneurs dont l'indice de dynamisme est fort tiennent fréquemment compte de l'idée de *service* ou d'*intérêt général.* C'est à un degré moins élevé que les considérations exclusivement monétaires et intéressées prédominent [5]. » Talcott Parsons a envisagé, mais à titre d'hypothèse de travail, la relation des motivations monétaires aux autres motivations [6]. Il a montré que la satisfaction poursuivie peut porter sur plusieurs éléments, qui vont de la reconnaissance publique de sa propre réussite sociale jusqu'au sentiment intime du devoir accompli. Mais un élément symbolique (tel que le revenu ou l'uniforme et le grade militaires) peut servir à évaluer la réussite en général. D'autre part, dans une société homogène, l'individu peut être motivé par l'accomplissement d'un rôle défini, et par le statut, les avantages et les obligations qui en découlent. Dans une telle société, l'intérêt de chacun serait organisé [7] en relation avec ceux de tous et ne s'exprimerait pas uniquement en termes monétaires, sauf pour ceux qui se situent en marge de la société.

Cependant l'économiste, comme on l'a vu au chapitre II, ne sait que faire de ces subtilités. La lecture qu'il fait du réel

5. P.-L. Reynaud, *la Psychologie économique,* Paris, P.U.F., 1966, p. 55 (souligné dans le texte).

6. Cf. notamment « The Motivation of Economic Activities », *in Essays in Sociological Theory,* Glencoe (Ill.), The Free Press, 1954, p. 51-68. Cf. également T. Parsons et N. J. Smelser, *Economy and Society. A Study in the Integration of Economic and Social Theory,* Glencoe (Ill.), The Free Fress, 1956.

7. Il n'en est pas moins organisé en dépendance diffuse de celui de la classe dominante, ce que le fonctionnalisme de Parsons n'avait pas pour intention de dénoncer.

est partielle mais valide. Il a fort à faire pour y exceller et pratiquement il n'a pas le loisir d'en sortir. Il analyse le devenir social et ce qu'il retient comme fait peut servir une conception axiologique de la société. La partialité de son point de vue fait l'affaire d'intérêts particuliers dès qu'on l'ignore. D'abord, les faits envisagés par l'économiste sont des comportements intentionnels répondant à certaines règles sociales. Ils relèvent déjà d'une conception axiologique. C'est en ne reconnaissant pas la particularité de celle-ci, c'est en traitant des actes et des structures économiques particulières comme expressions de lois naturelles que l'« objectivité » économique devient idéologique.

L'économie classique s'est élaborée sur une préconception de ce qu'était l'économique. Évidemment, les préconceptions de cette science trouvent leur origine dans la mentalité du temps, individualiste, libérale et rationnelle[8]. C'est sans doute pourquoi elles eurent tant de facilité à s'imposer, non seulement comme outil scientifique mais aussi comme vision du monde et dans certains cas, comme norme : elles traduisaient déjà des mœurs acceptées et correspondaient aux intérêts des bourgeois nantis et entreprenants. Ces préconceptions se sont révélées inadéquates. La théorie finit par s'aligner sur les faits quant ceux-ci la contredisent clairement ; cet alignement est

8. On pourrait résumer ainsi les préconceptions de l'économie classique : *a*) Les désirs étaient définis comme multiples, illimités et arbitraires. Les désirs apparaissaient donc comme incomparables et inestimables. On acceptait dès lors qu'il n'en soit tenu compte que dans la mesure où ils apparaissaient sur le marché, c'est-à-dire lorsqu'ils s'exprimaient sous forme d'une demande monnayable. On faisait abstraction de tout ordre de priorité que l'éthique ou la politique auraient pu établir et qu'elles n'auraient pu établir d'ailleurs, qu'au nom d'un jugement de valeur ; *b*) L'agent économique était censé se comporter rationnellement, maximant ses utilités en employant les moyens les plus efficaces pour atteindre ses fins ; *c*) Le marché était parfaitement concurrentiel ; les demandes et les offres étaient atomisées et chacune agissait rationnellement. Il n'y avait aucun contrôle ni sur l'ensemble, ni sur l'avenir du système économique. Ils résultaient des comportements volontaires individuels et rationnels mais ils échappaient aux vouloirs et à la raison des individus. Il semble qu'un modèle mécaniciste soit à la base d'une telle conception et qu'elle puise dans une vision égalitariste qui fait de chaque individu une force égale.

cependant toujours tardif. D'autre part, les idéologies sont encore plus lentes à se réformer ; les théories sont déjà démodées que les idéologies qu'elles ont encouragées sont encore en cours. Il y a non seulement une inertie, mais encore une causalité propre aux idées. Elles sont sans doute déterminées par les intérêts en jeu mais elles leur donnent aussi une forme qui peut les influencer.

Que l'analyse ne coïncide pas avec la réalité, cela arrive dans n'importe quelle science. Mais parce que l'économie est science de l'efficacité, parce que ses arguments sont apparemment objectifs et prestigieux, elle fait l'affaire de tous ceux qui ont intérêt à l'exploitation systématique des hommes et des choses. Ils peuvent ainsi présenter la mise en valeur des ressources disponibles, selon les structures économiques en place, comme étant le seul bien commun auquel tous doivent consentir, auquel consentent tous ceux qui ont été acculturés par la société industrielle. D'ailleurs l'intérêt général auquel se réfèrent les entrepreneurs, les motivations complexes et non monétaires des différents agents économiques se définissent aussi dans le cadre de cette société et de l'idéologie ambiante.

L'ignorance du public et ses préjugés sont tels qu'on dénonce difficilement la partialité des arguments à la mode. Comment formuler un argument tout aussi précis et qui défendrait davantage le bien commun ? On se dit que le bilan du progrès industriel est en somme positif et qu'il fut obtenu dans les structures actuelles. Les hommes d'affaires sont d'ailleurs les premiers à croire aux arguments avec lesquels ils trompent la nation au sujet de son bien. Bref, la science économique sert les intérêts qui savent l'utiliser pour mettre en forme leurs desseins. Elle trompe ainsi parlement et électeurs qui n'en ont pas la maîtrise. Elle n'en est pas moins l'instrument idéal pour évaluer le bien commun et dénoncer ceux qui grugent la nation, si du moins on veut l'utiliser et l'adapter à des fins politiques originales.

b) Les institutions et les intérêts

La production et la distribution des richesses s'inscrivent dans une société et fonctionnent selon les normes sociales en vigueur dans cette société. Rien ne garantit la cohérence de celles-ci. Il y a parfois opposition entre les normes en usage dans différents secteurs d'activité. Une société peut supporter bien des incohérences avant de songer à les supprimer. L'économique peut fonctionner sans trop se soucier de son intégration dans une vision éthico-politique. La culture occidentale, férue d'efficacité et de rationalité, se mit au travail avec énergie et intelligence. L'industrie, dans la mesure où les hommes y investissaient leurs préoccupations et non seulement leurs biens, acquérait une importance et une prééminence unilatérales. Les impératifs économiques accaparaient ainsi les vies, les soucis et les espoirs de la majorité. Ils s'alliaient à certaines valeurs traditionnelles qui tendaient à être seules pratiquées de façon générale, même si la réflexion éthique continuait à les déclarer partielles.

L'économique, en devenant un secteur important des activités sociales, tendait à se constituer en secteur autonome, ayant ses normes, ses justifications et sa théorie. Celle-ci ne faisait que renforcer l'autonomie de son objet, en en rendant compte sans se référer à d'autres plans. Elle ne retient que le point de vue de la maximation d'un revenu, celui d'une firme ou celui de la nation, ou le point de vue de la maximation de certaines utilités partielles, bien circonscrites dans l'appareil institutionnel et conceptuel établi. En choisissant comme objectif absolu la croissance du revenu national, un peuple, qu'il se dise socialiste ou non, choisit d'humilier ceux qui ne peuvent y contribuer avec compétence.

Il demeure que l'économique s'inscrit dans un système complexe et englobant. Elle pourrait être pensée comme fonction délimitable, une espèce d'outillage neutre au service de la société. Elle est un lieu du devenir de l'homme et de sa rencontre avec les autres hommes, l'occasion privilégiée de son autocréation par l'acquisition de la compétence professionnelle et la création d'un environnement digne de l'homme. À propos de la rencontre avec les autres, il faut distinguer deux mouvements de socialisation, l'un quantitatif : l'économique met chacun en relation avec tous par le commerce ; l'autre qualitatif : elle crée des structures d'interdépendance professionnelle, donne lieu à des réseaux de recherche et d'invention technique qui recouvrent nations et cultures.

Mais le processus d'universalisation que l'économique a entamé et poursuit, et qui utilise la compétence de tant d'hommes comme leur désir de promotion, est mû par la volonté de puissance de certaines classes et par l'impérialisme de certaines nations. La conscience éthique sera-t-elle provoquée par ce scandale et acculée à se donner les moyens politiques sans lesquels elle n'est que vœux pieux ?

L'aventure économique semble incontrôlable, parce que des intérêts particuliers qui y trouvent leur avantage, peuvent convaincre les peuples que c'est là le chemin du bien commun, parce que la rationalité économique accapare l'intelligence et le courage de la société qui s'y engage. Ces facteurs s'enchevêtrent. L'idéologie des classes dominantes convainc parce qu'elle se retranche derrière la rationalité instituée dans l'organisation quotidienne du travail. La politique et l'éthique sont séduites par cette rationalité [9]. Tant d'hommes épousent la perspective des entreprises en place parce qu'ils trouvent là non seulement un emploi et un salaire mais aussi une vision du monde qui justifie cet emploi et ce salaire. Ce sont ces allégations que je voudrais nuancer et justifier dans les chapitres V et VI.

*

* *

En principe, l'éthique commande à l'économique et à la politique ; celle-ci commande aussi à l'économique et prend le relais du souci éthique dans les affaires sociales. Mais en fait, la politique et surtout l'économique prennent la tangente et n'obéissent la plupart du temps qu'aux intérêts qu'elles ont mis en branle, aux institutions qu'elles ont mises en place. L'éthique n'y peut rien. Elle est souci d'unifier les comportements dans la perspective d'une fin ultime, vouloir d'un sens dans la facture duquel s'intégreraient tous les projets particuliers. Mais les moyens qu'elle voudrait mettre en œuvre s'ordonnent selon des fins multiples et médiates qui ne se réfèrent bientôt plus qu'à elles-mêmes. Plus exactement, le souci éthique se distrait

9. Rationalité au double sens d'organisation systématique et de recherche de l'efficacité maximale.

et s'aliène tout entier dans les limites de quelques fins médiates qui ne sont d'ailleurs pas nécessairement compatibles du point de vue logique. Il y a là une absurdité avec laquelle une collectivité peut vivre. Elle peut la savoir en théorie et s'en accommoder en pratique, sans avoir mauvaise conscience.

Heureusement, il en est qui subissent cette absurdité comme une injustice et veulent que justice leur soit faite. Leurs besoins et leur révolte sont non seulement un moyen mais aussi une inspiration pour le souci éthique. Ce dernier retrouve ainsi l'occasion de se manifester politiquement, à condition qu'il consente à se commettre avec la colère des nécessiteux sans toutefois s'abîmer dans leur passion. La révolte n'est occasion de sens qu'au regard de celui qui veut qu'il y ait sens et sait utiliser les mouvements populaires autant qu'il sait se laisser porter par eux.

V

Développement économique et culture

L'univers économique s'est constitué à la faveur des projets que les hommes ont poursuivis pour répondre à leurs besoins. Ces projets ont toujours impliqué une certaine organisation sociale et une certaine recherche de l'efficacité. Dans l'Occident moderne, ils sont devenus de plus en plus audacieux, anticipant une organisation de plus en plus rationnelle. Des institutions fonctionnelles et interdépendantes s'établissaient et relayaient la vision du monde de leurs promoteurs, justifiant leur hardiesse et ouvrant la porte à de nouveaux plans pour des institutions plus complexes et plus efficaces encore.

L'appareil économique en croissance assignait à ses « ressortissants » des tâches qui suffisaient à les absorber et à les justifier. En effet, pourquoi se seraient-ils interrogés sur le sens d'une organisation qui les impliquait dans des perspectives grandioses, prévoyait leur rôle et leur offrait, à la fois, un gagne-pain et le sentiment de leur utilité ? Quant à ceux qui n'ont ni l'un ni l'autre, ils ne sont pas nécessaires à l'appareil économique, ils sont sans pouvoir de négociation et sans audience. Dès lors les intérêts divers [1] en jeu dans cet appareil, peuvent continuer sur leur lancée sans être sérieusement contestés.

1. Il faut évidemment distinguer plusieurs catégories d'intérêts; cf. à ce propos, la dernière note du chapitre II, p. 103.

Les uns orchestrent la croissance, les autres suivent. Et puis l'univers institutionnel et mental qui résulte de la croissance, encadre bientôt les seconds comme les premiers, les conditionne et les confirme dans des ambitions unilatérales. Progressivement, les hommes ont été mobilisés par une aventure dont la dimension, la complexité et l'efficacité, prestigieuses pour la raison morale aussi bien que pour la raison théorique, leur font oublier les conséquences malencontreuses. Parce qu'on pousse son avantage avec système, parce qu'on emploie toute sa raison pour aboutir au meilleur compte, parce qu'on s'absorbe dans les moyens et l'organisation mis en œuvre, on oublie combien partiel est l'avantage. Si le sujet de cet oubli était un seul, son erreur pourrait être corrigée ; mais si c'est toute une nation qui s'égare ainsi, et y gagne en puissance, personne n'est assez fort pour la contrarier.

L'aventure économique se poursuit sans égard pour les points de vue qui lui sont étrangers. Elle ne tient compte que de ce qu'elle peut utiliser. Elle oublie ce à quoi elle pourrait être utile en marge de son devenir. Elle façonne les mœurs selon ses besoins parce que les hommes ne s'entendent guère, en pratique, à propos d'autres objectifs. De temps à autre, il lui faut bien consentir quelques aménagements, pour assoupir des protestations et entretenir une paix sociale qui lui est propice. Elle prétend améliorer les circonstances de la vie, et ceux qui la croient ne sont que plus dociles vis-à-vis de ses exigences. Salariés, consommateurs, détenteurs de matières premières ou de capitaux, accomplissent leur rôle sans mauvaise grâce, dans un système qui emploie les soucis et les énergies de ses agents et ne leur laisse guère le loisir de connaître autre chose. Dès lors, ils n'ont plus besoin de trouver une justification en dehors de leur métier.

Il faut qu'une contradiction éclate, scandaleuse, pour que la conscience politique s'interroge sur l'excellence du système qu'elle a favorisé. Encore faut-il une conscience politique bien hardie, pour s'interroger longuement à propos de ce qu'on peut toujours réduire à quelques déséquilibres momentanés, pour mettre en question les intérêts, les institutions et les habitudes mentales établies.

L'aventure économique moderne poursuit sa route. Elle découpe des classes sociales. Elle engendre des privilèges et du ressentiment. Elle ne se soucie guère de toutes ses conséquences mais elle en est affectée. Elle a démarré parce que la société et ses valeurs lui étaient favorables. Elle s'en est accomodée puis elle a gagné en autonomie jusqu'à se constituer en un système capable, à lui seul, de peser sur l'évolution des valeurs et des structures sociales [2]. Pourtant ce système quasi autosuffisant continue à dépendre de ce que furent ces valeurs et ces structures et de ce qu'elles sont disposées à devenir sous sa pesée. À une certaine échelle d'observation, il évolue selon sa propre logique mais celle-ci repose sur des prémisses sociales, politiques et éthiques qui ont une certaine consistance. C'est ce qu'il convient d'envisager plus en détail.

Rapidement, dans un premier point, on verra en quel sens on peut encore affirmer que les buts et les comportements économiques s'insèrent dans différentes traditions culturelles. Peut-être corrompent-ils l'originalité de ces traditions, mais il leur faut s'adapter aux motivations, aux mœurs et aux institutions particulières des peuples pour les façonner. Ensuite, on verra quelques conséquences du développement économique qui affectent la culture ambiante et le développement lui-même.

Dans un deuxième point intitulé « Impérialisme et transfert des ressources », on traitera de l'inégalité des revenus et des niveaux de développement, des relations qui s'établissent entre riches et pauvres, à l'intérieur de l'État-providence et entre les États. On parlera des politiques sociales et de l'aide internationale, de la dépendance des pays et des classes pauvres, de l'impérialisme multiple des puissances industrielles.

Dans un troisième point, il sera question des méthodes de la comptabilité nationale, des critères du développement et des habitudes morales qui y sont liées. On s'interrogera sur l'attitude de la contre-culture vis-à-vis du développement et sur la pertinence de ses critiques.

2. Max Weber a raison de considérer que l'éthique protestante fut à l'origine du capitalisme, et le marxisme a aussi raison quand il explique une certaine éthique, datée du XIXe siècle, par les structures économico-sociales du capitalisme triomphant.

Dans un chapitre particulier, le sixième et le dernier, j'étudierai plus longuement le phénomène d'uniformisation des perspectives éthiques et politiques depuis que les impératifs de la gestion s'imposent à tous ceux, innombrables, qui épousent le point de vue des entreprises. Il s'agit là de la conséquence culturelle la plus importante du développement économique et, si ce n'était l'ampleur du sujet, j'en aurais traité dans le premier point de ce cinquième chapitre.

1. INSERTION DE L'ÉCONOMIQUE DANS LA CULTURE

Les investissements d'un pays qui songe à la guerre ou à la résistance à un blocus ne sont pas les mêmes que ceux d'une nation commerçante, dont les projets dépendent de la prospérité et de la paix mondiales. La structure et la conjoncture économiques favorisent la guerre ou la paix ; mais une fois qu'on a choisi pour l'une ou pour l'autre, la structure comme la conjoncture économiques s'en ressentent. Toutes les différences entre ces deux perspectives ne sont pas nécessairement explicitées. Elles correspondent à des réactions devenues habituelles à la nation ou, en tout cas, à ses notables. Elles s'intègrent dans la culture nationale, entendue comme organisation sociale aussi bien que comme mentalité.

Bien des comportements et des attitudes déterminant la culture nationale sont engendrés par des besoins qui vont de soi aussi longtemps que leur satisfaction se poursuit heureusement, sans provoquer des protestations et des coûts incompressibles. Le libre-échange ou l'équipement militaire sont des valeurs incontestées aussi longtemps qu'on estime en tirer avantage. Par contre, certaines habitudes sont mises en cause, et sous une lumière crue, depuis que la pollution s'est faite menaçante et l'approvisionnement en pétrole, aléatoire. On entend, désormais, les critiques de la consommation intempérante et des principales déséconomies externes, parce que la société doit se soucier de leur point de vue pour se protéger.

Le système économique n'a de sens qu'au sein d'une culture, en vue de certains objectifs, qui sont apparemment définis en dehors de lui par les consommateurs, les producteurs ou les technocrates. Tous se réfèrent à des habitudes de penser et de projeter des possibles, à des mœurs et des institutions particulières dont l'histoire rend compte. Par exemple, en Angleterre, la tradition de la lutte des classes avant la révolution industrielle explique partiellement le langage, l'audace et la prudence des partenaires d'aujourd'hui, dans les relations industrielles d'une part, au parlement d'autre part. Les craintes du Commonwealth, notamment des Antilles et de la Nouvelle-Zélande, devant l'intégration de la Grande-Bretagne à la Communauté européenne, sont déterminées par les distorsions coloniales que le système des préférences impériales a entretenues jusqu'à maintenant. Il faut remarquer que l'histoire économique et sociale peut rendre compte de ces différentes situations, mais l'histoire des institutions et des idées politiques, elle aussi, a un pouvoir explicatif.

En se développant, le système économique affecta de plus en plus la culture au sein de laquelle il était établi. Il avait commencé par répondre à ses besoins, il finit par les définir. Il commanda de plus en plus, de façon unilatérale, la distribution des groupes de pression, la forme des institutions et l'évolution des mœurs. Pourtant, au moment même où il s'annexait et utilisait les valeurs et les caractéristiques de la culture où il opérait, il en demeurait marqué. Les marchés s'étendent, les techniques de gestions, les biens et les services s'uniformisent ; mais c'est en séduisant des hommes divers et en résonnant de façon appropriée dans leurs mondes divers que des similitudes s'établissent.

D'une part, j'affirme la force irrésistible d'un mouvement d'universalisation dont le moteur est le dynasmisme des entreprises, dont la loi est la rationalité économique, dont le résultat est la collusion entre cadres et ouvriers dans la société de consommation, et la prédominance internationale de ceux qui contrôlent capital et savoir-faire. D'autre part, j'affirme que ce mouvement d'universalisation, même s'il corrompt l'originalité des différentes cultures, s'inscrit au creux de chacune d'elles, y trouvant et y suscitant des motivations, revêtant un sens et une justification en fonction des institutions et des mentalités particulières. Je ne dis pas que la culture réussit à contrôler le mouvement. C'est plutôt ce dernier qui utilise et transforme la culture ; mais il doit s'y adapter suffisamment pour réussir à l'utiliser et à vaincre ses résistances.

L'économique s'adapte aux habitudes et possibilités d'une culture dont elle demeure cependant une composante, même si elle est dominante. Ce ne sont pas seulement les biens et les services qui s'adaptent mais aussi l'appareil qui les produit. Brièvement, je voudrais distinguer deux points de vue à partir desquels on peut différencier les organisations économiques. D'abord, le point de vue des objectifs politiques, explicités et activement poursuivis ; ensuite celui des manières de faire qui sont déjà là, dont on tire plus ou moins parti, dont on est plus ou moins conscient. Je prendrai des exemples dans le monde libéral.

À propos des objectifs politiques, il y a des traditions diverses. Les Anglais ont voulu maintenir le plein emploi à grand prix. Ils gardaient un souvenir vivace du chômage des temps de crise. Les Américains, par contre, sacrifient le plein emploi à la croissance et à la compétitivité de leurs industries. Les Français ont toujours considéré l'économie nationale, en dépit de son exiguïté relative, comme une entité qui devait tenter de se suffire à elle-même, les relations avec l'empire constituant une chasse gardée et un appendice de l'économie nationale. À l'opposé de la France, le Japon et l'Angleterre se tournaient vers le marché mondial.

D'autre part, il y a des manières de faire qui, sans être perçues comme des objectifs, différencient les communautés culturelles et affectent, entre autres choses, les organisations économiques. Elles constituent un système de rôles et d'attentes, une mentalité particulière qui rendent compte des institutions et des performances d'une nation bien mieux que les idéaux qu'elle croit poursuivre.

La nation allemande, par exemple, a une tradition d'organisation étatique de son économie et d'alliance entre l'État, les banques et les industries, que les pays anglo-saxons n'ont jamais connue. Les Allemands ont voulu se tailler une place parmi les grandes nations industrialisées ou se préparer à la guerre. Ils s'en sont donné les moyens par une politique définie.

De cette vieille politique définie, il reste des habitudes qui facilitent les relations entre l'État et les affaires. Les industriels français, pour leur part, ont compté sur l'État dans un tout autre sens que les Allemands. Ils voulaient être à l'abri de la concurrence internationale. Ils ont encore réagi timidement au « Marché commun ».

Pour prendre un exemple dans les relations ouvrières, il serait intéressant de comparer le Japon et les États-Unis. Les salariés japonais constituent une espèce de domesticité attachée pour la vie à leur firme. Ils jouissent de salaires modestes, garantis, et dont les hausses sont également garanties. Ils jouissent de bénéfices marginaux et leur promotion dans l'entreprise est assurée. Par contre, en Amérique du Nord, la sécurité de l'emploi est rarement garantie mais les syndicats luttent avec succès pour obtenir des hausses de salaire.

La conception du bien commun, la loi et les mœurs de chaque nation sont différentes parce que les circonstances et la façon dont chaque peuple y fait face, avec ses traditions propres, sont différentes. Les sociétés multinationales savent bien ces différences, elles qui multiplient leurs filiales afin de s'adapter aux mœurs et aux lois de chaque nation où elles s'implantent, afin d'en tirer le parti qui convient à leur stratégie globale.

Il est inutile de revenir ici sur l'importance d'une certaine éthique dans le développement économique. Qu'il suffise d'insister sur le rôle déterminant des dispositions sociales vis-à-vis de l'intervention de l'État dans l'économie ou l'organisation du travail, sur le rôle aussi d'une certaine propension à anticiper les conséquences du présent. En rendant compte des différentes traditions et de leurs conséquences socio-économiques, on explique pourquoi la prospérité suédoise n'est pas celle de la Suisse, pourquoi les uns choisissent telle ou telle forme de néo-capitalisme, d'autres l'autogestion ou la planification centralisée, pourquoi la domination américaine est si menaçante et pourquoi les cultures dominées par les États-Unis sont incapables de créer une société alternative.

On pourrait expliquer toutes ces différences en termes de lutte entre classes déterminées par les rapports de production.

Mais il faudrait encore rendre compte des causes, moyens et conséquences des luttes particulières à chaque nation. Et on n'est pas plus avancé si on ajoute que chacun des moyens, causes et conséquences de chaque lutte s'explique par l'état du rapport des classes. Ces termes offrent un cadre général pour des enquêtes particulières. Dans certains cas le cadre apparaîtra trop général et inapproprié. Dans d'autres, il apparaîtra propice à une compréhension des phénomènes sociaux et des caractéristiques nationales. Il ne s'agit ni de plus ni de moins.

*

* *

L'évolution économique n'est jamais tout à fait autonome. Elle s'inscrit dans une société et table sur les valeurs et les institutions de cette société. Elle détermine aussi des transformations sociales qui, sans être révolutionnaires, modifient l'importance relative de la rationalité économique. Celle-ci semblait l'emporter progressivement sur toute autre considération et pourtant, elle préparait la résurgence de phénomènes qui peuvent la contredire : formation de communautés économiques aux rivalités stériles, socialisation et solidarité exclusives des nations développées, centrées sur elles-mêmes, obsédées par la garantie du plein emploi à terme, impérialisme ou conflits sociaux ignorant le problème des coûts. Je consacrerai les pages qui suivent aux conséquences multiples et parfois contradictoires du développement économique.

Aux États-Unis, l'expansion a favorisé, entre autres choses, la puissance de l'armée ; elle l'a équipée et lui a parfois donné l'occasion de s'employer pour protéger l'accès à des marchés de plus en plus lointains. Mais aujourd'hui on ne sait plus qui l'emporte de l'économique ou de l'armée. La première dépend de la seconde pour écouler une production militaire ou paramilitaire, expérimenter des techniques de pointe et assurer le plein emploi dans l'avenir comme dans le présent. La notion du complexe militaro-industriel date déjà de l'administration Eisenhower, et depuis lors les militaires ont pris de plus en plus d'importance. Il semble d'ailleurs qu'il y ait des tendances analogues en U. R. S. S. Il ne suffit pas de dire que militaires et industriels font partie de la classe dominante pour expliquer que l'initiative passe des seconds aux premiers. Les seconds sont devenus les clients idéaux des premiers et l'État compte sur eux pour maintenir l'expansion, à cause de la qualité, de la quantité et de la prévisibilité de leurs commandes.

L'engrenage où les États-Unis se sont laissé prendre au Viêt-nam n'est pas exclusivement dû à un impérialisme économique. D'ailleurs la bourse accueille favorablement toute annonce d'un désengagement. Il semble dû à un impérialisme politique traditionnel qui, trop assuré de sa supériorité morale, technique et militaire, fut incapable de mesure et se trouva lié à sa propre inertie. Bien sûr, cet impérialisme correspond à certains intérêts immédiats de la classe dominante et de secteurs importants de l'industrie ; mais il correspond aussi à une certaine peur du sous-emploi et de la récession répandue dans la nation entière. D'autre part, un gouvernement ne se lance dans des aventures militaires que parce qu'il peut tabler sur la bonne conscience et la vertu offensée de la majorité. Il faut en tout cas distinguer entre l'impérialisme dont sont capables des monopoles industriels et financiers, usant à l'occasion de l'État et de diverses complicités pour étendre leur emprise, usant de la culture ambiante pour se concilier l'opinion, et l'impérialisme que manifestent toute une nation, une administration gouvernementale et une armée, confiantes les unes dans les autres, et dans la puissance économique qui les soutient. Le premier impérialisme fait sans doute le lit du second ; si celui-ci s'emporte, le premier en tire profit et ne s'y associe que dans cette mesure.

Les progrès techniques et la complexité des administrations entraînent bien d'autres ambiguïtés. Ils exigent une main-d'œuvre de plus en plus éduquée. L'armée comme les entreprises économiques ont besoin des universités et les financent. Mais une partie des effectifs universitaires conteste un système qui les destine à son service avec une certaine imprévision [3].

3. Il faut ici distinguer trois types de contestation universitaire : 1) la contestation massive dans certaines facultés dont les étudiants sont déçus dans leurs aspirations bourgeoises, depuis qu'ils estiment avoir, pour toute perspective, le chômage ; 2) le désintérêt des étudiants

Ces contestataires rejoignent-ils ceux que le système rejette parce qu'ils manquent de formation ou de discipline professionnelle, parce qu'ils sont éloignés des centres d'embauche, parce qu'ils ne correspondent pas aux préjugés raciaux et culturels que partagent l'école et les affaires ? Les premiers protestent plutôt par dilettantisme ; les seconds ont l'énergie du désespoir mais aussi la conviction de leur impuissance ; les uns et les autres sont des marginaux, sans audience, inutiles aux affaires. Pourtant ils inquiètent déjà. La criminalité dans les ghettos, les *drop-outs* au sein des familles respectables, la difficulté pour la bourgeoisie de perpétuer ses vertus, sont autant de phénomènes proches et inéluctables. On peut estimer que la puissance des grandes entreprises est due au fait que les intérêts de celles-ci sont épousés par la main-d'œuvre, que la culture d'une nation développée correspond aux perspectives de développement économique à l'intérieur des structures établies. Mais il faut ajouter que l'éducation nécessitée par un tel développement mène à en découvrir les limites et le non-sens. La déraison du développement est constatée même par ceux qui sont au cœur de ce développement, éduqués pour lui.

Le développement des spécialisations, résultat des découvertes scientifiques et de la volonté de promotion sociale des étudiants autant que résultat des besoins de l'appareil économique, oblige celui-ci à des transformations qui ne vont pas sans heurt ni sans manque à gagner. Face à la montée des spécialistes, la vieille hiérarchie bureaucratique se défend tant bien que mal. Elle veut conserver ses privilèges irrationnels et joue l'apparent charisme des chefs contre la compétence des comités *ad hoc* [4] et des experts. Elle maintient, avec style et apparat, son rôle, ses distances et ses secrets. Elle veille à se reproduire en favorisant la promotion de jeunes gens prometteurs — selon

vis-à-vis des affaires et leur refus de la compétition qui fut nécessaire aux affaires et à la bureaucratie en général ; 3) la volonté des hommes informés d'être plus que des ouvriers disciplinés au sein de l'appareil économique ou de la bureaucratie en général. Seul le premier type fait les manchettes.

4. Alvin Toffler parle même d'« adhocratie » dans *le Choc du futur,* Paris, Denoël, 1971.

elle — qui entretiennent la routine ordonnée du rituel de l'autorité, sans brio et sans sottise. Ces jeunes gens doivent faire montre du sens de la responsabilité et de dévouement à l'entreprise, plutôt que rivaliser d'intelligence avec les spécialistes en administration. C'est par le prestige de vertus morales qu'ils doivent s'affirmer face aux experts. La hiérarchie en place tient à durer et, de plus, elle se prétend rationnelle. Elle ne reconnaît pas à l'interdépendance fonctionnelle des diverses spécialisations, une plus grande efficacité dans le commandement. Pourtant, en fait, la hiérarchie ne maintient que des apparences du pouvoir et une échelle de promotions sociales. Son organisation est claire et manifeste. Mais l'interdépendance fonctionnelle des différents services et experts, quoique toujours en voie d'ajustement, s'est déjà révélée plus adaptée aux entreprises complexes. C'est en son sein que sont les responsabilités réelles. Les salaires y correspondent mais non encore des honneurs insignes. Ceci ne signifie pas que le pouvoir se soit diffusé parmi les cadres inférieurs mais que l'influence décisive n'est pas nécessairement dans les mains du président-directeur général, qu'il n'y a peut-être plus d'influence décisive en dehors de l'intérêt des cadres supérieurs et de tous ceux qui s'identifient à leur entreprise ; tel sera l'objet du chapitre VI.

*

* *

Le système économique repose sur des choix éthiques et politiques, sur des mœurs et des institutions qui lui sont antérieurs ; mais il provoque des transformations qui affectent profondément et lui-même et ses assises socio-culturelles. Dans la société, tout est sans doute cause de tout ; on peut aussi essayer d'en dire plus. Il y a des époques où l'aspect économique des choses se constitue en un système quasi autonome, déterminant la société dans son ensemble. Serait-ce parce que le pouvoir est monopolisé par une classe énergique qui contrôle l'appareil de production, le promeut et, par là, impose ses intérêts à tous ? Mais un tel monopole ne peut s'expliquer que par une structure sociale qui le favorise ; le contrôle de la production ne s'exerce sur tout que par l'intermédiaire d'institutions et de mentalités qui débordent l'appareil de production.

En démocratie, celui-ci ne rallie la nation à sa cause que parce qu'il paraît la combler. On peut parler à ce propos de l'idéologie par laquelle la classe dominante acquiert la complicité des classes dominées. Mais il faut encore voir comment cette idéologie convainc. Superstructure et infrastructure ont des pouvoirs explicatifs complémentaires. Accorder plus ou moins d'importance à l'une ou l'autre, c'est un phénomène idéologique (superstructural) mais qui peut se justifier selon la conjoncture historique étudiée.

Bien des ouvriers s'accommodent du néo-capitalisme et du règne des monopoles que l'État ne contredit plus. La solidarité prolétarienne devient de plus en plus improbable parce que la classe ouvrière a des intérêts divers. Les uns se satisfont des avantages qui résultent de la collaboration entre l'État, les syndicats et les affaires. Les autres, qui n'y trouvent pas leur compte, sont la plupart du temps sans qualification, sans poids politique et syndical. La dialectique entre forces de production, rapports de production et utopies motrices, a évolué diversement selon les secteurs et les régions, et souvent tout autrement que ne le prévoyaient ces utopies motrices particulièrement grandioses qu'étaient les socialismes. Cela ne peut suffire à les discréditer mais exige qu'ils redéfinissent leurs stratégies et retrempent leur espérance.

Ils avaient repris, sans doute de façon irréfléchie, un double optimisme des libéraux. D'une part, ils croyaient que l'histoire entraînait les hommes, à travers quelques détours pénibles, vers un progrès des mœurs. Ce progrès et ces détours paraissaient sans doute autrement aux socialistes qu'aux libéraux mais, pour les uns et pour les autres, le sens l'emportait sans équivoque, sur le non-sens et ce, par une espèce de raison immanente à l'histoire, en harmonie avec les attentes morales de l'homme. D'autre part, la rationalisation bureaucratique, le progrès technique, la croissance industrielle semblaient être les voies non seulement vers la révolution prolétarienne ou la société libérale d'abondance, mais aussi, à travers l'État socialiste, vers le grand soir. Il est évident qu'une telle foi permettait aux socialistes comme aux libéraux, d'oser de grandes entreprises et de considérer d'un œil impavide des sacrifices qui paraissaient transitoires et nécessaires [5].

Au-delà de ces simplismes, qui ont discrédité nos traditions morales, il faut retrouver le goût de la justice et en redéfinir les voies. Celles qu'on avait imaginées, non sans grandeur, ont déçu. On désespère de l'avenir parce qu'il n'est pas conforme aux prévisions de l'utopie. L'humeur est au désenchantement parce que les prévisions étaient inexactes. Mais l'histoire n'est pas sans issue pour cette raison. Il faut retrouver la disposition à y découvrir les occasions propices.

Le développement économique a sa logique propre. Il détermine d'autant plus la société qu'elle s'y abandonne pour des raisons qui tiennent sans doute à sa culture. Mais le développement transforme de fond en comble la culture, les institutions et l'horizon éthique, l'allure et l'importance de l'économique elle-même. C'est dans ce devenir, au sein même d'une intelligence des causes sociales multiples et interdépendantes, que se présentent les occasions d'une stratégie et d'une espérance, celle-là justifiant celle-ci, celle-ci donnant le goût de celle-là.

2. *IMPÉRIALISME ET TRANSFERT DES RESSOURCES*

Les grandes firmes et notamment les firmes multinationales régissent le monde. Elles l'équipent et conditionnent ses besoins. Elles s'entendent sur certains objectifs politiques et gagnent la sympathie des États qui ne croient pas pouvoir se passer d'elles. Certains gouvernements et certains mouvements populaires, cependant, découvrent qu'ils sont exploités plutôt qu'avantagés par ce qui prétend être la mise en valeur de la planète. Cette mise en valeur se fait à leur détriment et au profit d'autres. S'ils y participent, ce n'est que marginalement. Ce qu'on appelle le développement économique se présente sous les traits

5. On humilie les uns, on surmène les autres, on entretient une inégalité irréductible, fondée sur le rendement social de chacun ; mais combien étroit était le critère de ce rendement. L'originalité de la révolution chinoise réside peut-être dans un égalitarisme auquel on sacrifie le rendement.

d'une néo-colonisation généralisée et entraîne même un processus de dépendance et de sous-développement. Aussi protestent-ils contre l'emprise des puissances industrielles sur leur destinée. Ils veulent se débrouiller sans « aide » imposée et se libérer de tuteurs encombrants. À ce propos, le comportement de l'Algérie vis-à-vis des compagnies pétrolières françaises en 1971 est exemplaire. Il s'agissait pour l'Algérie de mettre entre les mains de ses fonctionnaires la politique pétrolière ; les Français qui prétendent que l'Algérie aurait pu arriver à des bénéfices financiers équivalents à un moindre coût, ignorent que les bénéfices financiers n'étaient pas le premier objectif poursuivi par le gouvernement algérien.

Très souvent les protestations contre un « développement » aligné sur celui des autres ne peuvent compter sur certaines instances qui se révèlent illusoires. Les parlements, les partis politiques, les syndicats sont plus ou moins bien informés des enjeux. Parfois, ils n'ont d'autres perspectives que celles des gestionnaires des affaires établies. Ils ne voient d'avenir que dans l'expansion de ces affaires. Qui pense autrement, leur apparaît aventuriste. Ceux qui sont laissés pour compte par une telle expansion, sont nombreux mais leur perspectives ne s'imposent pas à l'attention.

Les entreprises se concentrent dans les pôles de croissance et emploient la main d'œuvre qui leur convient. Elles condamnent à la stagnation régions rurales et Tiers Monde, au chômage, les ouvriers non spécialisés et les personnes trop âgées pour qu'il soit rentable de les recycler. Ces déclassés tâchent de se faire entendre mais ils n'ont même pas les moyens de déclencher une grève qui entraverait le cours heureux des affaires et forcerait l'attention. Ils sont sans pouvoir et divisés sur les buts immédiats. Pourtant, ce qu'ils dénoncent, ce n'est pas seulement l'injustice dont ils sont victimes, c'est le non-sens d'une expansion économique qui ne se remet pas en question et poursuit, avec compétence, une aventure déraisonnable.

Sous ce titre, il sera successivement question de l'intégration des peuples industrialisés occidentaux aux projets des classes dirigeantes par l'intermédiaire des politiques sociales de l'État néo-capitaliste, des rapports entre États riches et pauvres [6], de l'impérialisme et de l'aide internationale.

*

* *

D'abord, je voudrais parler des équivoques de la politique sociale et des conséquences de l'intégration nationale (dans une perspective de développement et de redistribution des revenus) à l'endroit de la solidarité internationale. Dans les pays développés d'Occident, une conséquence majeure de la grande crise et de la théorie keynésienne fut sans doute l'acceptation par tous d'une responsabilité de l'État vis-à-vis de ceux qui souffraient de la conjoncture économique en particulier et vis-à-vis des pauvres en général. Progressivement, sous la poussée des partis ouvriers, l'État étendit ses sollicitudes. Depuis les fameuses lois sociales de Bismark, il a beaucoup accru le champ de ses interventions. Même si les assurances sociales et les bénéfices marginaux sont négociés et financés par l'employeur et le salarié lui-même, l'État intervient au moins pour déterminer des garanties minimales. Il accepte, au moins en principe, une responsabilité vis-à-vis de ses ressortissants déshérités.

Il faut cependant bien préciser les limites du rôle de l'État néo-capitaliste, en matière économique et sociale. Il s'agit de créer une demande effective pour une capacité de production sous-utilisée. Aux États-Unis, l'armée semble la principale bénéficiaire de cette politique [7]. L'assistance des deshérités n'est nulle part une priorité. En matière d'allocation de chômage et de bénéfices sociaux, les dépenses publiques sont tolérées par la bourgeoisie pour éviter des troubles sociaux. En Belgique, en Allemagne et en Angleterre, ils ont été conquis par les luttes syndicales indépendamment de la grande crise mais non indépendamment de la menace d'une victoire électorale des partis ouvriers. Dans beaucoup d'autres pays, un des arguments qui a

6. Si je semblais confondre jusqu'ici les défavorisés des pays industrialisés et les pays sous-développés, c'est que je voyais dans les uns et les autres les victimes d'une même injustice et d'une même déraison.

7. Cf. chap. 7, *in* P. Baran et P. Sweezy, *le Capitalisme monopoliste,* Paris, F. Maspero, 1968.

persuadé la nation d'accorder ces allocations fut la nécessité de maintenir la demande à un niveau suffisant. La politique économique et la politique sociale semblent avoir un même but : la prospérité ou le bien-être national, répartis selon des clivages qui ne se résorbent guère, acquis sans égard pour les pays tiers.

Des blocs économiques se sont formés et organisent solidairement leur prospérité et une certaine justice sociale derrière leurs tarifs douaniers, quoiqu'il advienne du monde extérieur. La C. E. E. pratique une politique agricole très généreuse vis-à-vis de ses ruraux mais au détriment de l'extérieur, notamment au détriment des producteurs de sucre de canne, de céréales, de beurre et de viande, qui pourraient offrir leur marchandise à des prix de revient beaucoup plus bas que ceux de la Communauté européenne. Le consommateur européen paie les frais d'une telle politique et des pays du Tiers Monde y perdent la seule occasion de se développer.

L'exclusivisme national va loin[8]. La centrale syndicale américaine A.F.L.-C.I.O. proteste contre la concurrence que font les travailleurs du Mexique aux travailleurs des États-Unis en étant employés à des salaires relativement bas par des filiales d'entreprises américaines. Le syndicat ne se soucie évidemment pas du sort de l'ouvrier mexicain et ne songe pas à organiser ou soutenir ses revendications [9].

À l'intérieur même des pays les plus développés, les conséquences des politiques sociales furent souvent décevantes. L'État-providence, plutôt que d'intégrer ceux qu'il assistait, en a fait une classe dépendante ou en voie de dépendance, en marge de la production, trop peu éduquée pour trouver un

8. Gunnar Myrdal fut un des premiers à dénoncer l'exclusivisme de l'État-providence dans *Une économie internationale,* Paris, P.U.F., 1958 (paru en anglais en 1956).

9. À propos de la solidarité des ouvriers des pays industrialisés avec l'impérialisme de leur pays, cf. E. Arghiri, *l'Échange inégal,* Paris, Maspero, 1969 ; Charles Bettelheim qui a écrit la préface et la postface du livre n'en partage pas toutes les thèses et croit qu'il y a solidarité entre les ouvriers du monde industrialisé et du Tiers Monde. Les deux auteurs exposent leur désaccord à la p. 11 de la « Sélection hebdomadaire du Monde », 27 novembre - 3 décembre 1969.

emploi honoré, trop pauvre pour entrer de plain-pied dans la société de consommation qui pourtant la sollicite. Les professionnels de l'assistance publique constituent quasi fatalement une bureaucratie aliénante. Il est des quartiers de défavorisés qui ont décidé de trouver une voie de salut en se débrouillant sans cette bureaucratie, en constituant un groupe le plus autarcique possible. Mais c'est là une attitude aussi rare qu'exemplaire.

Du fait du consentement de la société à une croissance rapide, le chômage technologique, la condamnation de secteurs entiers à la faillite, la désaffection de certaines régions sont des conséquences fatales. Le surmenage des compétences en demande et le sous-emploi des autres, la difficulté de faire une carrière intéressante à mi-temps et de demeurer maître de ses loisirs, la dévalorisation des fonctions dites féminines, ménagères, éducatives et esthétiques, sont également des séquelles du choix exclusif pour la croissance rapide de la somme des utilités actuellement comptabilisées. Pourtant parallèlement à ce choix, on continue à croire que la misère et les distorsions seront progressivement résorbées par quelques mesures marginales. L'optimisme et la foi en une harmonie préétablie ont la vie dure. Des socialistes comme les libéraux ont cru vaincre le malheur par la prospérité d'abord, par son partage ensuite. Ils se trouvent démunis face aux résurgences et aux persistances du malheur, tant ils ont perdu l'habitude de le prendre vraiment au sérieux.

*

* *

Qu'en est-il de l'aide internationale et des rapports entre économie dominante et économie dominée ? Le Tiers Monde serait-il en passe de devenir un assisté social ? C'est ce que certaines formes d'aide font craindre. La responsabilité internationale à son égard s'affirmera-t-elle ? La revendication des pays désavantagés par l'évolution du commerce et des techniques pourra-t-elle s'organiser comme les partis ouvriers des pays industrialisés le firent ? Actuellement, l'impuissance de la majorité de la planète est plutôt semblable à celle d'un sous-prolétariat marginal.

La dépendance internationale comme celle des assistés sociaux n'est pas en régression. Les pays sous-développés sont épuisés par leurs dettes extérieures et une partie de l'aide qu'ils reçoivent contribue à ces dettes. D'autre part, cette même aide est souvent liée à une stratégie militaire, commerciale et diplomatique du donateur ou du prêteur en vue de se faire des clients et des alliés bien alignés. Enfin, l'assistance technique contribue à maintenir le prestige de produits et de modèles de comportement étrangers. Elle est, sinon dilapidée par les fonctionnaires internationaux, les chercheurs de tout poil ou la bourgeoisie locale, souvent employée par cette dernière en vue de maintenir des positions établies et d'éviter une évolution qui remettrait en cause ses privilèges et la répartition internationale du travail qui y correspond.

La répartition internationale du travail est absurde. Elle est telle que la plupart des nations sont sans ressource et sans pouvoir de négociation. Elle tient très souvent à des accidents historiques, tels que les colonialismes, par exemple, et aux structures qui consacrent ces accidents. La puissance de l'industrie britannique put ruiner les textiles indiens, en important le coton des Indes et en réexportant des tissus imprimés. Le blé serait avantageusement produit pour le monde entier, dans les plaines du Nord des Amériques, et les voitures, là où il y a de la main d'œuvre abondante et de bonnes voies de communications maritimes [10]. Mais le souci de la main-d'œuvre américaine de sauvegarder ses emplois et le pouvoir d'innovation de l'industrie américaine sont tels que Détroit sera encore longtemps une capitale de l'automobile, même si idéalement Dakar pouvait l'être et si Détroit pouvait se reconvertir en un centre international de programmation pour machines-outils télécommandées.

Dès qu'un pays sous-développé trouve une voie de développement en innovant un procédé qui lui permettrait d'exporter des biens manufacturés, la moindre recherche dans un pays industrialisé supprime l'avantage qu'il eût pu acquérir. La

10. À propos de quelques hypothèses au sujet d'une répartition internationale souhaitable du travail, cf. J. Fourastié, *le Grand Espoir du XXe siècle,* Paris, P.U.F., 1958.

théorie des avantages comparés ne répond plus à rien [11]. Les puissances industrielles ont le monopole de la recherche et du développement techniques. Elles défendent leurs positions menacées par des tarifs douaniers et surtout par des barrières non tarifaires, le chantage [12] ou le *dumping* subtil [13]. En dépit d'un apparent libre-échangisme, on peut parler d'un néo-mercantilisme depuis que les nations qui en ont les moyens préparent leur plein emploi à plus ou moins long terme en soutenant à bout de bras des régions ou des secteurs entiers. La croissance générale de leur économie leur permet ce luxe d'un point de

11. « *The flexibility of modern technology makes advanced countries largely independent of their resource endowment. If you cannot plant rubber trees, you can make rubber out of petroleum, which is cheaper and, for most uses, better. If you cannot raise sheep or cotton, you make textiles out of trees or oil (rayon and nylon), which are in some ways better than the original. If you cannot grow sisal or abaca, you make steel cables instead of ropes and find that they are stronger.* « *The neo-classical theory argued that no country could have a* comparative *advantage in* everything. *But these days the country with advanced technology comes very close to having the same advantage in everything, once transport costs and various lags are taken into account. Moreover, with nation-wide unions confronting vast corporations to bargain for whole sectors of the economy at a time, the close link between wages and marginal productivity, so essential to the neo-classical argument, is broken. Adjustments take place* within *the advanced countries instead of through international trade. With wage levels confined to a relatively narrow range, resource allocation is adjusted, product mix altered, and the highly flexible technology adapted until the relative advantage of the United States over Senegal is literally much the same in all fields.* » (Benjamin et Jean Higgins, *Canada's Trade Policy in the Second Development Decade,* Montréal, Canadian Economic Policy Committee, 1970, p. 34-35, souligné dans le texte).

12. Par exemple, le contingentement volontaire des exportations de textiles est exigé du Japon par les États-Unis sous peine de hausse des tarifs douaniers. Le soutien accordé par le Canada à des revues publicitaires nationales contre des publications américaines équivalentes, est battu en brèche par une menace américaine de supprimer une commande de montage d'avions. Si tels sont les rapports entre pays industrialisés, on peut penser qu'ils ne sont guère plus équitables entre pays industrialisés et non industrialisés.

13. Par exemple, alors que le Chili développait une industrie du papier, des firmes établies en Amérique du Nord imposaient la mode d'un papier de bonne qualité, que les Chiliens ne pouvaient encore produire, et, en offrant ce papier à perte, enlevaient les marchés latino-américains.

vue économique, cette politique équitable d'un point de vue national, cette iniquité d'un point de vue international.

Les pays occidentaux en imposant, par leurs conseils ou leur exemple, des modèles de croissance inadaptés à la situation locale, engageaient bien des pays du Tiers Monde dans une impasse. On pourrait parler longuement des facteurs sociaux, culturels et historiques dont il faudrait tenir compte pour réaliser non seulement le développement économique mais aussi le développement global de toute une société. Je voudrais plutôt envisager quelques cas précis où l'impérialisme, culturel autant qu'économique, de l'Occident apparaît à la fois divers, tangible et destructeur.

Les oligopoles internationaux s'implantent dans des zones qu'ils jugent privilégiées et y transportent leur rivalité et leurs productions métropolitaines. Par exemple, dans les régions de Lima et de São Paolo, on produit une quantité de modèles de voitures à peine différents. Cette concurrence inutile entraîne des manques à gagner vu l'exiguïté des marchés sud-américains. D'autre part, la concentration des industries dans des zones particulières que favorisent les préjugés des investisseurs, ne correspond pas aux lieux d'implantation que pourrait préconiser un plan national.

Les modes de consommation des cadres du Tiers Monde sont copiés sur des modèles occidentaux. Leur salaire profite donc aux industries et services capables de satisfaire leur demande. Tant que la masse salariale est faible, de telles industries et de tels services ne peuvent s'implanter localement. D'ailleurs ce qui provient des États-Unis ou de France est plus prestigieux que ce qui est fabriqué localement. Franz Fanon dans *les Damnés de la terre* a jugé sévèrement une certaine bourgeoisie des pays récemment décolonisés. Tibor Mende parle des « nouveaux colons », des « mercenaires du *statu quo*[14] ». Ils veulent être d'ailleurs et méprisent leur peuple. Le sentiment de leur impuissance n'est compensé que par une vaine gloriole et une imitation servile de l'étranger. Ils consom-

14. Tibor Mende, *De l'aide à la recolonisation. Les leçons d'un échec,* Paris, Éditions du Seuil, 1972.

ment des devises étrangères pour singer la métropole et la rétablir ainsi en modèle exemplaire.

Indépendamment des goûts des bourgeois indigènes, les techniques de gestion et de production, les machines et les services qui envahissent le monde sont d'abord conçus pour les besoins des pays industrialisés, où se situent les grands marchés. Ces techniques, ces machines, ces services s'imposent au Tiers Monde faute d'outils plus rudimentaires, plus faciles à manier et à amortir. René Dumont [15] a bien montré que, par exemple, les tracteurs étaient d'un coût exorbitant pour une agriculture primitive. Ils y étaient mal employés. Faute de techniciens locaux, leur entretien était prohibitif. Ils n'éduquaient nullement les indigènes à comprendre la succession et la combinaison des opérations élémentaires du travail et des techniques agricoles. Il faut d'abord que ces opérations soient bien comprises et qu'une mentalité favorable à la coopération entre plusieurs agriculteurs se soit instituée pour que le tracteur devienne un outil rentable, employé judicieusement. Il faut qu'il soit affecté à des travaux que l'homme ne pourrait faire plutôt que d'entrer en concurrence avec une main d'œuvre déjà trop abondante.

Dans un même ordre d'idées, les perturbations que l'on peut attendre de la « révolution verte » dans un pays tel que l'Inde par exemple, ne sont pas réjouissantes. Les nouvelles variétés de riz sont non seulement d'une culture plus délicate mais elles risquent d'inciter les propriétaires, qui anticipent des récoltes profitables, à remembrer des parcelles qu'ils avaient de tout temps louées à des paysans pauvres, afin de les exploiter eux-mêmes. Il s'ensuivra une chute des cours du riz produit en grande quantité. Mais il s'ensuivra aussi l'expulsion de nombreux locataires et la ruine des paysans incapables de s'acheter de nouvelles semences ou de les cultiver selon les méthodes adéquates. La « révolution verte » profitera aux paysans riches et avisés mais risque d'être catastrophique pour les plus démunis et les plus nombreux.

15. Cf. René Dumont et M. Mazoyer, *Développement et socialismes*, Paris, Éditions du Seuil, 1969.

Le développement technique et économique doit être en harmonie avec la culture ambiante et ses possibilités sociales sinon il n'est qu'occasion de distorsions multiples. Mais que peut le gouvernement d'un pays du Tiers Monde pour maîtriser et harmoniser ce développement ? Voyons deux difficultés très particulières mais exemplaires, qu'il rencontre habituellement quand il veut intégrer l'implantation d'une entreprise étrangère à ses plans.

Dans le Tiers Monde, les cadres supérieurs d'une société multinationale viennent souvent de l'étranger. Dans la mesure où il y a une différence culturelle importante entre la direction de la société multinationale et le pays hôte, seuls des cadres inférieurs ou moyens seront recrutés sur place. Cela signifie que les indigènes ne seront pas introduits aux perspectives internationales de la société ; ils ne seront pas initiés à son savoir-faire particulier. Or le gouvernement, très souvent, n'a d'autre point de vue que celui de ses citoyens employés dans les sociétés multinationales pour juger de celles-ci. Il ne sera donc pas en mesure de les traiter en connaissance de cause et sur un pied d'égalité, pour obtenir qu'elles se soucient davantage des besoins nationaux, si la direction de ces sociétés demeure étrangère à tous ses ressortissants [16].

D'autre part, l'entreprise multinationale peut facilement contourner les mesures fiscales du pays hôte en manipulant sa comptabilité. Elle peut menacer l'État récalcitrant et très partiellement informé, de transférer ses opérations ailleurs. Il est extrêmement difficile pour un pays pauvre qui ne peut offrir une infrastructure accueillante, de tirer des revenus assurés des filiales d'entreprises internationales. D'ailleurs le gouvernement de la métropole est en mesure, lui, de par sa puissance, de taxer l'ensemble des opérations de telles entreprises. En fait,

16. En fait, une société multinationale recrute des cadres supérieurs dans tous les pays où elle s'établit mais un cadre supérieur est intégré à la conception du monde de la société et peut être envoyé à l'étranger ; en tout cas son allégeance à la firme est plus importante que celle qu'il garde encore à sa nation, si celle-ci lui paraît moins évoluée.

il augmente ainsi ses revenus au détriment de pays déjà démunis [17].

Le colonialisme politique du XIXe siècle est en voie de disparition mais d'autres formes de colonialisme resurgissent, plus totalitaires. Ce n'est pas seulement l'indépendance des nations qui est en péril mais leur originalité et leur existence même. À ce propos, le terme « impérialisme » est ambigu. Il y a, d'une part, la domination d'un pays par des entreprises, souvent étrangères, soucieuses de leur profit et indifférentes aux préoccupations de l'État hôte (à moins que celui-ci n'ait la force de les imposer). Les cas les plus clairs sont ceux où une grande entreprise minière ou de plantation constitue la seule industrie d'un État minuscule. Il y a, d'autres part, la domination d'une société détachée de ses propres traditions, par des modèles de comportement, de consommation et de gestion en provenance des pays industrialisés. L'impérialisme de *Time Magazine,* de la publicité, des agences de presse et des films américains n'est pas l'impérialisme des géants du cuivre que sont Anaconda ou Kennecott. Il faut aussi distinguer l'influence en ordre dispersé de firmes privées et d'organes de diffusion, des pressions systématiques d'une firme, d'un ensemble de firmes, des institutions de financement parapubliques et d'un gouvernement. La domination de l'Amérique latine par les États-Unis est multiple et comprend tous les aspects que je viens de différencier. Ils sont d'ailleurs complémentaires. Les marines n'interviennent qu'à la dernière extrémité et ils passent aux yeux des notables convenablement acculturés, pour les sauveurs de la civilisation, parce que les intérêts et les mœurs de ces notables sont déjà alignés sur ceux des États-Unis. Normalement, Washington n'a même pas besoin d'expliciter la menace de sanctions économiques.

Quant à l'impérialisme russe, dont on ne parle guère dans ces pages, il a un tout autre caractère. Il fut brutal et sans fard en Europe de l'Est. Pourtant, l'U. R. S. S. semble bien aider à la libération et au développement de nations éloignées de ses

17. Je tire l'argument que j'ai développé dans ces deux derniers alinéas de Stephen Hymer, « The Coming Crisis of Multi-National Corporation », *The Canadian Forum,* Toronto, avril-mai 1970, p. 82-86.

frontières, pour les seules raisons qu'explicite sa propagande et celles, faciles à déceler, qui relèvent de la recherche des alliances. L'antagonisme entre l'Est et l'Ouest a entraîné bien des gouvernements à s'aligner sur l'un des deux super-grands. Dans cette compétition qui devint fatalement impériale, l'U. R. S. S. est venue en aide à quelques-uns, sans exiger en contrepartie l'ouverture de nouveaux marchés. Sans doute, ses lointains alliés ont-ils une économie trop primitive pour qu'il vaille la peine de se l'intégrer. Ou bien sa propre économie n'est-elle pas suffisamment expansioniste pour avoir besoin de nouveaux partenaires. En tout cas, le rayonnement de l'U. R. S. S. est politique plutôt que commercial et industriel. Ses prouesses en matière d'armement ou de conquête spatiale sont moins dans le prolongement d'une technologie répandue dans les usines que ce n'est le cas aux États-Unis ; mais l'U. R. S. S. n'a pas moins besoin de ces prouesses pour s'imposer politiquement. Elle a au moins les mêmes signes de la puissance technologique que les États-Unis, même s'ils lui coûtent cher.

L'U. R. S. S. vise à étendre son influence idéologique et les assises stratégiques et diplomatiques qui lui sont nécessaires comme centre du communisme et grande puissance. Ce qu'elle prétend au sujet de ses idéaux internationaux n'est pas tout à fait faux parce qu'elle n'a rien d'autre à exporter. Bien sûr, elle poursuit une politique de puissance et la dissimule sous un rôle de libérateur. Mais elle doit aussi, et à tout prix, jouer ce rôle pour asseoir sa puissance. C'est son principal atout, d'où l'animosité vis-à-vis de la Chine qui le lui conteste. Les États-Unis, par contre, étendent d'abord leurs marchés, entraînés par le dynamisme même de leur économie. C'est pour soutenir son industrie et son commerce que la politique internationale de la fédération s'est développée. L'armée américaine s'est constituée à partir de 1941 non seulement comme une puissance colossale de plus en plus autonome, mais aussi comme parfaitement adaptée aux capacités de production de la nation, les utilisant et les perfectionnant à un rythme qui en garantit la compétitivité internationale. L'idéologie des Américains ne peut être qu'un accessoire et parfois un masque de leur politique, étant donné l'auto-génération de leur économie et la faveur dont elle jouit auprès des notables et des syndicats après avoir façonné leurs perspectives.

L'impérialisme de l'U. R. S. S. est moins musclé et moins diversifié que celui des États-Unis. Il n'est pas une conséquence de la puissance technique, financière et administrative, mais le moyen quasi avoué d'une mission politique. Évidemment, là où elle le peut et l'estime de son devoir, à ses frontières, l'U. R. S. S. exerce une domination implacable. La grandeur de sa mission lui est un alibi. Mais ailleurs elle apparaît l'alliée d'une réaction essentiellement nationale et politique, à l'emprise de l'économie capitaliste et des despotes locaux que celle-ci protège. On peut accuser la Russie d'utiliser le communisme pour établir un empire à son propre compte, de perpétuer la fiction d'une révolution d'octobre réussie pour manipuler à son profit tous ceux qui s'en inspirent. En fait, l'U. R. S. S. est un frein à l'hégémonie du capitalisme international et favorise incontestablement des mouvements de libération : c'est en faisant montre de ses idéaux qu'elle gagne en puissance. Qu'ils soient mensongers ou non, l'exemple politique et la propagande ont une force réelle quand ils catalysent des ressentiments sociaux.

*

* *

L'alignement que les grands attendent de leurs protégés est plus ou moins contraignant. Parfois, il s'agit d'une orthodoxie idéologique et institutionnelle. Parfois on insiste exclusivement sur l'aspect commercial ou militaire. Le phénomène de la domination internationale est multiple. Je voudrais envisager les rôles de l'aide internationale et de l'assistance technique dans ce contexte.

Pour armer des alliés et en recruter de nouveaux, les grandes puissances doivent leur faire crédit ou leur donner des équipements. Pour commercer avec les régions dont on convoite les richesses, il faut parfois en développer l'infrastructure. Pour se maintenir au cœur de la francophonie et étendre celle-ci, il faut d'abord que la France envoie des coopérants enseigner le français en Afrique. Dans tous ces cas, on parle d'aide. Mais il s'agit aussi d'assurer ses zones d'influence. Parfois, il s'agit de préparer l'exploitation d'un peuple avec la complicité d'une classe ou d'un appareil d'État, de généraux ou de colonels que l'on s'est d'abord acquis. Trop souvent, l'aide au Tiers Monde est un moyen d'écouler des biens et des services du monde industrialisé chez ceux qui ne peuvent les payer, chez ceux qui devront bien accepter des produits surannés [18]. On risque de perpétuer la dépendance ou les distorsions coloniales aussi longtemps qu'un pouvoir politique instruit des besoins locaux ne prendra pas en main le sort de chaque nation et n'incorporera pas à un plan de développement les bonnes volontés, les entreprises capitalistes et les offres plus ou moins intéressées des alliés.

Lors de la XIIIe conférence de la C.E.P.A.L. (Commission économique pour l'Amérique latine, sous les auspices du conseil économique et social de l'O. N. U.) qui se tint à Lima en 1968, le représentant de Cuba s'exprimait en ces termes : « ... Le sous-développement n'est pas le développement lent et retardataire de certaines économies sur le chemin de l'industrialisation qui conduisit, il y a un siècle, à l'épanouissement capitaliste mais la conséquence imposée durant de longues années d'exploitation colonialiste et néo-colonialiste à un ensemble de pays qui constituent la majeure partie de l'humanité, par les grandes puissances spoliatrices. Sortir du sous-développement signifie pour l'Amérique latine expulser ceux qui la sous-développent... [19] » Mais je dois ajouter que Cuba non seulement lutte contre les États-Unis mais surtout contre les séquelles du colonialisme dans son propre peuple, contre l'irresponsabilité de ses citoyens et la rareté des cadres qualifiés. En effet, beaucoup de ses cadres ont quitté le pays pour retrouver aux États-Unis le mode de consommation auquel ils avaient été habitués. Beaucoup de ses citoyens semblent n'être guère impliqués par le développement national et la rhétorique gouvernementale n'a pu remplacer les lois contre la paresse.

18. À ce propos, cf. le chapitre sur l'aide liée, *in le Rapport Pearson. Vers une action commune pour le développement du Tiers Monde*, Paris, Denoël, 1970, p. 235 et sqq. L'aide à l'extérieur comme les politiques sociales à l'intérieur visent à maintenir des débouchés.

19. Cité dans *Frères du monde*, Bordeaux, n° 60, p. 91.

Cuba, de plus en plus, doit s'aligner sur l'U. R. S. S. pour obtenir le soutien dont elle a besoin. Ses principales sources d'approvisionnement et ses principaux débouchés, sa garantie militaire, ses conseillers techniques et administratifs sont russes. C'est dire que l'alignement de Cuba concerne non seulement sa diplomatie, et partiellement son commerce, mais aussi un certain style de gestion. Pourtant Cuba peut décider de son avenir. Son pouvoir politique est peut-être soumis à de fortes pressions extérieures, il n'est pas nié. Son économie n'est plus systématiquement décentrée par rapport aux besoins de la nation comme c'était le cas au temps où sa consommation comme sa production étaient définies par le marché nord-américain. En principe, Cuba a la maîtrise de son économie et les accusations les plus graves portent sur ce que les dirigeants en font, non sur l'absence de direction.

Des efforts sérieux et désintéressés en vue d'aider au développement du Tiers Monde ont été entrepris. Ils sont très insuffisants. Il est évidemment difficile d'adapter aux circonstances multiples du sous-développement, des techniques et des attitudes qui ont déjà fait leurs preuves en Occident. Les pouvoirs politiques locaux et internationaux sont souvent incapables d'inventer les voies du bien commun et de les imposer. Ils sont ou bien coupés de leurs administrés, incapables de les mobiliser, ignorants de leurs besoins, ou bien ils sont sans force. Faute d'information ou de support populaire et international, faute de compétence ou de vouloir, ils ne peuvent pas assigner des objectifs intégrés aux plans de l'État, à ces agents économiques efficaces que pourraient être les grandes entreprises privées. À défaut d'objectifs concertés — et seul un pouvoir politique local et démocratique, épaulé par des informations et un pouvoir internationaux, collaborant avec des pairs au sein d'une communauté régionale, peut les établir et les mettre en œuvre — nous sommes tous livrés aux déterminismes économiques. Ces déterminismes nous seront une fatalité aussi longtemps que la loi sera à la remorque des institutions commerciales, financières et industrielles en place. Ceci n'apparaît clairement qu'aux victimes de la fatalité. Les autres peuvent s'illusionner.

Des extrapolations rigoureuses au sujet de l'avenir de la civilisation sont disponibles. Elles reposent sur l'hypothèse plausible que les tendances actuelles de la consommation, des productions agricoles et industrielles, de la pollution et de la démographie, se maintiendront. Elles visent d'ailleurs à forcer une prise de conscience politique qui renverserait ces tendances. Mais on peut se demander si l'annonce d'une catastrophe suffira à l'éviter, s'il ne faudra pas que des catastrophes se produisent — pas nécessairement comme les extrapolations le prévoient — pour que l'organisation sociale soit transformée, les mentalités bouleversées, les projets et les institutions réadaptés. Il est relativement facile de susciter des indignations généreuses. Mais ceux qui ont le pouvoir de modifier le *statu quo* semblent être prisonniers des avantages qu'ils y trouvent, des habitudes mentales qu'il y ont contractées, des structures sociales qui constituent leur univers.

3. CRITIQUE DE LA MAXIMATION DU REVENU NATIONAL ET CONTRE-CULTURE

On a souvent noté les impasses auxquelles pouvaient aboutir des pays en voie de développement qui adoptaient un modèle de croissance inadapté à leur situation sociale. Je voudrais noter dans les pages suivantes comment, sous l'émotion du constat largement publié de déséconomies externes telle que la pollution, s'amorce dans les pays déjà nantis, une réflexion collective au sujet de la notion même de croissance. Il y a longtemps que les économistes eurent l'intuition que la maximation des utilités sociales n'est pas la maximation du revenu national et que certains d'entre eux [20] ont cherché à raffiner leurs instruments d'analyse. Mais de telles considérations n'ont de conséquences pratiques que le jour où elles sont acceptées par l'ensemble des économistes, au moins comme sujet de discussion, donnent lieu à des concepts opératoires que peut maîtriser l'administration nationale, deviennent des idées reçues par une partie de l'oligarchie politique et des idéaux électoralement rentables [21]. Or, dans ce processus qui va de la théorie

20. Je me réfère à la tradition Cournot-Pigou à propos du *Social Welfare Function.*

21. C'est conscient de ces phénomènes, qu'un parti politique au pouvoir, avant de réaliser certains de ses objectifs, se soucie de les

à la pratique, les désagréments de la pollution et les cris d'alarme des écologistes jouent un rôle d'accélérateur ; en tout cas ils accréditent certaines condamnations de la culture industrielle.

Il ne s'agit pas seulement d'adapter une théorie aux faits et de douter de la pertinence d'un indicateur tel que le « revenu national ». Il faut contester une vision du monde, les techniques d'analyse qui y correspondent, le confort moral qu'on y trouve. Il faut contrarier des structures sociales et des intérêts puissants qui s'appuient sur la vision du monde et les techniques d'analyse qu'il s'agit de contester. Il faut imaginer des mythes moteurs capables de rallier l'opinion mais, en même temps, et sur un autre plan, il faut aussi imaginer les moyens et les critères comptables qui permettraient d'administrer l'État avec sagesse, en affectant au mieux les ressources disponibles, selon les exigences éthiques dont on se réclame. Il ne suffit pas de dénoncer le caractère idéologique d'une certaine économie scientifique ; il faut encore créer l'appareil conceptuel qui servirait à maximer les utilités telles qu'on les entend, à distribuer biens et services, loisirs et responsabilités selon l'équité proclamée, à tirer parti des ressources humaines méprisées et à prévenir l'épuisement des ressources humaines et physiques dont on abuse. La contre-culture sera-t-elle capable de relever ce défi ? Jusqu'ici elle ne se préoccupe guère de l'administration macro-sociale de ses intuitions. Elle ne poursuit ses expériences qu'en micro-société. Elle se définit comme marginale et pourtant sa responsabilité historique est grande.

Rapidement, je voudrais indiquer l'origine, le rôle et les limites des indicateurs que sont le « revenu national » et son taux de croissance. J'aborderai ensuite l'hypothèse d'une croissance nulle de ce revenu dans les pays développés. J'envisagerai

accréditer auprès de l'électorat, de l'administration, des organes de réflexion et d'information, en même temps qu'il se soucie de les faire examiner dans leurs détails et conséquences par une commission publique. La fonction des auditions, discussions et enquêtes publiques (dans le cas des enquêtes des commissions royales, présidentielles, sénatoriales ou parlementaires), est double et ambiguë : il s'agit d'étudier la désirabilité de certaines mesures mais aussi d'habituer le public à les trouver raisonnables, en donnant une large publicité à la discussion de ces mesures et des besoins auxquels elles sont censées répondre.

cette hypothèse du point de vue des comptes nationaux et dans la perspective de la définition d'indicateurs (et d'objectifs) plus nuancés et sans doute plus essentiels, même au point de vue économique. L'hypothèse d'une croissance nulle est envisagée en un sens plus général par des démographes et des écologistes qui prévoient l'impasse catastrophique à laquelle mène une croissance continue, au rythme actuel, de la consommation et de la population, mais je veux en rester à un point de vue déterminé par la discussion économique. J'aborderai enfin les raisons pour lesquelles, la contre-culture n'entre pas dans des préoccupations de ce type.

J. K. Galbraith a déploré à plusieurs reprises que la croissance du revenu national soit devenue, depuis la Seconde Guerre, l'indice principal du succès d'un gouvernement, la mesure de la vitalité d'une nation et le test quasi exclusif de son appareil économique [22]. Comment cet indice en est-il arrivé à jouer un tel rôle ? Le système de comptabilité nationale développé par Simon Kuznets aux États-Unis dans les années trente, représente l'abstraction ultime des notions d'économie nationale et de progrès économique. Ces notions étaient en gestation depuis quelques siècles en Occident mais elles furent, dans ce système, réduites à des mesures précises et considérées par le grand public comme très significatives. L'outillage conceptuel de ce système de comptabilité accorde une fonction importante à la notion de RN [23]. Il réussit apparemment à présenter statistiquement l'état d'une économie. En analysant plusieurs états successifs à la suite les uns des autres, il permet aux électeurs comme aux experts d'évaluer des politiques passées, de corriger des erreurs et de prendre certaines décisions macro-économiques pour l'avenir, en connaissance de cause. Dans les vingt ou trente dernières années, la maximation du RN devint le but des gouvernements. Le RN fut le seul indice internationalement reconnu

22. Je me réfère à une conférence non publiée, qu'il prononçait au Japon en 1970, « The GNP as Status Symbol and Success Story » et au livre *l'Ère de l'opulence,* Paris, Calmann-Lévy, 1961. Ce dernier livre se terminait par l'image d'une maison qu'il avait été utile de construire et même de meubler mais qui risquait de s'écrouler du fait que l'on continuait absurdement à y entasser du mobilier.

23. Revenu national ou équivalemment, dans ce contexte, produit national brut.

et les appareils économiques nationaux, tels que définis par un même système de comptabilité, les seules entités sociales comparables sur la scène internationale.

Récemment cependant, le concept de RN a fait l'objet de critiques sévères. Premièrement, en ce qui concerne sa définition comptable, le RN ne tient pas compte de services et de biens importants, ni de certains manques à gagner ; il inclut des déséconomies externes. Ce dernier fait est connu depuis longtemps mais il passait pour une conséquence inévitable et insignifiante de la production (la silicose des mineurs, par exemple). Actuellement cependant, ces déséconomies accompagnent massivement, du moins dans les grandes agglomérations, la production et la consommation. Elles incommodent tout le monde ; on veut y porter remède et on calcule ce qu'il en coûterait. Il apparaît absurde d'ajouter indifféremment au RN l'emploi des biens et services qui polluent un lac et celui qui vise à purifier ce même lac. Du moins, cela paraît absurde, depuis que les deux emplois sont calculés. D'autre part, le travail des mères et maîtresses de maison, l'étude et la récréation, autant de facteurs importants même d'un point de vue économique, ne sont pas des éléments qui sont normalement comptabilisés dans le RN. Ils ne sont donc pas classés au nombre des richesses de la nation, alors que des activités telles que la production de bouteilles à jeter après usage et le ramassage de ces mêmes bouteilles pour nettoyer le paysage en font partie l'une et l'autre.

Deuxièmement, il y a des critiques qui visent l'opérativité des comptes nationaux et leur concept clé, le RN. Sans entrer dans un exposé technique, on peut dire que les variables de la comptabilité nationale sont beaucoup moins utiles quand il s'agit de prédire des tendances [24] que lorsqu'il s'agit d'évaluer

24. Il ne faut pas voir une contradiction entre cette affirmation et ce que je disais plus haut au sujet de l'utilité de ces variables pour décider d'une politique macro-économique. La comptabilité nationale donne des renseignements limités et précieux qui permettent de situer globalement une période vis-à-vis d'une autre, un pays vis-à-vis d'un autre. Mais ces renseignements ne suffisent pas à prédire toutes les interactions des agents économiques. Leur utilité dans la prévision se réduit si on ne peut tabler sur la similitude des circonstances à venir et passées.

le potentiel actuel de tel ou tel secteur. Les keynésiens firent grand usage de ces variables mais elles ne peuvent guère nous servir quand il faut apprécier des relations non quantifiables, telles que la psychose inflationiste ou les obstacles culturels à l'acquisition des techniques. Durant les dernières années, les gouvernements qui ont fondé leur stratégie anti-inflationiste sur les variables des comptes nationaux ont échoué. C'est un cas où la prévision doit recourir à des outils et à des données plus subtiles.

Si la notion de RN est contestée, le préjugé selon lequel il faut le maximer l'est bien davantage encore. Une nation qui n'aurait en fait aucun autre but, pourrait se retrouver avec une répartition indésirable des différents secteurs. Puisque le premier objectif que l'on a en vue est la croissance d'un total, la distribution des ressources entre différents secteurs et du revenu entre différentes classes n'est qu'un souci secondaire. On peut aller jusqu'à soupçonner que l'U. R. S. S. et les États-Unis maintiennent leurs dépenses militaires à un niveau élevé parce que, entre autres raisons, elles contribuent à la croissance de la variable globale qu'est le RN, au plein emploi et au progrès technique qui assure à terme l'emploi et le RN. Dans une société capitaliste, la croissance entraîne une diversion d'une partie importante des ressources vers l'industrie publicitaire de façon à accroître la consommation. La croissance entraîne également concentration urbaine et pollution. Mais il faut que les habitants de New York soient menacés par le crime ou l'asphyxie pour qu'on le comprenne autrement qu'en théorie.

De plus, la croissance du RN requiert le plein emploi du potentiel productif. Éviter le gaspillage et le chômage sont des buts louables, sans doute, mais on se rend mieux compte aujourd'hui que le plein emploi de toutes les capacités économiques est un concept limite et non un objectif souhaitable. Des tentatives constantes pour éliminer les goulots d'étranglement et augmenter la production ont mené l'économie occidentale, durant la dernière décade, à un état de surchauffe. Les gouvernements ont répondu par des politiques fiscales et monétaires restrictives. Déflation, inflation, relations ouvrières tendues ont suivi.

Une croissance rapide du RN est considérée comme absolument essentielle pour assurer les revenus d'une population croissante et pour satisfaire, au moins partiellement, les revendications des classes dont les revenus sont les plus bas, sans déplaire à celles dont les revenus sont plus élevés. On préconise de plus en plus l'idée d'une croissance nulle de la population même dans les pays développés. Si cette idée se réalisait, l'une des deux raisons fondamentales qui justifient une politique de croissance disparaîtrait. Il reste l'autre. Il est en effet évident que des redistributions massives de revenus supposent que le revenu global soit croissant. Sinon, il faudrait renoncer à l'inégalité des revenus. Or c'est cette inégalité qui stimule un système fondé sur la recherche du profit. Dans un tel système, le fisc lui-même doit bien avoir une certaine considération pour les principaux agents économiques [25].

Aux États-Unis, la notion de croissance zéro de la population et de l'économie est à la mode dans les conversations cultivées. Mais elle n'est pas encore maîtrisée dans le cadre d'une théorie opératoire. Elle est déjà une notion pour essayiste mais pas encore un objectif adopté par des administrateurs et des politiques. D'ailleurs, cette notion entre en concurrence avec l'idée d'une affectation des capacités de surproduction au développement social et international. Elle s'inscrit aussi dans des considérations générales et souvent très décousues au sujet de l'aménagement de l'environnement, au sujet des services collectifs et des communautés urbaines, au sujet d'un retour à une vie plus tranquille et plus frugale.

Au XIXe siècle, des économistes envisagèrent un état stationnaire où il n'y aurait plus de nouvel investissement si ce n'est celui qui remplacerait l'ancien. La productivité marginale du capital serait tombée à zéro. Ce concept, purement méthodologique, tomba en désuétude du fait que dès la grande crise, les déséquilibres à court terme accaparèrent l'attention et qu'en-

25. Il ne s'agit pas seulement des particuliers mais aussi des sociétés anonymes. Leur autofinancement signifie qu'elles sont capables d'épargne et ne doivent plus, pour se financer, recourir au gouvernement ou au marché des capitaux après les avoir alimentés par l'impôt ou la distribution des dividendes. Or l'autofinancement joue un rôle de plus en plus important dans la croissance.

suite on s'intéressa au rôle du progrès technique dans le développement économique. L'état stationnaire conçu au XIXe siècle alors que l'on n'envisageait pas un progrès technique comparable à celui que nous expérimentons, ne peut guère nous aider, en 1972, à conceptualiser l'hypothèse d'une croissance nulle.

Il est remarquable que cette idée réapparaisse dans la culture nord-américaine en dépit d'une conjoncture caractérisée par une certaine pauvreté de mieux en mieux publiée et par le sous-emploi. Malgré ces malheurs reconnus, « améliorer la qualité de la vie » est devenu un slogan politique aussi respectable que « accroître le RN ». S'agit-il de l'expression de l'égoïsme de ceux qui sont encombrés de biens et ont le loisir de le savoir ? Ou bien s'agit-il d'une critique fondamentale du mythe de la croissance quantifiable des utilités sociales, dans une perspective de distribution équitable des biens, des services, de l'éducation, des responsabilités et des loisirs ?

Cette critique n'est pas neuve. Pourtant elle se présente aujourd'hui dans un contexte nouveau et paraît d'une urgence extrême. D'une part, les ressources humaines sont non seulement mal employées mais méprisées, soit qu'on surmène les unes, soit qu'on réduise les autres au chômage et au sentiment de leur inutilité. D'autre part, les ressources physiques sont employées à un tel rythme par une minorité de la population mondiale, qu'on peut parler de dilapidation. Pourtant les progrès techniques permettent, au même moment, d'économiser énergie et matières premières. Le modèle de consommation occidental ne peut en aucun cas être généralisé : les ressources naturelles seraient épuisées immédiatement et la pollution franchirait le seuil du tolérable, pour ne parler que de facteurs physiques. Il va falloir imaginer et proposer au monde une utilisation plus prudente et plus mesurée des hommes et des choses. Ce n'est pas seulement l'écologie mais aussi l'équité sociale qui l'exige. Ne fût-ce que pour offrir un emploi à ceux qui n'en ont pas et du loisir à ceux qui en ont trop, il faudrait ralentir la croissance du revenu national des pays développés et répartir autrement les bénéfices.

*

* *

Ces considérations fort partielles m'amènent à poser la question de la contre-culture et de sa responsabilité historique. Comme son nom le suggère, la contre-culture s'est développée contre la société industrielle. Elle s'est constituée à l'abri de communautés et de sectes, dans une tradition bien américaine. Parce qu'elle est plus ou moins partagée par une partie de la jeunesse, parce qu'elle donne corps à des rêves largement répandus, ses manières et ses idéaux risquent de ne pas demeurer marginaux. Mais alors, il leur faudra changer. Jusqu'ici, ils sont essentiellement liés à une attitude d'opposition marginale. Ils sont vécus dans des micro-groupes constituant un monde parallèle au monde ambiant. Il leur faudrait se reconvertir pour devenir une alternative aux manières et idéaux de la société industrielle, et jouer sur la scène politique avec continuité. Pour cela, il faudrait que la contre-culture consente à se compromettre avec l'appareil conceptuel et institutionnel établi. Or, elle se conçoit souvent comme réprobation globale de cet appareil. Peut-être est-elle en voie de se réconcilier affectivement avec la réalité pour mieux en accuser les contradictions, mais certains mouvements s'enferment irrémédiablement dans une superbe sectaire.

Comment la contre-culture pourrait-elle se révéler autre chose qu'un luxe de dilettante, réservé aux fils de bourgeois ? C'est bien ainsi qu'on la juge à partir du Tiers Monde ou du prolétariat. Elle est déjà prise en charge par la société commerçante qui la fournit et l'intègre à ses publicités. La contre-culture ne répond-elle pas d'abord à une déréliction de l'individu face aux non-sens de la consommation, du travail, des loisirs et de l'ordre bureaucratique ; mais ces non-sens accompagnent une prospérité qui paraît idéale aux pauvres. Les *drop-outs* se définissent par rapport à une société d'abondance. Ils n'organisent guère les conditions légales d'une société plus juste dont ils rêvent cependant sans mesure. Ils sombrent parfois dans une intolérance et une impatience qui rappellent le millénarisme et conduisent au sectarisme. C'est que leur besoin d'identification et de sécurité psychologiques est immense. Ils ne sont guère plus efficaces pour lutter contre l'intolérance d'une petite bourgeoisie qu'ils ont ameutée et qui, plus qu'eux, a besoin de sécurité, de simplismes et de chef.

En dépit des dangers d'une émotivité incontrôlée et d'une menace permanente de l'intolérance, menace du monde extérieur aussi bien qu'intérieur, des hommes retrouvent, dans des micro-sociétés, plus ou moins organisées, plus ou moins ésotériques, le sens de la communauté, de l'interdépendance, de la dignité de chacun, du dépouillement. Et cela, ils le découvrent sans s'être abîmés dans des certitudes apocalyptiques. Ils expérimentent une éthique et une espérance qui ne sont plus limitées par les cadres de l'utilitarisme mais qui s'inspirent d'une redécouverte naïve de l'amitié.

La contre-culture est un espoir mais elle semble désenchantée et sans ressort vis-à-vis des tâches politiques. Tout se passe comme si ses membres étaient atterrés par ce qu'ils savent de l'absurdité des vertus bourgeoises et du désordre qu'elles ont établi. D'autre part, toutes les révolutions passées leur paraissent insuffisantes ; ils refusent de les continuer. Déçus par les conséquences des bouleversements socialistes et libéraux, ils ne s'intéressent qu'aux relations individuelles. Peut-être ont-ils raison. Mais ils sont bien loin des soucis du Tiers Monde et de tous ceux que le développement laisse pour compte. Ils sont au cœur du monde industrialisé, la faille et la conscience de son échec. Comment pourraient-ils rejoindre les victimes de cet échec ? Les ressentiments de ces dernières et leurs aspirations donneraient mesure et force aux rêves de justice de la contre-culture.

À partir du désenchantement vis-à-vis de la raison et de la politique établies, la contre-culture retrouvera-t-elle le goût de la responsabilité sociale ? Sera-t-elle capable de discuter de programmes politiques administrables ? Trouvera-t-elle, dans la discussion de l'hypothèse d'une croissance nulle du produit national brut des pays développés, un moyen de formuler avec précision ses idéaux au sujet du loisir et du dépouillement, au sujet d'une distribution équitable des utilités sociales et au sujet d'une libération des hommes et des économies dominées ? Ou bien rejettera-t-elle cette hypothèse comme une idée de plus, une atteinte à la spontanéité des images, des enthousiasmes et des réprobations ? La colère des nécessiteux, le sérieux administratif des gestionnaires, les utopies généreuses sont sans fécondité s'ils ne combinent pas leurs ressources différentes ; mais affectivement ils ne le peuvent guère et la révolte demeure sans espoir, l'intelligence sans pôle, et le vœu moral sans conséquences.

VI

L'alignement idéologique sur les préjugés du gestionnaire

Les développements récents de la prospérité se sont accompagnés d'une concentration des pouvoirs dans une oligarchie localisée dans les grandes villes industrielles [1]. À l'intérieur de cette oligarchie, le pouvoir est diffusé dans la mesure où la complexité des affaires implique plusieurs instances interdépendantes mais les réunit dans un même souci. Industriels, représentants des syndicats, des milieux financiers, des gouvernements, de l'armée, des universités sont unis dans une commune idéologie : celle du développement économique. Ils n'ont d'autres perspectives que celle déjà instituée par les administrations, les intérêts, les lois et les équipements établis. Ils ne s'accordent qu'à propos d'une gestion dont les outils sont précis et favorables au concert des intelligences. Ils y trouvent un rôle défini, un profit assuré, des chemins déjà tracés. C'est bien pourquoi les divergences d'opinion importent peu en pratique : elles sortent du cadre favorisé par la culture ambiante et à l'intérieur duquel la plupart consentent à travailler.

1. Je ne parle dans ce chapitre que des pays industrialisés et capitalistes, notamment des États-Unis, à moins que je ne signale expressément que je parle d'autres situations.

La concentration du pouvoir entre les mains d'une oligarchie et l'unité idéologique de celle-ci ne sont pas des phénomènes nouveaux. C'est la caution démocratique que recherchent et trouvent les grands d'aujourd'hui qui constitue la nouveauté. Une foule immense mais éduquée s'identifie à leur vue et seconde leur but, y trouvant la respectabilité et une raison de vivre. Les technocrates ont ainsi leurs fidèles serviteurs chez les techniciens, comme l'État trouvait en chacun de ses agents galonnés un homme heureux d'agir et de parler au nom du gouvernement, des chemins de fer ou des P. T. T. et de n'être rien que cette illusion d'un immense pouvoir. L'identification du petit au grand bourgeois n'est pas neuve mais le premier, de par son rôle spécialisé dans un système administratif ou technique très complexe, a acquis une importance réelle. Son salaire, sa formation et les besoins des entreprises, se sont combinés pour en faire un citoyen satisfait. Il est flatté et n'a aucune envie de protester contre sa condition. L'arme de la grève est devenue plus terrible dans une économie complexe mais n'est généralement utilisée que pour des objectifs particuliers [2].

Les syndicats et les gouvernements de centre-gauche, parce qu'ils poursuivent une politique d'expansion économique et de plein emploi au profit de leur clientèle, relativement privilégiée, se sont faits les avocats d'une nouvelle orthodoxie progressiste dont les gestionnaires industriels et financiers ont l'initiative. Employeurs et employés sont des alliés qui ne le savent pas trop lorsqu'ils négocient âprement des contrats collectifs. En fait, ils aménagent leur coexistence et d'ailleurs, ils sont presque tous des salariés relativement bien payés qui profitent du progrès social et en sont les protagonistes [3]. Cependant cette alliance ne signifie pas l'association des ouvriers aux responsabilités principales. Les syndicats semblent obtenir des augmentations de salaire, la sécurité d'emploi, quelques béné-

2. J'entends par objectifs particuliers, des objectifs qui ne remettent pas en question les structures économiques mais visent à améliorer des conditions de travail et les salaires.

3. Évidemment, la différence de salaire entre un ouvrier et un directeur d'entreprise est grande mais, beaucoup plus grande est ressentie la différence entre le paysan pauvre ou le chômeur et le technicien.

fices marginaux mais non une modification des institutions et des centres de décision économique.

L'alternance d'une législature conservatrice et d'une législature plus « progressiste » n'affecte guère les peuples industrialisés. Leurs villes n'ont de viabilité que parce qu'elles sont avantageusement insérées dans un réseau d'échange de biens et de services dans lesquels le savoir technique joue un rôle primordial. Telle est la situation qu'ils essayent d'entretenir ou préparent par la recherche scientifique et l'aide aux industries de pointe. Les zones rurales et le Tiers Monde ne sont pas tout à fait exclus de cet univers : ils subsistent en marge, fournissent des matières premières, des hommes, des lieux de villégiature. Ils voudraient changer une situation dont ils ne peuvent tirer parti mais leur puissance de négociation est faible, leur dépendance croissante. Ils ne disposent pas de leur économie ; celle-ci n'a d'autres chances que celles qui conviennent aux économies industrialisées qui les dominent.

Dans le chapitre précédent, il fut question de ceux que le développement économique laissait pour compte et des limites des politiques sociales. Dans ce chapitre, il sera question du développement lui-même en tant qu'il s'autogénère, gagne en autonomie et en superbe. Je ne vois là rien de fatal mais une évolution momentanée, due à la rencontre de certains facteurs sociaux.

1. CIVILISATION DE CONSOMMATION ET UNIFORMISATION DE LA DEMANDE

Le consommateur est roi. C'est en fonction de lui que travaille tout l'appareil économique. Que signifient de telles propositions ? Il s'agit tout d'abord d'un slogan de la société de consommation. Plus précisément, il s'agit d'un slogan publicitaire qui persuade le client que le produit ou le service qui lui est offert est conforme à ses besoins personnels, besoins personnels que détermine la publicité. C'est aussi un slogan politique du libéralisme économique.

En fait, la société de consommation n'est pas le règne du client mais celui du gestionnaire. L'appareil de production commande les désirs des hommes. Bien sûr, dans la mesure où le consommateur manifeste des préférences continues, dans la mesure où le producteur estime avantageux de répondre à cette demande, le consommateur influence effectivement l'appareil économique. Mais le producteur n'attend pas que la demande se soit manifestée ; il la prévoit, la suggère et la manipule. Il en a le pouvoir grâce à la publicité et plus généralement grâce aux stratégies de mise en marché. Il en a besoin à cause des délais qu'exigent la mise au point et la production en série d'un bien ou d'un service.

*

* *

La société de consommation, c'est la société de l'universelle classe moyenne, cette néo-bourgeoisie, non pas celle qui fit la révolution industrielle mais celle qui s'insère dans les structures que cette révolution instaura et est déterminée par ces mêmes structures. Celles-ci évoluent, mais de par une exigence qui leur est immanente, exigence dont technocrates et techniciens qui se rejoignent dans la néo-bourgeoisie, sont les commis. Je ne dénigre ni leur audace ni leur intelligence. J'affirme seulement que l'univers qu'ils ordonnent, de par sa taille, sa complexité et ses bienfaits, modèle leur perspective. L'idéal de l'initiative privée se réduit la plupart du temps à une collaboration et à une émulation au sein d'entreprises déjà établies. Technocrates et techniciens les perpétuent, sans vraiment les vouloir. Ils peuvent d'ailleurs mettre en doute leur utilité sans que cela ait des conséquences pratiques. La finalité immanente au système est à l'œuvre même si ses acteurs accomplissent leur œuvre particulière sans entrain.

Ils ne sont pas seulement producteurs. Du fait de leur salaire, ils sont aussi les principaux consommateurs de leur production. Ils sont l'objet de la publicité de leurs firmes. Les institutions de crédit anticipent, à leur place le plus souvent, ce que sera leur salaire. Leurs dépenses se fondent sur des revenus anticipés et répondent aux sollicitations qui, comme les revenus, proviennent des entreprises. Le résultat est double : la consommation est garantie à terme et le salarié est lié à sa fonction économique à terme, dans la mesure où la dépense de son salaire est programmée de façon rigide. L'appareil économique obtient ainsi la discipline des clients et des salariés, discipline dont il a besoin pour planifier sa propre expansion.

Pour se perpétuer et croître, l'appareil économique doit créer une consommation de masse, du moins de la part de ceux qui peuvent se la payer, ne fût-ce qu'à crédit. De ce point de vue, la masse salariale ne croît pas assez vite, ne se dépense pas assez vite ou ne s'oriente pas vers les biens et services dont la production a été prévue. Autant de problèmes auxquels tentent de répondre les services de vente, de crédit, de publicité.

Du point de vue de l'utilité sociale, c'est le gaspillage que veut l'entreprise. Le vieillissement prématuré des modes (obsolescence) en est un exemple particulièrement manifeste ; or il est planifié. La sortie d'un nouveau modèle d'avion oblige les compagnies de transport aérien à renouveler leur flotte si elles veulent demeurer concurrentielles. Le phénomène n'est pas limité à cet exemple ou aux changements dans la longueur des jupes. Le progrès technique provoque la production et par voie de conséquence, la mode et la consommation, indépendamment des besoins.

*

* *

La course à la lune met en jeu le prestige d'un empire et a des incidences nombreuses sur la qualité des performances dont sont capables les chercheurs et les techniciens de la nation. Les progrès en cette dernière matière dépendent très souvent d'opérations qui ne sont guère rentables à moyen terme. Bref, on comprend que les modes et les techniques vieillissent rapidement dans des domaines où le but est de demeurer à la pointe de la recherche. Mais le vieillissement prématuré des modèles de voiture, maison, appareil électroménager, etc., est orchestré par les services de vente de façon à augmenter la consommation. La technique et l'esthétique n'y gagnent rien. Il arrive qu'elles aient à perdre de l'innovation forcenée d'objets qui ne sont faits ni pour durer ni pour être respectés, et de la succession gratuite des formes et des engouements.

La production et la consommation de masse sont devenues nécessaires pour qu'une entreprise puisse subsister dans certains secteurs. Il importe peu de donner en prime, pour promouvoir la vente, une partie des unités produites, dès que l'on compte en vendre assez pour amortir le coût de production. Si l'on ne peut inonder le marché, on peut à peine y prendre place. C'est là un des problèmes de l'industrialisation de bien des pays en voie de développement : leur population intégrée à l'économie de marché est trop peu nombreuse pour offrir une clientèle et une consommation suffisantes à une industrie moderne.

Il est rapidement devenu moins coûteux de jeter une paire de chaussettes ou une auto en mauvais état que de les réparer. La production en grande série bouleverse les mœurs. Elle ruine l'éthique et l'économie artisanales, l'attachement aux choses, la stabilité des mœurs quotidiennes. L'industrie trouve souvent un plus grand profit à mettre en marché de nouveaux modèles non seulement peu coûteux et attrayants mais peu durables. Le commerçant et l'artisan traditionnels peuvent s'indigner du bouleversement des besoins mais ils n'y peuvent rien.

S'ils aiment les glaces à la vanille, ils savent fort bien que cette préférence est particulière et ne leur permet pas de fonder une prévision utile à leurs affaires. Ils comprennent cela sans peine. Par contre, préférer un bon outil à un outil bien coloré, une moto résistante à une moto bruyante semble relever du bon sens. Le secteur traditionnel s'indigna de constater que ce bon sens n'était plus général : il ne pouvait plus écouler sa marchandise. Sous la poussée des audacieuses ventes du grand commerce, les appréciations de la clientèle changèrent rapidement. C'est ce qu'illustre le roman de Zola, *Au Bonheur des dames*. On y assiste à la ruine d'une rue de petits commerçants dont la clientèle ne partage plus le bon sens. Un grand magasin tout proche crée le goût du frivole, du joli et du luxe pour tous en l'offrant à toutes les bourses ; le frivole devient le bel effet nécessaire, la convenance. Pour augmenter le chiffre d'affaire, continuer à produire et à vendre à bon compte, il faut que la mode soit sans cesse renouvelée, pour tous, sans trop d'égards pour la qualité des biens.

Les modes et les goûts sont fonction d'une culture ambiante. Le commerce et l'industrie tablent sur ces goûts et ces modes. Ils s'y adaptent s'ils ne peuvent faire autrement. S'ils sont de taille, ils peuvent conditionner la demande. Dans une économie de marché, cela suppose une industrie établie de la publicité.

Il ne lui suffit pas que les journaux et la radio-télévision investissent chaque foyer. Il faut encore que l'information publicitaire n'y soit pas accueillie défavorablement. Il faut aussi qu'existe une propension à la consommation, propension qui n'est pas nécessairement fonction du revenu. Tous ces facteurs évoluent avec le développement économique. Déracinés, bien des contemporains n'ont d'autres modèles de comportement que ceux offerts par la publicité. Ils s'identifient à l'image avantageuse du client type que projettent les entreprises commerciales. Ils trouvent là un repère culturel et un critère du bon goût.

Tant que les traditions de la demande n'étaient pas bousculées par le développement industriel, elles semblaient naître de multiples initiatives. Aujourd'hui la stratégie des grandes corporations impose à la demande ce qu'elles veulent. Les coutumes et les goûts se sont modifiés en fonction d'un vouloir concerté alors qu'auparavant, ils naissaient sans plan et plus lentement.

Mais le vouloir des entreprises est mal élucidé. Le profit et le développement sont des mots ambigus. Peut-être même cette ambiguïté est-elle entretenue : la bonne conscience se retranche derrière une confusion entre développement de ses affaires privées, des affaires en général et du bien-être de tous. Je reviendrai sur ce sujet quand j'étudierai les motivations des gestionnaires contemporains.

*

* *

Une économie planifiée vise idéalement à satisfaire au mieux tous les besoins. Mais elle s'adapte difficilement à des besoins variables et complexes. Il y a une tendance des économies planifiées à préférer des œuvres prévisibles. On assiste à une évolution analogue de la part des grandes entreprises privées : elles sont gérées selon des prévisions à long terme. Elles préfèrent les commandes de l'armée qui s'étalent sur une longue période ou bien imposent leur produit et façonnent la demande qui leur convient techniquement et économiquement [4].

4. Il est évident qu'il faudrait distinguer ici entre les fabricants d'avions et de grille-pains. Ceux-ci pourraient être produits indépendamment d'une prévision assurée d'une vente à tel client. Ce n'est pas le cas pour un avion dont les spécifications sont très précises.

Or, les consommateurs des pays où cette tendance est la plus accusée ripostent. Ils s'associent. Ils ont parfois un ministère qui prend en main leur protection [5]. Ils ont leurs auteurs, tel Ralph Nader, leur idéologie, tel le *consumarism,* leur publication, tel le *Consumer Report.* Non seulement les consommateurs veulent être informés mais ils réclament de plus une législation qui contrôle les allégations publicitaires et impose une description véridique sur l'emballage de certains produits. Ils peuvent aller jusqu'à réclamer du gouvernement une étude sur la qualité et les prix comparés des produits pharmaceutiques ou des services juridiques, par exemple. Ils peuvent exiger des lois qui garantissent des minimums de sécurité, d'hygiène ou de qualité. Ils contribuent ainsi à exclure des produits importés de pays en voie de développement et qui ne satisfont pas ces exigences.

Il faut bien noter que ces revendications des consommateurs s'insèrent dans une mentalité libérale. Elles visent à suppléer aux carences du marché depuis que la concurrence est devenue très imparfaite et à exploiter au mieux les avantages de la production de masse dont sont capables les entreprises monopolistes. Elles supposent de la part du consommateur, information et mobilité. Les pauvres enfermés dans leur ghetto devront se contenter des prix et des qualités qui leur sont imposés par les étalages locaux et les émissions commerciales à la télévision. Ils sont plus soumis que d'autres au prestige de la publicité. Ils ne peuvent sans doute pas comprendre le sens de la description chimique d'un produit alimentaire ou planifier un budget. Ce n'est pas seulement une question d'instruction. Il faut avoir un avenir assuré pour le planifier. Comment ne pas vivre au jour le jour quand on n'a aucune prise sur les lendemains ? Comment discerner des priorités quand, du fond de l'humiliation, submergé par les dettes, sidéré par des sollicitations multiples, l'objet ostentatoire et prestigieux paraît aussi nécessaire que les protéines ?

5. C'est le cas au Canada.

2. *CONCENTRATION DES ENTREPRISES*

Depuis la fin de la Deuxième Guerre mondiale, il y a un phénomène de regroupement des entreprises en cours partout dans le monde industrialisé, sauf au Japon où les entreprises étaient déjà très concentrées depuis longtemps, et en U. R. S. S. où une planification centralisée avait tablé dès le début des plans quinquennaux sur de grandes unités qu'il fallait créer d'à peu près rien. La plupart des entreprises ne sont viables que si elles atteignent une dimension qui leur permet de profiter des économies à l'échelle, et cette dimension a changé du fait de l'introduction de nouvelles techniques de gestion et de production. C'est ce que je vais analyser dans un moment.

Mais avant, il faut insister sur l'extension des marchés au-delà des frontières régionales. La nation entière est la clientèle minimale que doit prospecter une entreprise, dans la plupart des secteurs, pour soutenir la concurrence qui désormais est internationale. Les gouvernements européens, conscients de l'étroitesse relative des marchés nationaux et de la multiplicité des entreprises rivales qui se les disputaient, ont entrepris de stimuler le regroupement d'entreprises par secteurs, à l'intérieur de la nation. D'autre part, ils créaient le Marché commun ou la Zone de libre-échange.

Le marché des États-Unis est le modèle des réformateurs néo-capitalistes. Ses dimensions et son pouvoir d'achat sont très grands. Le marché colonial de la France n'aurait jamais pu absorber les autos et les postes de télévision que le marché américain absorbe. La France métropolitaine a presque autant de consommateurs, intégrés à une économie de marché que de citoyens, mais ce n'est pas le cas des pays africains.

Seules les grandes entreprises qui ont l'habitude d'opérer internationalement, et qui sont souvent américaines, ayant acquis une taille considérable sur le marché national avant de s'étendre au-delà, profitent de toutes les possibilités qu'offre l'extension des marchés et notamment les marchés communs d'Europe et d'Amérique latine. Le marché commun de l'Amérique centrale, par exemple, a favorisé les importations des produits des États-Unis dans cette région. Dans une mesure moindre, il a favorisé le développement des républiques relativement industrialisées (Guatemala et El Salvador) et il semble laisser les autres à leur stagnation.

La dimension idéale d'une entreprise peut être déterminée par de nombreux facteurs. J'en envisagerai trois qui récemment sont devenus de plus en plus importants et ne sont pleinement justifiés et bien employés que dans des entreprises de très grande taille : la recherche, le traitement des données, la méthode de gestion. Je n'insisterai pas sur les économies que l'on peut réaliser dans la production de grandes quantités. Ce facteur est bien connu et joue un rôle moins important que ces autres facteurs, un certain seuil franchi.

*

* *

Aux États-Unis, plus que partout ailleurs, une partie importante du budget des grandes entreprises est consacrée « à la recherche et au développement [6] ». Les universités et le gouvernement fédéral sont aussi impliqués dans ce domaine, et les entreprises cherchent leur alliance. Le temps de gestation qui sépare le début d'une recherche et la mise en marché du produit qui en découle s'étend sur de nombreuses années. On comprendra facilement l'importance des investissements nécessaires à la recherche et la dimension requise d'une entreprise pour qu'elle puisse consentir, et trouver rentables, ces investissements.

D'autre part, le champ d'application des études à propos du développement de l'entreprise se multiplie dès que sa taille atteint un certain seuil : création de machines et d'outils adaptés à la production, procédés de fabrication, diversification de produits commercialisables, présentation de ces produits et promotion de leur vente, relations interpersonnelles à l'intérieur de l'usine, relation avec les milieux de consommation ou avec les milieux socio-politiques, système de traitement des données.

Une véritable révolution dans le traitement des données est en cours : l'informatique se développe et ses équipements se perfectionnent rapidement. Mais pour retenir les services de

6. Il s'agit d'une expression consacrée, souvent abrégée en R & D, qui signifie recherche, pure et appliquée, en vue du développement de l'entreprise.

tels équipements, ne fût-ce qu'à temps partagé, il faut avoir bien des affaires à brasser. Plus que le coût des équipements, c'est le coût de la mise au point et de la mise en œuvre de systèmes d'analyse adaptés aux problèmes particuliers de l'entreprise, qui interdit à celle-ci de recourir à l'informatique, en dessous d'un certain volume d'affaires.

La publicité est aussi d'un coût relativement moindre pour les entreprises dont le marché a la même dimension que les réseaux de diffusion des revues, journaux et télévisions. Seules ces entreprises peuvent employer à plein les moyens de communication de masse les mieux établis.

Quant au crédit que peut offrir une entreprise aux commerçants ou aux clients de ses produits, il est d'autant plus large que ses risques sont largement répartis (dans des régions où les récessions se manifestent à des moments différents, par exemple). Pour établir ces risques et en garder le contrôle statistique, il faut également atteindre un certain volume d'affaires ; cette question relève plus particulièrement du traitement des données.

L'administration d'ensembles complexes a exigé une formalisation des problèmes et une spécialisation des tâches administratives. Pour bien gérer, il faut désormais un appareil diversifié que seules de grandes unités peuvent s'offrir. Mais d'autre part, cet appareil ne peut croître indéfiniment : la capacité de comprendre l'ensemble ne peut se scinder indéfiniment entre différents spécialistes. La limite à l'extension des entreprises réside peut-être dans la faculté intellectuelle des cadres supérieurs et, plus immédiatement, dans leur résistance à la décentralisation des décisions.

L'importance respective des divers départements (financier, de la planification, de la production, de la mise en marché, des relations extérieures, des relations industrielles, de la formation du personnel) varie selon les secteurs. Mais il faut bien que chaque vice-président en charge de ces départements assume, avec ses pairs, la direction générale et que tous les départements harmonisent leurs activités. Il faut aussi que la coordination soit assurée à d'autres plans que celui de la direction générale. C'est en tout cas cette coordination qui constitue un des problèmes majeurs.

Par exemple, ceux qui sont en charge de la planification à long terme doivent se tenir au courant de la marche quotidienne de l'entreprise s'ils veulent savoir ce qui est possible et ce qui est récupérable. Mais il ne faut pas qu'ils se distraient trop dans ce qui est déjà en marche, s'ils veulent repenser de fond en comble la marche de l'entreprise.

General Motors, contrairement à Ford, a tenté de résoudre les problèmes de la gestion en adoptant un modèle décentralisé. Il y a plusieurs modèles de gestion. Mais plus la fonction de chacun des services au sein d'une société est spécialisée et indispensable au tout, plus les services sont nombreux et imbriqués les uns dans les autres selon les relations complexes et réciproques, plus leur coordination est difficile et constitue un facteur qui risque de limiter les rendements dus à la spécialisation des fonctions et à la concentration des entreprises.

*

* *

Il y a plusieurs types de concentration d'entreprises. Il y a des concentrations sur le plan exclusivement financier que l'on connaît sous le nom de *holding* ou de groupe financier. Mais on ne parlera ici que des concentrations d'entreprises qui produisent des biens ou des services. On connaît les intégrations horizontales qui ont été plus ou moins combattues par les lois contre les monopoles. Elles aboutissent à occuper une part importante du marché national ou international dans un secteur (voitures ou avions par exemple). Elles dominent le marché ou le partagent avec des géants de taille similaire. Il y a aussi des intégrations verticales qui contrôlent une ou plusieurs lignes de production. En Allemagne et au Japon, il s'en est développé de célèbres qui furent, dans ces pays, un des instruments principaux de la révolution industrielle. Beaucoup de concentrations verticales ont une origine coloniale. Ainsi Unilever commença par faire commerce des huiles et autres produits exotiques ; il finit par contrôler des palmeraies et une grande partie du marché des savons et huiles végétales, par produire ses emballages et par assurer tous ses transports. Des compagnies de pétrole et d'extraction minière continuent de prospérer selon le même schème ; elles doivent installer toute une infrastructure aux quatre coins du monde pour extraire, transporter, raffiner leurs produits et en même temps, elles s'occupent de la distribution de produits finis divers.

Un nouveau type de concentration apparaît. Il est fondé sur les succès d'une équipe de gestion qui dispose de toutes les informations et de tous les services dont j'ai parlé précédemment. Il s'agit du conglomérat. Il se forme par transaction boursière ou association contractuelle ; il rassemble plusieurs entreprises déjà établies, sous un seul état-major. L'affinité qui les réunit, concerne les biens produits, les services, les matières premières, les processus de production ou les marchés. Parfois, le conglomérat ressemble à une intégration verticale. Mais il est d'abord une association financière qui vise à coordonner les ressources complémentaires des associés selon une seule stratégie, à profiter de toutes les occasions favorables d'un marché complexe et des services qui peuvent être utilisés en commun [7].

L'interdépendance financière des associés d'un conglomérat, comme les différentes filiales d'une entreprise multinationale, est certaine mais invérifiable dans le détail. Vis-à-vis de ces entités, le fisc et les actionnaires sont sans recours, car la gestion est d'une complexité telle que les rapports financiers sont incontrôlables. Ils ne sont maîtrisés que par les spécialistes et les stratèges de la direction générale. Je reviendrai sur ce problème de l'autonomie financière et de l'autonomie de la gestion.

7. Celso Furtado insiste sur l'aspect financier du conglomérat. « Le conglomérat n'est pas lié à un marché et ne dépend pas de la maîtrise d'une technique particulière. Il amalgame essentiellement la capacité de gestion et d'administration et le contrôle d'une quantité critique de ressources financières. Dans une économie de prix administrés, son problème primordial est moins d'augmenter au maximum le taux de gains, que de rechercher l'application rémunératrice des ressources liquides qu'elle accumule. Contrairement à un montant déterminé de capital, le conglomérat moderne est principalement un mécanisme pour investir une quantité de ressources en expansion, créée par lui-même [...]. Donc, le contrôle d'une quantité croissante de ressources liquides et la possibilité de conditionner le comportement du consommateur par des moyens de persuasion, sont les facteurs déterminants de la concentration. Le conglomérat est essentiellement un centre de décision basé sur la gestion financière. » (Celso Furtado, « La concentration du pouvoir économique aux États-Unis et ses projections en Amérique latine », dans *Esprit,* avril 1969, p. 576-577).

3. LA GESTION NÉO-CAPITALISTE

Les gestionnaires que nous connaissons aujourd'hui sont les produits uniformes autant que les protagonistes de la concentration des entreprises. Quand ces dernières étaient plus modestes et moins dépendantes les unes des autres dans un marché international, leur direction avait une idéologie plus différenciée.

Il y eut d'abord le capitaliste dont le type idéal a été dressé par Max Weber. Puis il y eut celui, davantage réduit à son rôle économique, défini par Marshall, qui tendait à maximer ses profits et se lançait tête baissée dans la concurrence. Il était capable d'innovation ou bien il se faisait évincer. Sans le savoir, il contribuait au progrès économique en se livrant à la compétition sans arrière-pensée. Il finissait par se sacrifier au progrès et à la concurrence le jour où ses prix de revient n'étaient plus concurrentiels. Il y avait enfin un troisième type classique du capitaliste. Moins ignorant de l'ensemble du marché, il s'y comportait avec ruse, absorbait les concurrents faibles, composait avec ceux qui résistaient, ne se soumettait pas au marché concurrentiel mais déterminait ses prix selon une stratégie qui déterminait ce marché.

Ces trois exemples du capitaliste sont reconnus par la théorie et par la légende. Il y a le fondateur dont l'initiative est intégrée à une conception éthique, l'entrepreneur exemplaire, réduit à sa fonction, et le *tycoon,* utilisant et entretenant les imperfections de la concurrence. Tous trois sont individualistes, rationnels, et poursuivent leur profit avec méthode. En fait, ils correspondaient à une réalité probablement limitée à la société anglo-saxonne. Le fonctionnaire allemand et le notable français ont développé l'industrie et le commerce de leur nation selon des motivations fort différentes et à des rythmes différents, mais qui ont permis à la France et à l'Allemagne de se retrouver parmi les nations les plus industrialisées. Le premier planifiait et légiférait en vue du développement économique national. Il convainquait industriels et financiers de concerter leur action avec le gouvernement. En France, il y eut des chefs de famille qui avaient pour métier les affaires. Ils l'exerçaient en notables qui avaient besoin de maintenir leur prestige familial plutôt que de faire fortune. La stabilité du marché protégé par des tarifs douaniers, favorisait une telle mentalité qui, à son tour, réclamait une protection douanière. Dans un tel climat, la concurrence effrénée ne cadrait pas avec les bonnes manières, l'innovation n'était pas une condition absolue de survie, la concentration des entreprises était lente.

Mais la concentration a eu lieu dans tous les pays industrialisés et a modifié le style de la gestion. Elle a été imposée par l'évolution des techniques administratives, industrielles, commerciales. Elle a été orchestrée par certains cadres. Actuellement, ceux qui ont voulu comme ceux qui ont suivi le mouvement de concentration agissent en fonction de la taille et de la complexité des affaires qu'ils brassent. Ils correspondent à un style défini et international.

D'abord, la gestion d'une grande entreprise est collective. Elle est partagée par les multiples membres d'équipes plus ou moins coordonnées. Chacun a son champ de spécialisation au sein de son équipe; chaque équipe n'a de fonction qu'en référence aux autres. L'information communiquée entre différents services et à l'intérieur d'un même service est très circonscrite ; la pensée de chacun doit être compartimentée pour que la consultation réciproque soit possible et la coopération efficace.

L'émulation entre coéquipiers et entre les différents services est entretenue dans certaines limites optimales par une mentalité où participation et compétition s'équilibrent. Selon cette mentalité, qui est devenue une véritable idéologie, il faut que l'ambition que chacun met à exceller dans son secteur, ne nuise pas à la collaboration mais la rende féconde et dynamique. Sous les apparences d'une camaraderie universelle, les cadres à tous les niveaux rivalisent pour faire montre d'inventivité, pour servir l'entreprise et pour se mériter des promotions. Évidemment, une telle mentalité favorise la conscience d'un échec chez ceux qui ne sont pas promus au rythme désiré, et une agressivité larvée chez tous.

Aujourd'hui, cependant, des administrateurs constatent que les nouvelles recrues ne manifestent plus assez de combativité. Ils décèlent et déplorent chez elles une certaine apathie dommageable pour le dynamisme des entreprises. L'expansion eut pour ressort une volonté compétitive de parvenir qui pourrait bien ne plus être une valeur à la mode. Le manque de foi en la société industrielle se manifeste partout. Mais les appareils administratifs en place peuvent continuer à fonctionner sans qu'il soit besoin d'y mettre beaucoup de cœur. L'intelligence et la rémunération suffisent.

*

* *

Les motivations du personnel et des cadres sont devenues assez homogènes dans la mesure où le niveau technique est tel que les ouvriers comme les cadres sont des salariés bien rémunérés et des spécialistes qui se savent indispensables et s'identifient à l'entreprise. Le fait d'être d'un régime socialiste ou néo-capitaliste est probablement moins important pour concilier patron et techniciens que le fait de devoir consulter ces derniers pour décider comment faire marcher une affaire complexe et dont tous les rouages sont interdépendants.

Je m'intéresse ici exclusivement à la technostructure américaine [8] parce qu'elle m'apparaît un exemple largement suivi. Dans celle-ci, cadres et techniciens participent à des décisions limitées. L'idéologie de la participation est bien utilisée par les uns pour honorer les autres et mieux les discipliner. Le syndicalisme américain des ouvriers qualifiés semble glisser vers une acceptation inconditionnelle des structures en place. Leur clientèle se satisfait, à tort ou à raison, des bénéfices qu'elle en tire et compte en tirer. Mais la main-d'œuvre non spécialisée et dont l'offre excède la demande, ne partage sans doute pas cette humeur. Elle recevrait sans doute l'appui de nombreux autres salariés s'ils étaient affectés par une récession.

La croissance et la prospérité de l'entreprise sont des buts pour ceux qui s'identifient à celle-ci. Or, c'est à l'identification de ses employés avec elle-même que travaille l'entreprise par l'intermédiaire de ses services de relations avec le personnel. La publicité et le service des relations extérieures contribuent aussi à faire des citoyens employés, de véritables fidèles, en même temps qu'ils convainquent clientèle et gouvernement des services publics que rend l'entreprise. Plus précisément, pour les em-

8. Le terme est de J. K. Galbraith, dans *le Nouvel État industriel*, Paris, Gallimard, 1968. Il désigne l'ensemble du personnel qualifié et des cadres d'une nation industrialisée.

ployés, la croissance de leur entreprise signifie occasion d'avancement et stabilité d'emploi. Et vis-à-vis du gouvernement et de la société en général, la grande entreprise doit prétendre qu'elle rend des services à la nation. Elle est trop importante pour pouvoir passer inaperçue. Dès lors, elle essaie de gagner la faveur publique, non seulement pour ses produits mais aussi pour assurer son droit de cité.

L'idéologie néo-capitaliste est une idéologie de la participation majoritaire du secteur privé au développement social. Il en résulte que le capitaliste qui ne serait préoccupé que du profit, est une figure qui s'estompe. En tout cas, elle ne s'affiche plus. Le gestionnaire contemporain se présente comme un citoyen consciencieux qui, à l'occasion, se croit plus éclairé et plus politique que les hommes d'État. Il voudrait inspirer ceux-ci et s'impatiente, au nom même du bien général, lorsqu'ils ne lui prêtent pas une oreille complaisante. En fait, le gestionnaire travaille à ses affaires au sein d'une ou de plusieurs nations. Il tient compte de leur politique. Il met à profit leur système de taxations et leurs faiblesses en matière de législation ouvrière. Il prétend concilier le service public et les intérêts de son entreprise pour mieux poursuivre ceux-ci en convainquant clients, employés et gouvernements de son désintéressement.

Voyons deux exemples à ce propos. Les sociétés pétrolières américaines disent avoir à cœur les réserves stratégiques des États-Unis. Elles gardent des puits inexploités sur le territoire national. En fait, le coût d'exploitation de ces réserves est exorbitant comparé à celui des puits du Moyen-Orient ou même du Venezuela. Au Chili, les sociétés plurinationales, américaines pour la plupart, ont prétendu contribuer au développement du pays. Or, il semble bien qu'elles ne lui ont apporté que peu d'emplois, aucun progrès technique et un déficit de la balance des paiements. Mais dans ces deux cas, l'entreprise privée a pu convaincre une partie du public de sa contribution au bien commun. Et bien des cadres en sont convaincus.

Dans *le Nouvel État industriel,* J. K. Galbraith affirme que la technostructure participe à la gestion et que cette dernière n'est plus motivée par le profit. Ces affirmations doivent être nuancées [9]. Les techniciens (ceux de la technostructure) sont certes consultés sur des questions techniques. Les différents services contribuent à l'information des gestionnaires mais afin que ceux-ci décident des orientations générales. D'autre part, les gestionnaires poursuivent d'abord non leur profit, ni même le profit immédiat des actionnaires. Ils travaillent au succès à long terme de leur entreprise. Ils sont plus calculateurs que le *tycoon* et servent au mieux les actionnaires. En faisant croître, et non seulement prospérer leur affaire, ils se réservent pour eux-mêmes des chances d'avancement plus nombreuses.

Il y a une collusion complexe entre les capitalistes et les cadres supérieurs. Les premiers sont des propriétaires et les seconds des gérants salariés, mais des gérants très autonomes qui se cooptent. Ils ne sont même pas toujours nommés par les actionnaires. Cependant, ils peuvent être du même milieu et se rendre des services. Les actionnaires importants, qui peuvent être des banques et des compagnies d'assurances, ont un intérêt en commun avec les cadres : les uns et les autres préfèrent le réinvestissement des bénéfices à la distribution des dividendes. Les premiers parce qu'ils veulent accroître leur capital plutôt que leur revenu et leur impôt, les seconds parce qu'ils veulent accroître l'importance de leurs affaires et la leur [10].

*

* *

La conduite d'une entreprise se décide à l'intérieur de celle-ci. Les gestionnaires consultent les cadres et les techni-

9. Pour ce faire, je me servirai de P. A. Baran et P. M. Sweezy, *le Capitalisme monopoliste,* Paris, Maspero, 1968 (surtout le chapitre 2), et de E. Mandel, *la Réponse socialiste au défi américain,* Paris, Maspero, 1970.

10. John Porter, dans *The Vertical Mosaic* (Toronto, University of Toronto Press), montre bien comment les principaux actionnaires et les cadres supérieurs de l'industrie se retrouvent dans la même société au Canada. Ils font partie des mêmes familles et ce sont les mêmes personnes que l'on retrouve à la tête de l'industrie, des banques et sociétés d'assurances. Pour l'année 1964, Porter identifie 907 personnes qui occupent 1 304 des directorats les plus importants du Canada, contrôlant plus de 50 % de l'économie nationale. Cependant, la situation canadienne paraît exceptionnelle parmi les pays développés, à cet égard.

ciens dont les avis, dans leur domaine respectif, sont les plus fondés. La richesse de l'information que la direction peut recueillir et traiter grâce notamment au service de recherche et de développement, la rend indépendante des influences extérieures de deux façons :
a) L'information abondante confère privilège et autonomie en ce sens qu'elle ne peut être acquise et traitée que par celui qui en fait métier et qu'elle est nécessaire à qui voudrait contester une décision. Or les actionnaires, les syndicalistes ou les fonctionnaires n'ont pas le loisir de rassembler toutes les données que possède la gestion ; celle-ci a beau jeu d'arguer avec qui ignore certaines implications des problèmes traités.
b) La gestion possède des informations suffisantes pour une planification qui dès lors n'aura pas trop à s'émouvoir de toutes les grèves et des différentes enchères politiques. Les projets à long terme qui se forment sur la base des données que peut rassembler une grande entreprise moderne, et aussi sur la base de sa puissance de négocier et d'influencer son environnement, lui permettent de considérer d'un œil impavide les soubresauts de la conjoncture économique et politique.

L'information est donc un facteur important de l'autonomie des entreprises. Il en est d'autres reliés à cette puissance d'influencer et de négocier dont je parlais. Plusieurs années peuvent s'écouler entre le moment de la mise en marché d'un bien et d'un service, et le moment où l'on commence à en concevoir la fabrication. L'entreprise doit donc anticiper le bon plaisir de la clientèle et le conditionner conformément à ses anticipations au moment voulu. Les stratégies de mise en marché affranchissent partiellement les producteurs des aléas de la demande. Quant aux aléas du marché du travail, la puissance de négociation des parties et la stratégie centralisée des syndicats permettent de prévoir le coût de la main-d'œuvre. Les contrats collectifs de travail contrôlent l'avenir au moins à court terme. D'autre part, les entreprises forment leurs cadres elles-mêmes ou sont en liaison avec les institutions qui produisent des spécialistes dans toutes les branches. Elle ont aussi prévu le coût de certains approvisionnements ou de certains services, en signant des contrats à long terme. Mais cela peut tourner à leur désavantage si par exemple le cours des matières premières baisse en dessous du prix déterminé par le contrat, ou si un contrat publicitaire doit être honoré en temps de grève, alors que toute production est arrêtée. Toujours, la direction s'efforce de contrôler les conditions dans lesquelles il lui faut opérer et de s'affranchir des aléas.

L'indépendance financière des entreprises est une question plus complexe. Jadis on faisait appel aux épargnes individuelles pour rassembler des capitaux. Les entreprises anglo-saxonnes dépendaient directement de la bourse et ce n'était que pour assurer un fonds de roulement à court terme qu'elles faisaient appel à un prêt bancaire. En Europe continentale, le système bancaire et le système industriel étaient beaucoup plus étroitement liés. Mais depuis la Première Guerre mondiale, et de façon plus prononcée depuis la Deuxième, les épargnes individuelles sont canalisées par des intermédiaires financiers tels que les fonds mutuels ou les compagnies d'assurance-vie plutôt que par les bourses. Les gérants de ces institutions, comme les gérants des banques d'Europe continentale, ont une perspective qui se rapproche davantage de celle des industriels que de celle des épargnants individuels. Ils constituent un groupe d'actionnaires importants et complices des chefs d'entreprises.

Les industriels dépendent non seulement de ces intermédiaires financiers mais aussi des fonds publics distribués par les instances nationales, régionales ou internationales. Il y a des subventions pour la recherche et le développement dans des secteurs de pointe (le S. S. T. américain dépend de subsides que le gouvernement allouerait à Boeing) ou des contrats gouvernementaux dont le but est analogue (le projet Concorde tombe dans cette catégorie). Il y a surtout l'aide que l'État peut dispenser par manipulation du système fiscal en vue de stabiliser la conjoncture ou de développer une région particulière. La grande industrie est souvent, soit bien informée, soit capable d'offrir suffisamment de garanties au gouvernement, pour profiter de ses commandes ou subsides.

Mais, c'est surtout sur l'autofinancement que reposent les entreprises de grande taille. Le volume et la diversité de leurs affaires leur donnent la possibilité de libérer des liquidités en vue d'une expansion sur un front particulier. Cette expansion comme son financement font partie de plans à long terme et les actionnaires sont souvent bien incapables de critiquer ces plans. Même s'ils se présentent à la réunion annuelle prévue à leur intention, ils doivent accepter de ne pouvoir disposer du profit net et cela pour de multiples raisons. Une proportion importante des actions est détenue par des capitalistes privés et des intermédiaires financiers qui préfèrent accroître leur capital plutôt que leur revenu (et leur impôt sur le revenu). D'ailleurs, les actionnaires n'ont pas un même droit à tous les éléments du profit. Les uns sont dus aux subsides de l'État. D'autres éléments sont dus à une politique globale d'investissement où il est devenu impossible pour un actionnaire de déterminer quelle filiale ayant un capital indépendant (mais consolidé) est responsable des bénéfices de l'ensemble. Enfin, les actionnaires ne peuvent s'y retrouver dans une présentation comptable qui vise à profiter au maximum des dégrèvements fiscaux et de l'aide gouvernementale.

Les actionnaires sont impuissants à déterminer les modalités de la distribution des profits. Ils doivent s'en remettre à la direction. Ils l'avaient déléguée mais de plus en plus, elle leur échappe. Elle va jusqu'à se recruter elle-même. C'est que les entreprises sont de plus en plus complexes et la compétence de leur direction est de moins en moins contrôlable par ceux qui lui sont extérieurs. Le pourcentage du profit distribué sous forme de dividende diminue ; les dividendes tendent à demeurer constants tandis que la valeur du capital croît. Les actionnaires ne sont pas trop mécontents et s'ils le sont, comment pourraient-ils protester ? Que l'on songe à une compagnie pétrolière, par exemple. Elle peut dissimuler une partie du profit réel dans le coût qu'elle attribue au transport qu'elle assure avec ses propres pétroliers, oléoducs et ports. Ce ne sont pas seulement les actionnaires mais surtout le fisc qui est le dindon de la farce.

Peut-être faut-il revenir sur les conglomérats. Ce phénomène de concentration actuellement en cours semble de moins en moins viser des économies d'échelle de production. Au-delà d'un certain seuil, il s'agit plutôt de répartir les risques financiers dans plusieurs secteurs, d'augmenter l'autonomie financière du conglomérat qui s'est ainsi formé et d'investir les bénéfices réalisés sur différents marchés non encore saturés.

« Agissant simultanément sur plusieurs marchés, le conglomérat dispose de multiples options. Il pourra toujours choisir le front qui lui convient le mieux pour prendre l'initiative. Sa vision globale lui permet d'agir avec une plus grande efficacité dans les confrontations de marché, que les sociétés dont les ressources sont totalement engagées dans un seul secteur [11]. » C'est dire que la puissance financière est plus importante que la participation relative sur un marché, pour dominer ce dernier. Il est évident que face à la stratégie d'un conglomérat, et face à la stratégie de plusieurs conglomérats observant des accords tacites (comme en observent entre eux les oligopoles), des entreprises engagées dans un seul secteur sont fragiles même si elles paraissent bien établies internationalement. Mais plus gravement, « si l'on tient compte du fait que les conglomérats multinationaux définissent leur stratégie l'un par rapport à l'autre, et chacun par rapport aux concurrents locaux, avec une perspective d'ensemble et en fonction d'un projet de développement propre, il n'est pas facile de concilier cette réalité avec le concept de système économique national qui implique l'idée d'unification des décisions en fonction des intérêts spécifiques d'une collectivité [12] ». Cette dernière remarque rouvre le débat des rapports de la politique et de l'économique.

4. L'ENTREPRISE MODERNE ET L'ÉTAT

L'État et la grande entreprise contemporaine ont des méthodes et des buts en commun si bien qu'ils épousent parfois les mêmes perspectives. Ils tiennent à ce que l'économie croisse régulièrement, que la population soit satisfaite (qu'elle soit clientèle, ou électorat), que les relations industrielles ne se détériorent pas et qu'il y ait un climat de paix sociale, que les exportations augmentent et qu'il y ait toujours plus de découvertes scientifiques et technologiques. L'État et l'entreprise utilisent des méthodes d'analyse quantitative similaires. Ils

11. Celso Furtado, « La concentration du pouvoir économique aux États-Unis et ses projections en Amérique latine », dans *Esprit*, avril 1969, p. 575.

12. *Ibid.*, p. 579.

tentent de capter la faveur populaire par les mêmes firmes publicitaires et une idéologie du développement plus ou moins semblable. Toutes ces affirmations ont évidemment une valeur et un sens différents selon qu'elles s'appliquent dans le contexte socialiste ou néo-capitaliste.

Les gouvernements, dans l'élaboration de leur politique, essaient d'impliquer les différents groupes de pressions (parmi lesquels les grandes entreprises ont un rôle primordial). Ils les consultent, leur demandent de soumettre des rapports, de critiquer des avant-projets de loi, de participer à de nouvelles propositions dans des cadres aussi variés qu'une commission du plan, un comité de révision du Code civil, une table ronde au sujet de la fiscalité. Si bien qu'au moment où le gouvernement impose une politique, elle est le fruit des cogitations de représentants des divers secteurs concernés, représentants qui défendront la politique gouvernementale auprès de leurs mandataires. De même, au sein de l'entreprise, les cadres essaient d'impliquer les différents services dans une prise de décision. Ici aussi on gouverne par consensus et celui-ci n'est possible que parce que, dans l'État et dans l'entreprise, beaucoup partagent une même idéologie de la participation au développement [13], bien que dans les deux cas, les grandes décisions soient réservées à quelques-uns. Cette idéologie est ambiguë dans la mesure où chacun met des espérances originales dans ces mêmes mots « développement » et « participation ». Mais elle a une fonction univoque dans la mesure où chacun travaille de façon circonscrite, du fait de son rôle économique, à un développement déterminé.

La planification de l'expansion économique se répand soit sous forme impérative ou indicative, soit sous forme d'adaptation constante du comportement des entreprises les unes aux autres, par la connaissance que chacune acquiert des objectifs et des normes des autres [14]. L'adaptation de la stra-

13. Le développement a un sens différent selon qu'il est l'objectif de l'État ou d'une entreprise particulière. Mais la justification ultime de celle-ci consiste dans un rôle qu'elle remplit au regard du développement national.

14. Les Américains parlent de *non collusive business planning*. Les hommes d'affaires, aux É.-U., utilisent pour harmoniser leur stratégie —

tégie de chacune aux autres peut d'ailleurs être influencée par une politique conjoncturelle, une législation ou des exhortations gouvernementales [15]. D'ailleurs l'État se charge de financer et de régulariser la croissance. Il semble que durant les années soixante, il y eut une proportion aussi élevée du revenu national, réinvestie en Europe occidentale qu'en U. R. S. S. et ce, partiellement grâce à des législations qui garantissent des exemptions de taxe aux revenus réinvestis (dans telle ou telle branche de l'industrie, dans telle ou telle région, ou sans aucune spécification) ou grâce à des investissements massifs de l'État dans l'industrie, la formation de la main-d'œuvre, la recherche scientifique et les services publics. Les épargnes

et dans les grandes entreprises le but de la stratégie est une expansion qui s'harmonise avec l'expansion générale et non une lutte entre les concurrents — des informations colligées par des organismes privés, tels le *Wall Street Journal* ou le département d'économie de la maison McGraw-Hill. Ce département offre non seulement des données sur les performances accomplies mais aussi des données sur les plans de développement des différentes sociétés privées. Il offre un service analogue à celui qu'assurent les échanges organisés, entre industriels français, par la commission de modernisation qui opère dans le cadre du commissariat au plan. Dans le cas des publications de McGraw-Hill, l'échange d'information n'est pas direct ; il passe par l'intermédiaire de la publication. Mais dans les deux cas, les projets de chacun quant aux investissements futurs peuvent s'élaborer en fonction de la connaissance des projets des concurrents qui sont devenus des quasi-partenaires. À ce propos, cf. p. 347-348 dans A. Schonfield, *The Modern Capitalism, The Changing Balance of Public and Private Power,* Londres, Oxford University Press, 1965.

15. En 1962, le président Kennedy voulut interdire à la United States Steel Corporation d'augmenter ses prix. Il n'en avait pas le pouvoir selon la loi. Selon la coutume, il ne l'avait pas encore. On n'était pas en période de guerre ou de crise et le salut national n'était pas un argument dont il pouvait user. L'inflation ne semblait pas compromettre la croissance. Néanmoins, le Président attaqua publiquement cette compagnie qui préférait son profit immédiat au bien-être de 185 millions d'Américains. La contre-attaque des Républicains et des hommes d'affaires fut féroce mais les concurrents de la toute puissante United States Steel Corporation maintinrent leurs prix et obligèrent cette dernière à ramener les siens au niveau initial, par la force de la concurrence aidée en cette occurrence, par la parole d'un président qui mobilisait l'opinion. Deux ans plus tard, le secrétaire au Commerce parlait avec assurance du contrôle psychologique qu'exerçait le gouvernement sur les prix. Il s'agissait pourtant du gouvernement Johnson, apparemment bonhomme à l'égard du monde des affaires. La tradition s'était rapidement implantée. Cf. *ibid.*, p. 366-368.

obligatoires de la main-d'œuvre et de l'employeur [16], que sont les cotisations à la sécurité sociale, à un fond de pension ou à une assurance-vie, sont également disponibles pour des investissements.

La convergence entre l'État et les entreprises privées favorise celles-ci, c'est-à-dire la bourgeoisie capitaliste mais aussi les techniciens et les cadres de l'industrie, et toute une société qui prend part aux bénéfices de l'expansion. L'accord d'une nation derrière une bourgeoisie unie se réalise aux É.-U. mieux que partout ailleurs dans le monde capitaliste car, dans cette métropole impériale, il n'y a pas d'opposition irréductible entre bourgeoisie nationale et bourgeoisie liée à des intérêts étrangers, et la plupart des ouvriers jouissent des salaires élevés d'une industrie techniquement avancée et d'un État qui a les moyens de choisir son protectionnisme. Il faut noter que la différence entre les États-Unis et la plupart des pays européens au sujet de l'immixion de l'État dans les affaires tend à s'estomper. Depuis le *New Deal* et surtout depuis la Deuxième Guerre, la course aux armements et la volonté d'éviter des crises économiques et sociales ont amené le gouvernement fédéral à intervenir de plus en plus dans le secteur privé.

*

* *

Entre les entreprises et la puissance publique surgissent certaines oppositions. L'une poursuit normalement le développement de la nation tandis que les autres poursuivent leur propre développement. En matière de fiscalité, de commerce international, de développement régional, d'éducation et de recherche, les entreprises n'ont pas toujours les mêmes intérêts que l'État. S'il y a conflit, celui-ci n'est pas nécessairement le plus fort.

Le Canada n'a pas une tradition de nationalisme sourcilleux. Mais depuis une dizaine d'années, même les Libéraux

16. Même si ces cotisations sont en partie à la charge de l'employeur, elles sont à inclure dans le coût du travail et sont donc déduites de la masse disponible pour des salaires. Elles représentent une obligation pour l'employeur d'accorder certains avantages spécifiques aux salariés.

s'inquiètent des conflits d'intérêt qui peuvent surgir entre la politique canadienne et les sociétés multinationales [17], américaines pour la plupart, établies en territoire canadien. Le gouvernement a commandé plusieurs enquêtes sur la question du capital étranger. Les bourgeois et les syndiqués sont divisés entre nationalistes et partisans des investissements américains et la politique gouvernementale reflète cette division.

La liberté de manœuvre vis-à-vis du capital étranger varie selon la volonté d'indépendance et les circonstances. La France est sans doute moins dépendante que le Canada. Elle est déterminée à l'être et dès lors le peut jusqu'à un certain point [18]. Le Canada doit assister à la mise en échec partielle d'une politique de stabilisation parce que les sociétés étrangères poursuivent une politique d'expansion chez lui, indépendamment de sa politique fiscale. Il a choisi de se développer en laissant la porte ouverte au capital étranger. Il est lié par celui-ci et surtout par une idéologie qui compte l'indépendance nationale pour peu et la prospérité pour tout ; le calcul du coût du nationalisme en fait peut-être passer le goût. Il demeure que la situation du Canada est bien enviable comparée à celle de la Trinité dont une partie importante des impôts provient des droits pétroliers. Il suffit que Texaco ne veuille plus pomper ou raffiner du pétrole et l'État est sans revenu, ses plans sont ruinés, quelle que soit la volonté d'indépendance de la nation.

17. On dénomme ainsi une entreprise dont au moins 15 % de la production sont éparpillés dans plusieurs pays autres que celui où elle a son siège social, et dont l'aire de marché s'étend à tout le monde capitaliste. On parle aussi de société plurinationale.

18. À propos de la possibilité de mettre en tutelle une société étrangère pour la contraindre à s'aligner sur une politique nationale, le *Rapport des délibérations du comité permanent des affaires extérieures et de la défense nationale* sous la présidence de Ian Wahn, 1970, cite le professeur Rotstein : « Cette disposition de tutelle a été effectivement appliquée en France. Elle a été utilisée dans le cas de Fruehauf dont la filiale en France a reçu une commande d'une entreprise française qui voulait expédier des camions en Chine. Cette commande a été refusée de peur d'irriter le gouvernement américain. Certains actionnaires français, une minorité, ont protesté énergiquement, ce qui a amené le gouvernement français à placer Fruehauf sous tutelle après quoi la question a été réglée et la commande expédiée » (Ottawa, Imprimeur de la Reine, 1970, n° 33, p. 103).

Cette citation du professeur Harry Johnson résume bien la divergence entre le développement national que peut concevoir l'État et les buts de l'entreprise étrangère: « Le but de la société qui établit une filiale dans une économie particulière en voie de développement n'est pas de promouvoir le développement de cette économie selon une préconception politique, mais de faire des profits qui satisfassent cadres et actionnaires. Sa capacité de faire des profits dérive essentiellement de ce qu'elle possède un savoir-faire, ce qui signifie des méthodes de gestion et de mise en marché aussi bien que des techniques de production. L'entreprise n'a pas d'intérêt commercial à diffuser son savoir-faire à l'avantage de compétiteurs potentiels ; elle n'a aucun intérêt non plus à investir plus qu'il ne faut dans une étude de la situation du pays hôte et dans une recherche en vue d'adapter son savoir-faire à l'éventail des prix locaux des différents facteurs de production, et aux conditions du marché. Son but n'est pas de transformer l'économie locale en utilisant ses potentialités — spécialement ses ressources humaines — en vue du développement, mais d'exploiter la situation actuelle pour réaliser un profit, en utilisant les connaissances qu'elle a déjà, et en dépensant le moins possible pour s'adapter et s'ajuster à la situation [...]. Elle dispose de techniques bien au point et appropriées aux pays industrialisés où le capital et la main-d'œuvre qualifiée abondent. Elle a aussi accès au marché des capitaux et de la main-d'œuvre spécialisée des pays industrialisés. Elle n'investira donc pas en vue d'adapter ses techniques, ni en vue de former une main-d'œuvre locale, si ce n'est dans la mesure où de tels investissements apportent clairement du profit [19]. »

*

* *

Dans la tension entre l'État et l'entreprise, il arrive que cette dernière prétende réaliser les fonctions de celui-là beaucoup mieux qu'il ne peut le faire. On peut alors assister à une

19. H. G. Johnson, « The Multinational Corporation as a Development Agent », *Columbia Journal of World Business*, mai-juin 1970, p. 26. J'ai traduit de l'anglais au français.

véritable rivalité de souverainetés. Les grands gestionnaires sont agacés par les nationalismes qui contrarient leurs organisations souvent internationales. Ils apportent, croient-ils, développement social et efficacité technique au pays dont ils sont les hôtes. Ils l'intègrent dans le marché et le progrès mondial et voilà que ce pays voudrait incorporer l'entreprise dans ses plans, ses mœurs, ses lois. En pratique, les gestionnaires trouvent un *modus vivendi* à l'intérieur des différents États où ils opèrent, afin de profiter au maximum des situations locales, à tel point que des filiales font passer leur propre point de vue d'entité partielle, intégrée à un milieu donné, avant celui de l'ensemble multinational de l'entreprise [20]. Si l'État est puissant et impose ses vues, les entreprises doivent les accepter. Si l'éducation et la recherche, la politique fiscale et monétaire, si les tarifs extérieurs favorisent les affaires, celles-ci n'ont pas à se plaindre. Si l'État est faible et dépend d'une entreprise puissante, il lui faut bien s'y soumettre à moins de ruser habilement, d'imposer ses politiques et de créer, grâce à l'opinion internationale, une situation irréversible avant l'intervention étrangère.

20. Il y a alors conflit entre deux allégeances ; une filiale peut avoir plus de considération pour son rôle à long terme dans l'économie d'un pays au seuil de l'industrialisation que pour les pertes, assurées à court terme, que fera l'entreprise dans son ensemble si la filiale ne ferme pas ses portes immédiatement. Il y a bien des exemples de cela. Les motivations du gérant local peuvent être multiples : participation au décolage de la nation, profits futurs, affirmation de sa propre autonomie. Roger Vernon a des remarques intéressantes à ce sujet :
« *Recall that the multi-national corporate group embraces a coalition. The company's vice-president for Europe (or Africa or Latin America) presides over a domain that he feels committed to protect. The desire of the coalition to keep his loyalty and participation is likely to restrain it from imposing its collective fiat, even if the action seems to make sense from a profit-and-loss point of view.*
« *Nor should one underestimate the capacity of widely dispersed subsidiaries to resist the instructions of the center, whenever those instructions seem stupid or threatening. The subsidiary possesses facts the center cannot hope to have and alternatives of which the center cannot be aware. How extensively the subsidiary exploits its advantage in order to protect itself depends on the cultures, habits, precedents and personalities that are involved.* » (R. Vernon, « The Multi-National Corporation », *in Dialogue,* Washington (D. C.), U. S. Information Agency, nº 1, 1970, p. 30).

Citons quelques autorités qui prétendent ne pas parler au nom du monde des affaires et qui, mieux que les grands gestionnaires, ont dit ce que ceux-ci pensent sans doute [21]. Georges Ball, ancien sous-secrétaire d'État américain déclarait [22] : « Envisagée dans ses effets les plus généraux, l'improvisation utile que nous appelons « société multinationale » est bien plus qu'un moyen pour les hommes de faire de l'argent ; c'est un instrument social et politique de première importance. À mesure qu'un nombre croissant de sociétés multinationales évolueront vers la description que j'en ai donnée, elles permettront la première fois à l'humanité entière d'utiliser les réserves limitées de ressources du monde avec le maximum d'efficacité et compte tenu d'une norme universelle de mesure : le profit. Pour la société multinationale, remplir cette promesse implicite rapidement et avec succès suppose que les hommes devraient adapter de façon intelligente les activités — en fait le concept — de l'État-nation aux besoins pressants du monde complexe et industrialisé vers lequel nous nous dirigeons rapidement. De nos jours, les activités de toute compagnie mondiale sont gravement perturbées par la nécessité constante de concilier les exigences du gouvernement, qui tient nécessairement compte des objectifs nationaux, avec ses propres besoins établis d'après l'économie mondiale. La principale signification de cette nécessité est évidente : si les exigences des gouvernements empêchent la réalisation entière de la société multinationale selon la description que j'en ai donnée, nous en arrivons à une utilisation bien moins efficace de nos ressources mondiales... »

On en vient à envisager non seulement l'État-nation, mais la fonction politique, les objectifs globaux de la nation et la volonté d'y subordonner l'œuvre des grandes entreprises, comme superflus et nuisibles, un reliquat des émotions, agressives et tribales, qui se refuse à accepter le point de vue éclairé des gestionnaires efficaces dont les horizons sont universels, c'est-à-dire qu'ils s'étendent au marché mondial. Le professeur Frank

21. Ceux-ci ne peuvent parler aussi franchement tant qu'ils recherchent un compromis avec l'État et ne veulent pas l'effaroucher.

22. Dans le rapport Wahn, précédemment cité, la déposition de Georges Ball vient en opposition avec celle du professeur Rotstein. Je ne retiens de cette déposition qu'un passage que l'on trouve au nº 33, p. 55.

Tannenbaum, dans un article intitulé « Beyond the Nation-State [23] » va jusqu'à préconiser l'abolition des États souverains au profit d'une autorité internationale et indépendante de la politique, formée des grandes corporations multinationales qui se développent de pair avec le progrès économique. L'idée est saugrenue mais illustre (sans aucune ironie) l'unilatéralité du genre de bonheur que conçoivent des intellectuels voués au progrès.

*

* *

La réaction nationaliste au capital international a pris des figures variées. Charles de Gaulle en fut une. Mais la France n'a pas tellement à se plaindre : elle a sa part de la croissance économique mondiale. Elle n'y joue pas les premiers rôles et peut le regretter mais son peuple trouve à s'employer dans des secteurs profitables, touche de bons salaires et s'initie aux techniques de l'avenir. Le défi américain y est relevé par les gaullistes eux-mêmes avec des moyens plus proches de ceux que préconise J.-J. Servan-Schreiber [24] que de ceux qu'Ernest Mandel préconise dans *la Réponse socialiste au défi américain* [25].

Mais l'Amérique latine, à l'exception du Mexique peut-être, est assez désillusionnée à propos des bénéfices éventuels qu'elle pourrait retirer de sa contribution à la croissance économique internationale. Car elle y contribue mais d'une telle façon qu'elle en est un jouet et non un acteur. Le nationalisme prend une tournure résolue en face des entreprises américaines dans les pays andins [26] tandis qu'au Brésil et en Argentine, les

23. Cf. *in Dialogue, Washington* (D. C.), U. S. Information Agency, nº 1, 1970, p. 33-38.

24. Dans *le Défi américain*, Paris, Denoël, 1967.

25. Maspero, Paris, 1970. Ernest Mandel plaide dans ce livre pour une participation des ouvriers aux décisions de l'entreprise, pour une démocratie qui contrôlerait le pouvoir économique, partagerait les responsabilités et les bénéfices de l'économie plutôt que de vouloir la croissance à tout prix et de s'en remettre pour cela à une classe de gestionnaires et de technocrates.

26. Je veux citer ici l'ambassadeur du Chili à Washington, Domingo Santa Maria qui, dans un discours nuancé, définissait le rôle de l'État face au pouvoir économique (en mars 1970) :
« I do not believe that economic development is the distinct characteristic of this world, but precisely the will for independence that has

États-Unis qui ont eu le loisir d'encourager un pouvoir militaire favorable à la liberté des capitaux étrangers, doivent déjà faire face à l'opposition d'une bourgeoisie et d'une armée partiellement nationalistes.

a higher spiritual and political essence... This aspiration and will for independence, by the fact that they are consubstantial to life itself, are morally latent in all the nations of the world... Every living organism, and more so a grouping of men, somehow lives of its prestige, of its own image of prestige, however sketchy it may be. National prestige is not only the shadow of power : it is sometimes the only power that some entities enjoy. As in some medieval phantasies, there are in the world some shadows without bodies. They exist and they deserve to exist, because in those cases the shadow is the hope to attain the reality of a body. It is a principle of autonomous life.

« A second element of the national will for independence is the notion and the search of its own identity. This supposes a degree of self awareness as a nation... It is the memory of itself, history, the deliberate coherence of events that have occured and occur in this [teleological] grouping of men. It is the proposition of self-questioning about itself, about what it should be, about what should be retrieved out of a historical past and even a mythological past... It is the answer a country successively gives itself to those questions about its own nature and purposes.

« A third element is the determination to control economic resources that make possible the organic development of these units : nations and States. To aspire to this control, to search for this control, to be capable of this control, characterizes these nations that intend to have, or have... a minimum or maximum of self respect which constitutes prestige. Not only do they have awareness of themselves and of their possibilities, that is national identity, however primitive and still without substance, but beyond that, the faculty of progressively transforming pretensions and intentions into actions, precise, defined, planned actions.

« The fourth element is the will for political independence much more refined and sophisticated than what is usually understood by this battered expression. It supposes a proportion of intellectual and economic maturity that is not as frequent as it may seem among the lesser nations. In its starkest expression, it is the will for power, a legitimate one within the frames of civilized community and perhaps the underlying aspiration — as History describes them with respectable legitimacy and nowadays with aggresive legitimacy — to become Powers.

« All this, all these elements, are based upon a primary need : survival. All countries, even the less viable ones, are struggling for survival. This survival is only assured when these countries and nations become true states. » (*In Legal Issues Raised by Recent Property Takings in Latin America,* allocution prononcée à l'Université de Virginie, le 13 mars 1970).

Au Canada, l'État a pratiqué une politique tolérante vis-à-vis de la libre entreprise internationale. Il semblait qu'il n'y avait que des avantages à tirer des investissements étrangers. En tout cas, il n'y avait pas de désavantages apparents. Le niveau d'éducation technique et des salaires, la non-discrimination entre nationaux, Américains et Anglais dans les entreprises multinationales, la proximité culturelle entre ces trois citoyennetés, la réticence de l'épargne canadienne vis-à-vis des investissements industriels, le besoin de ces investissements et l'immensité des ressources à exploiter, rendaient amicale la mainmise du capital britannique et américain sur le pays. Mais même au Canada, il y a aujourd'hui un nationalisme qui se manifeste contre les États-Unis, provoqué par des problèmes tels que la souveraineté sur l'Arctique ou les eaux territoriales. Les Canadiens craignent moins d'affirmer que leurs intérêts ne coïncident pas avec ceux des affaires américaines. C'est là une réaction d'une fraction de la bourgeoisie inquiète de se voir ramenée au rôle de commis du capital étranger. C'est aussi une réaction de certains syndiqués dans la mesure où ils constatent qu'en période de récession, une firme américaine réduit ses activités au Canada afin de maintenir le plein emploi autant que possible outre-frontière.

*

* *

Le contrôle national sur le développement économique est nécessaire pour discipliner l'anarchie des oligopoles qui s'agglutinent dans des régions privilégiées au détriment d'autres régions, qui ne différencient pas utilement leurs produits et se conduisent sans égard pour les besoins locaux. Encore faut-il que la nation puisse attirer chez elle les grandes entreprises et sache comment les discipliner si elle veut jouer le jeu du libéralisme. Ces entreprises s'adaptent spontanément à certaines conditions locales mais en vue de les exploiter, non en vue du bien commun de la nation. C'est ce que beaucoup d'États néo-capitalistes constatent. Les bénéfices de l'expansion sont très déséquilibrés et ces États ne peuvent qu'apporter des remèdes partiels à cette situation.

Postface

La complicité de la réflexion et de l'espérance politique

« Il n'y a pas de vents contraires pour celui qui sait où il va. »

SÉNÈQUE

La liberté et la raison sont déjà enrôlées dans une aventure qu'elles n'ont pas tout à fait choisie. Peut-être œuvrent-elles à leur assujettissement. En tout cas, elles sont prises au jeu des interdépendances sociales et des procédés qu'elles ont mis en œuvre. Leur propre histoire est en passe de devenir leur destin. Des collusions complexes et le « dynamisme inerte » des bureaucraties établies déterminent les perspectives de nations entières, mais si tout le travail et toute l'intelligence des hommes se trouvent absorbés par une histoire unidimensionnelle, c'est que beaucoup y consentent. Il faudrait distinguer plusieurs plans de consentement ; cependant, ils n'ont pu se conjuguer et aboutir à une politique déterminée que parce que la culture occidentale a privilégié une certaine efficacité et a convaincu des peuples qu'il fallait mettre toute son âme dans ce moyen. Les capitaines d'industrie et, à leur suite, les hauts fonctionnaires, les ministrables, les généraux, les hommes de science, ont opéré avec l'approbation de larges couches de la population qui voyaient en eux les commis de leur civilisation en même temps que de leur prospérité. Il s'agit d'un phénomène idéologique. On peut le qualifier de superstructural. Il n'en est pas moins important pour comprendre l'histoire et la façon dont les hommes la conçoivent et font leurs projets. D'ailleurs, il y a non seulement un pouvoir explicatif propre aux phénomènes idéologiques ; ils ont encore une certaine inertie et exercent encore leurs effets alors que leurs causes, qu'elles soient infrastructurales ou non, ont disparu.

Si l'on refuse de consentir à ce qui fut plus ou moins choisi et qui, à présent, passe parfois pour l'inéluctable, si l'on veut reprendre l'initiative de l'histoire, ce ne peut être que par le biais, en composant avec elle. L'homme sait qu'il ne peut maîtriser souverainement l'aventure qu'il a déclenchée, qui déjà lui est devenue hostile ; mais il peut tenter de l'aménager, saisir les occasions qu'elle offre et qu'il peut préparer. Pour lutter contre un non-sens multiple et sans cesse renaissant, il lui faut être attentif à toutes les possibilités du sens, réfléchir et se comporter en stratège.

Je voudrais établir comment la réflexion peut devenir complice de l'espérance et du courage politiques. Pour se nouer, une telle complicité doit compter sur certaines dispositions fragiles. À défaut d'une foi en un mythe grandiose (ce défaut est sans doute notre sort, et non seulement le résultat d'une abstraction de méthode), il faut au moins préserver le goût de l'intelligence, la méfiance vis-à-vis des simplismes, le respect des hommes et de leurs différences, le plaisir d'être politique et efficace, ici et maintenant. Je ne prétends nullement pouvoir fonder en raison ces sentiments. Je dis seulement qu'ils favorisent l'initiative du sujet dans son élément social et historique. À partir de ces dispositions affectives, peut-être découvrira-t-il parmi les circonstances où il se trouve, l'occasion d'entreprendre un avenir plein de sens qui, après coup, justifierait ces sentiments et le sujet lui-même [1].

*

* *

1. J'emploie le mot « sens » dans un contexte éthique (dans l'horizon du désir de justice) et pas seulement dans un contexte épistémologique.

Dans les pages qui précèdent, on ne parle jamais d'une destinée ou d'une nature humaine ; on s'est employé à montrer les limites de conceptions arrêtées comme celle de l'utilitarisme et de l'optimisme humaniste ; cependant il fut aussi question d'une insatisfaction contemporaine qui pourrait bien équivaloir à un chemin obligé du sens. Il y a là une indication quant à des objectifs possibles et, surtout, des circonstances et des forces favorables à la réalisation de ces objectifs. Il y a d'abord le refus privé du *drop-out* vis-à-vis du rôle de consommateur-producteur auquel la société le réduit. Il y a aussi une contre-culture qui donnerait peut-être naissance à une nouvelle société si elle se souciait de tirer un parti politique de bouleversements qui ne dépendent pas d'elle, mais dont elle est elle-même un premier symptôme. Un certain discrédit des institutions, les désordres raciaux et estudiantins, les grèves sauvages et les pressions acharnées de divers groupes pour obtenir la plus grande part possible du revenu national, sont autant de phénomènes qui entraînent les démocraties à se révéler favorables aux puissants et à ajouter au discrédit et aux antagonismes qui les sapent. Ces phénomènes mettent en évidence ce qu'il y a d'arbitraire et de contradictoire dans la société libérale et industrielle. Mais il y a plus encore : la dépendance culturelle et économique des nations pauvres vis-à-vis des pôles de croissance internationaux. Le néo-colonialisme est fort divers mais on y retrouve une volonté intempérante d'organiser et d'exploiter des ressources disponibles, sans égard pour les hommes et les volontés nationales. À ce propos, le terme « impérialisme » me semble convenir non seulement parce que les affaires reçoivent parfois un coup de main diplomatique ou militaire de la métropole, mais aussi parce qu'elles poursuivent leur expansion sans mesure, sans se soucier de l'emploi des utilités qu'elles produisent et de celles qu'elles dilapident. Il n'y a là rien de plus ni rien de moins absurde que dans une volonté de puissance guerrière qui ne s'interroge pas sur elle-même et pourtant met en œuvre beaucoup de raison et de talent.

N'est-ce pas le même impérialisme d'une culture qui ne valorise que l'amoncellement des biens et services commercialisables, qui s'est donné certaines institutions fonctionnelles et s'y est abandonnée, que l'on retrouve sur le plan psychologique et familial, national et international ? La mère de famille, le vieil homme et le chômeur sont humiliés comme un « Tiers Monde » au sein même de la société industrialisée et leurs revendications sont encore calquées sur les valeurs de cette société. Elle continue à fasciner beaucoup de ceux qui sont exclus de ses bénéfices. Son prestige obscurcit la conscience des défavorisés et de bien des socialismes.

On peut discuter longuement à propos du plan sur lequel il faudrait entamer la lutte et les groupuscules ne s'en privent pas. En tout cas, il semble que l'histoire des mouvements sociaux n'aille pas sans offrir au vouloir l'occasion de la réformer mais qu'aucun mouvement spontané n'équivale à une politique sensée. Il est tout au plus un vœu indéfini de la justice à propos de besoins pressants et particuliers. Face à cette donnée, la responsabilité de l'instance politique consiste, d'une part, à imaginer une forme institutionnelle et des mœurs où pourrait se concrétiser et se définir le vœu indéfini, d'autre part, à organiser les protestataires de façon à ce qu'ils adoptent une stratégie efficace et puissent influencer le cours des événements. L'instance politique qui réussit non seulement est proche du mouvement spontané, mais elle se laisse porter par lui pour pouvoir en devenir la conscience agissante et méthodique. C'est ainsi qu'elle peut changer les mœurs et non seulement les lois.

Cependant la tâche politique paraît plus problématique que jamais. Le cours des événements semble inéluctable. On désespère d'aboutir à réformer la société. Serait-ce parce que les occasions de la réussite manquent effectivement ? Ne serait-ce pas plutôt parce que les conditions affectives dans lesquelles l'espérance et l'intelligence politiques se combinaient pour reconnaître ces conditions, viennent à manquer ? C'est l'hypothèse que je voudrais envisager. Je voudrais aussi établir combien ces conditions affectives dépendent des perspectives qu'ont ouvertes ou fermées les politiques antérieures, combien l'intelligence de la situation dépend elle-même de ces dispositions et de ces perspectives.

Aujourd'hui, beaucoup parmi les meilleurs ont perdu confiance dans la médiation des partis en place pour instituer justice et liberté. Ils refusent la mesure et la pondération qu'exigerait un programme politique susceptible d'aboutir et de rallier un large consentement. Ils sont irrémédiablement déçus par les réformes et les révolutions qui portaient sur les institutions sociales et dans lesquelles on avait peut-être mis trop d'espoir. Une nouvelle gauche naîtra peut-être des rêves gauchistes. Même s'ils ne sont que des rêves, ils sont les seuls capables de renouveler l'inspiration de la tradition morale et de la responsabilité politique. Plus que jamais, la complexité des problèmes sociaux nécessite des plans d'ensemble et des initiatives audacieuses. Si on veut échapper à l'incohérence et au hasard de ce qu'on pourrait appeler le déterminisme économique, il faudrait que les utopies se prolongent dans la réalité. Or les gauches établies sont plutôt absorbées par celle-ci qu'inquiétées par celles-là. Elles monopolisent à leur profit influence et moyens électoraux, se compromettent pour avoir le pouvoir ou quand elles ont le pouvoir, et prétendent censurer ceux qui lui contestent le monopole des utopies.

1. PRÉJUGÉ ORIGINEL EN FAVEUR DE LA LIBERTÉ ET DE LA RAISON

L'interdépendance de la mentalité consommatrice, du pouvoir des grandes entreprises et des politiques gouvernementales semble écraser l'homme. Que ses initiatives soient individuelles ou concertées, elles paraissent ne pas pouvoir entamer un système économico-social qui absorbe le travail et la raison de beaucoup et les intègre si efficacement que l'histoire de tous en est déterminée unilatéralement. Au fondement de ce système, il y a des intérêts puissants, les groupes de pression et les institutions où ils trouvent une forme, une mentalité qui consent à épouser les perspectives des entreprises en place et renforce ainsi la prédominance de leurs intérêts. L'idéologie de la croissance industrielle n'est peut-être plus crédible dans les pays industrialisés mais l'habitude et l'organisation établies sont suffisantes pour enrégimenter la volonté des hommes. La croissance n'inspire plus de ferveur mais des intelligences médiocres peuvent entretenir la routine si bien que la défection des plus perspicaces ne l'affecterait guère, à court terme.

Le système économico-social résulte de l'œuvre des hommes qui voulaient façonner leur monde à venir. Il est d'autant plus raisonnable qu'il fut voulu tel. Il n'en est pas moins devenu insensé dans beaucoup de ses conséquences. Telle est notre situation ; elle est un défi pour la politique. La liberté, au moment même où elle désespère de changer le système économico-social, consume de vieilles espérances. Il dépend d'elle d'en nourrir d'autres et de réaliser une œuvre nouvelle qui tirerait parti du destin, destin qui cette fois est fait de main d'homme.

Je veux affirmer l'irréductibilité du point de vue de la liberté. C'est encore elle qui fait face aux structures de l'histoire au moment même où elle les juge inéluctables. Quand elle constate son aliénation dans ce qui est partiellement son œuvre, elle mûrit déjà sa conversion et réajuste ses ambitions. C'est ici que la réflexion et la prospection de l'intelligence peuvent intervenir en libérant les possibilités d'une espérance neuve et de projets politiques.

Quand je parle ainsi de la liberté, je présume qu'elle n'est pas sans ressort ni sans attentes fragiles et mystérieuses sans doute mais originelles. Je présume qu'elle a besoin de trouver des raisons dans une perspective d'avenir pour fonder ses stratégies particulières et pour se vouloir elle-même mais que d'abord elle veut déceler des promesses dans l'avenir et veut tirer parti des occasions présentes pour s'acheminer vers ces promesses. L'intelligence qui fonde les stratégies particulières de la liberté est, elle-même, partie du vouloir-être de la liberté. Si elle dessine un sens possible c'est que déjà il y a espérance du sens, que la liberté s'est déjà consacrée à cette espérance et s'est ainsi définie. Or une telle orientation de la liberté est bien contingente.

Dans la culture dont je suis, la liberté est donnée à elle-même comme responsable du sens et de la raison, responsable d'une histoire où elle poursuivra un projet raisonnable et s'accomplira, ou perdra jusqu'au vouloir de soi. Elle ne peut se perpétuer qu'en perpétuant le goût d'un sens et le goût de scruter les possibilités du devenir afin de saisir l'occasion de faire advenir ce sens. Elle est à la fois anticipation et réalisation (intentionnelle dont souvent les résultats sont non conformes aux anticipations) de la raison humaine dans l'histoire. À moins de s'aliéner dans la mauvaise foi et l'illusion, il lui faut devenir politique, car l'avenir ne peut être préparé sans que l'on mette en cause le devenir collectif. La liberté comme projet est projet d'une histoire : elle donne lieu à l'histoire de ses réalisations dans laquelle il lui faut réévaluer ses plans particuliers, et en même temps, à l'histoire du projet lui-même, de ses espoirs, de ses ambitions, de ses ressorts et de la réflexion dans laquelle il se juge.

La responsabilité historique et politique de la réflexion telle qu'elle s'est constituée dans la culture dont je suis me semble être d'énoncer son temps et d'en souligner les impasses, de mettre l'homme en face de lui-même en disant ce que sont ses idéaux, ses possibilités, ses réalisations, et quelles sont les différences qui les séparent. La réflexion morale, en tout cas, ne peut ni plus ni moins sous peine de n'être plus vraie ou de n'être plus pertinente. Il n'est pas question pour elle de prendre parti mais, par l'analyse du temps présent, de se faire miroir inexorable et d'acculer à prendre parti. C'est dire que son analyse n'est pas un constat innocent. Elle vise à corrompre le confort moral. Elle oblige l'homme à se choisir. C'est en ce sens qu'elle est pertinente, branchée sur l'histoire qui se fait et non seulement reflet de l'histoire faite.

Évidemment on pourrait en dire autant de toutes les sciences de l'action humaine, mais la réflexion morale, telle que je la conçois et telle que l'existentialisme l'a conçue, se caractérise par une volonté permanente de ne pas s'oublier dans l'analyse des objets, d'aider l'existence à se réapproprier dans la conscience d'elle-même, de la contingence de son projet et de l'importance de ses entrains injustifiés (l'amour, un beau matin, l'indignation morale et les moulins à vent de Don Quichotte).

Cependant l'horizon culturel des humanistes, les perspectives et les dispositions de la liberté auxquels je me référais, ne sont-ils pas bouleversés ? Le goût et surtout le métier de la réflexion durent encore. Mais quel parti pratique est-on décidé à en tirer ? L'espérance du sens est-elle assez forte pour soutenir la perspicacité et les réalisations historiques de la liberté ou bien celle-ci est-elle sans ressort ? La genèse de ses projets et l'histoire dans laquelle ses projets s'actualisent sont évidemment en interaction : les événements retentissent sur les dispositions et les perspectives de la liberté ; celle-ci trouve dans la situation qui lui est faite un horizon qui influence ses ambitions et ses motifs ; par contre la situation et donc l'horizon de la liberté dépendent à terme de ses propres initiatives. Il y a des époques où l'audace ayant apparemment réussi, on ose davantage encore. Il en est d'autres où la liberté ne réussit pas à façonner l'avenir ou du moins le croit ; elle est alors sans espérance, sans ressort, sans vouloir être ; son défaitisme est tel qu'elle n'entreprend même pas une politique qui pourrait modifier la situation où elle se trouve et les circonstances qui influencent son horizon décevant. Alors la lucidité à propos de l'histoire et de la société est moins le moment où la liberté ajuste ses projets que celui d'une réconciliation avec la fatalité, d'une résorption du projet pratique de la raison humaniste.

2. *SITUATION ET HORIZONS DE LA LIBERTÉ*

Les Lumières avaient choisi d'interpréter les quelques succès des libéraux en Angleterre, aux États-Unis et en France comme une preuve à l'appui de leur rationalisme optimiste. Elles espéraient en l'avènement d'une raison juste et toute-puissante. Cet espoir fondait une audace confiante dans la politique. Dans la perspective optimiste de l'*Aufklärung,* cet espoir s'était déjà suffisamment vérifié dans le passé pour qu'il devienne une hypothèse quasi scientifique qui fondait une foi en l'avenir. Le courage politique se nourrissait d'une conception du monde qu'il nourrissait à son tour de ses réalisations, de ses interprétations et de ses projets. Le cercle n'a rien de vicieux si on considère qu'il exprime non un argument théorique en faveur d'un évolutionnisme moral mais une seule et même résolution éthico-politique. Aujourd'hui, cette résolution paraît intenable. Mais elle n'avait pas plus de fondement logique au temps où la liberté s'y installait et inventait ainsi le cœur dont elle avait besoin pour ses entreprises. Il faut bien qu'une résolution se pose comme apodictique pour pouvoir commander des comportements pratiques : il n'y a pas de foi problématique qui puisse tenir le coup [2] ; les marxistes, les partis de masse et les Églises le savent d'emblée.

Nous sommes marqués par la désillusion de l'*Aufklärung* et du marxisme. Il nous apparaît que les hommes sont mus par la passion de la guerre ou le calcul de leurs intérêts, qu'il y a là peut-être une fatalité mais qu'elle ne mène vers aucune des sociétés idéales annoncées. Il y a peut-être là une occasion de poursuivre un idéal politique, encore faudrait-il se contenter de cet idéal et d'abord en reconnaître l'occasion. Ceux qui ont pris le pli d'attendre la faveur du destin, des occasions non

2. Voici un autre exemple afin d'illustrer l'antériorité d'un parti pris du sens et de l'espérance par rapport à toute rationalité et apologétique. La foi en la résurrection du Christ fonde la foi en sa parole. Parce que le Christ est ressuscité, la promesse du « Royaume de Dieu » n'est pas vaine. Mais ne pourrait-on pas dire le contraire : parce que la promesse du Royaume est pleine de sens, parce que je ne veux pas qu'elle soit vaine, je veux croire que le Christ est ressuscité ? Les deux propositions se contredisent formellement mais s'impliquent du point de vue de leur fonction pratique. Elles fondent l'une comme l'autre l'espérance de justice, la volonté de faire la justice, l'unique sens qui soit pour ceux qui se savent démunis. La religion est un mystère et n'a rien à perdre à le reconnaître. Je ne sais ce que valent ses raisons mais elle peut transfigurer le monde en y décelant de furtives promesses. La douceur de la compagnie des hommes est fragile. La mort mêle heur et malheur dans l'oubli et l'insignifiance. La foi parie contre l'insignifiance et l'oubli parce qu'elle a voulu déceler, et a décelé, dans la perspective ouverte par la Parole, l'ineffable de la compagnie. Le sublime apparaît et investit le visage fragile de l'autre. La justice et le respect, l'équité et l'amitié apparaissent désormais comme vouloir de Dieu. Le sentiment furtif trouve un cadre et une garantie dans la religion, parce qu'il veut reconnaître dans celle-ci une sanction qui le magnifie. Que ce sentiment vienne de l'homme ou de Dieu, que la religion serve la peur ou le courage, que le Christ soit ressuscité ou non, ce sont d'autres questions. Je voudrais seulement ajouter qu'une communauté qui réduit ses mythes à leur fonction pratique et démonte le processus psychologique de ses apodicticités risque de demeurer sans ressort. C'est ce que veulent dire ceux qui favorisent la démythologisation, œuvre purificatrice des religions, mais veulent conserver les « mythes » comme expression irréductible de la tradition de foi. Le parti pris du sens et de l'espérance, pour opérer, doit s'instaurer dans une tradition prestigieuse, dans un horizon hors de question. En tout cas, il semble improbable qu'une communauté puisse vivre selon une foi que l'on sait problématique, à moins d'être possédée par une passion intellectuelle qui scrute le problème et à moins de consentir à un style de vie et à une liturgie qui dramatisent la complexité de la foi et en illustrent l'irréductibilité.

équivoques et des idéaux grandioses qui s'imposeraient d'eux-mêmes, sont consternés par une histoire qui ne répond guère à leur attente. Les uns croient facilement qu'il n'y a plus rien à faire dans cette histoire qui tourne autrement que prévu. D'autres, au contraire, s'aveuglent dans un messianisme de la nation, de la secte, du progrès ou du parti. Dans un cas comme dans l'autre, on démissionne de l'œuvre politique, laborieuse, ambiguë ; on renonce à la perspicacité agissante et il en résulte sans doute une histoire insensée qui confirme les désillusions de ceux qui ne s'aveuglent pas. C'est ainsi qu'on s'installe dans le défaitisme jusqu'au moment où les conditions sociales bouleverseront la vision du monde, entraîneront l'histoire, le sujet et ses sentiments.

L'optimisme des Lumières et la confiance de Marx ou de Walras dans les déterminismes sociaux auraient sans doute étonné un Machiavel, un Thomas More ou un Hobbes bien plus que nous. Mais ils n'étaient pas en chute par rapport à un optimisme antérieur comme nous le sommes. Ils tâchaient de mettre leur raison dans un devenir où leurs pères n'avaient osé voir qu'un mélange de désordre et de dessein du ciel. La différence entre eux et nous, entre nous et les Lumières, porte sur les horizons pratiques plus que sur des constats de fait. Les dispositions à l'intelligence et à l'action politiques reposent sur des généralisations et des humeurs qui s'intègrent dans une conception morale du monde et de l'histoire. Évidemment, quand les constats au sujet de la situation s'accumulent, ils finissent par transformer la conception morale dans l'horizon de laquelle faits et situations sont interprétés à des fins pratiques. Ils la transforment d'autant plus qu'ils la contredisent de front. La paix et la prospérité retrouvées en Angleterre à la fin du XVIIe siècle, et la glorieuse révolution expliquent l'optimisme de Locke après la « prudence » de Hobbes. L'évanescence du prolétariat type ou les échecs de certaines politiques sociales expliquent aussi notre humeur vis-à-vis de l'action politique, après que nos pères eurent tant compté sur la révolution ou le progrès social.

Aujourd'hui, nous sommes impressionnés par les échecs partiels de réformes et de révolutions desquelles on avait, peut-être imprudemment, trop attendu. Nous sommes frappés de la différence entre leurs ambitions grandioses et leurs résultats. Notre humeur est basse parce que nous tombons de haut. Notre désenchantement est fonction non de quelques constats mais de la foi au progrès des mœurs qu'ils ont démenti. Les propos au sujet de l'unidimensionnalité de l'histoire, indépendamment de constats fort justes, expriment bien cette humeur.

*

* *

Je voudrais reprendre ces considérations par un autre bout. L'analyse des structures sociales et des déterminismes historiques peut relancer le projet politique. L'analyse en reconnaît les difficultés et les possibilités. Elle définit la situation où il faut qu'existe le sujet. Elle explore cette situation pour découvrir comment le sujet pourrait y établir ses plans. Mais si l'analyse révèle des structures inexorables et la vanité de l'effort humain, ne ruine-t-elle pas tout espoir d'une pratique politique ? L'idée d'une détermination totale de l'histoire, tout comme celle d'une indétermination totale, est débilitante. Cependant, il faut se demander s'il s'agit d'une idée théorique ou s'il ne s'agit pas plutôt d'une conception pratique, généralisation hâtive d'un point de vue théorique, qui exprimerait davantage une désillusion politique (ou le manque d'utopie motrice) que des faits.

S'il ne s'agit que d'une théorie, elle est précaire. D'abord, comme toute théorie, elle est hypothèse transitoire. De plus, comme théorie sociale, elle a ceci de particulier qu'elle transforme les conditions historiques qu'elle énonce ; du seul fait de les avoir dites, la théorie augmente l'emprise des hommes sur ces conditions. L'intelligence qui ose se rendre compte des impasses de la pratique accule la liberté à se ressaisir ; on a déjà dit que le pessimisme de l'intelligence était en raison inverse de l'optimisme de la volonté. Mais ceci n'est vrai que si la lucidité intellectuelle s'appuie sur une liberté disposée à l'action. Or ce n'est pas nécessairement le cas ; si on a renoncé à influencer l'histoire, l'analyse a une tout autre résonance et la réflexion que je poursuis ici doit paraître d'un autre âge.

Ma réflexion n'a de place que dans la genèse d'un volontarisme qui, pour s'établir, a besoin de mesurer les chances de ses projets et veut trouver dans la perspective de son avenir une justification de ses débuts. C'est dans un contexte analogue que s'inscrivait l'existentialisme. Son verbe tranchait dans la consternation et la démission qui accompagnaient la désillusion de deux après-guerres, la révélation du stalinisme et de l'impérialisme libéral. Quand il avoue la contingence absolue de la liberté, de la culture, de l'histoire, quand il dit leurs articulations réciproques, il affirme la possibilité du sens et dénonce la foi naïve en une raison déjà réalisée, en une complicité du destin et de la liberté, en des valeurs établies, auxquelles il suffirait d'être fidèle et qu'il ne faudrait pas inventer. Par le fait même, les rationalismes précédents apparaissent comme autant de manières d'exister, non exclusives et même non authentiques. Du coup, la chute de l'optimisme peut être ramenée à de plus justes proportions. Il s'agit d'un changement d'humeur et de perspectives, de la fin d'une conception pratique du monde et non de la fin du monde. L'existentialisme peut être conçu comme une résurgence de la volonté et de la raison humanistes qui se redéfinissent après s'être débarrassées d'une mythologie discréditée. Mais cette résurgence correspond-elle aux mouvements de quelques âmes ou est-elle la conscience d'un mouvement social dont les perspectives, les humeurs et les motifs dureront et se propageront assez pour transformer l'histoire ?

Les dispositions à l'action et l'horizon où se déterminent les mouvements sociaux ne dépendent pas d'abord des perspectives que la liberté individuelle a choisi de nourrir pour son propre compte. Elles dépendent surtout des mœurs et des institutions, voulues peut-être par des politiques antérieures, des nécessités et des antagonismes sociaux que personne ne veut mais auxquels personne ne peut échapper. Il y a des circonstances où, collectivement, on ne peut pas ne pas vouloir changer l'histoire. Ce n'est pas encore la nécessité d'un projet politique cohérent et audacieux mais c'est déjà l'occasion d'un tel projet. Il y a d'autres circonstances où aucun changement ne se dessine inéluctable, où les mœurs ne dictent aucune destinée aux hommes. L'initiative politique n'est alors entraînée par aucune attente claire, elle est laissée à elle-même sans puissance et peut-être sans inspiration.

3. LA POSSIBILITÉ DU PROJET POLITIQUE ET LES MOUVEMENTS SOCIAUX

Il ne suffit pas qu'une catastrophe s'annonce dans l'horizon des essayistes pour ébranler la société industrialisée et la conscience qu'elle a d'elle-même. Il faut que la catastrophe l'investisse pour qu'elle consente à se réformer. Mais jusqu'où peut-elle se réformer ? La pression des événements, la protestation menaçante des nécessiteux et le sous-emploi, par exemple, peuvent l'obliger à quelques adaptations. Ainsi a-t-elle imaginé des prestations sociales et des formes d'aide multiples qui maintiennent des ennemis possibles dans sa clientèle. Si la pression devient trop exigeante, il lui faut céder ou écraser ceux qui la pressent.

Si les besoins des démunis, si les rêves de nombreux révoltés qui hantent la néo-bourgeoisie, réussissaient à faire la loi, la justice aurait-elle plus de chance qu'aujourd'hui ? La passion des justiciers s'imposerait-elle une mesure que le calcul de l'intérêt n'eut pas ? Éviterait-elle l'unilatéralité ou la sclérose des idéaux et des institutions révolutionnaires ? Oserait-elle gouverner selon ses intuitions ou se contenterait-elle, faute d'imagination administrative ou de courage, d'un changement de rhétorique ? C'est ici qu'il faut compter sur la vertu et la raison de l'homme politique. À l'occasion d'un bouleversement, alors qu'une inertie finit et que commence un enthousiasme, il dispose d'une puissance d'action et d'une liberté de manœuvre qui lui permettraient de légiférer selon une utopie audacieuse. Alors que l'enthousiasme n'ose encore s'affirmer tant il est encore timoré par les échecs du passé consacrés par les inerties du présent, l'homme politique peut dessiner un avenir neuf que l'on osera enfin désirer une fois qu'il aura été proclamé sous les apparences d'un programme de gouvernement. Il lui faut guetter toutes les occasions favorables, les préparer avec prudence, agir avec détermination. Si l'occasion et le grand homme se rencontrent, ils se fécondent l'un l'autre, mais s'ils ne se rencontrent pas, il n'y a, pour l'histoire, ni occasion ni grand homme. Celui-ci n'est ni chacun, ni un héros solitaire. Il se révèle chez tous ceux qui se laissent porter et informer par les événements, en décèlent les virtualités et, à partir de là, s'en tiennent à un programme d'action viable et concerté qui en mobilise un grand nombre.

L'innovation politique doit tenir compte de la réalité sociale, complexe et immense. Elle doit passer par l'intermédiaire de lois et d'institutions qui ne peuvent coïncider avec le désir et les vues de chacun. Il lui faut, pour enrayer le désordre, poser les problèmes à résoudre, clarifier les enjeux, mobiliser les dévouements civiques et intégrer de multiples initiatives, tracer publiquement des lignes d'actions et élaborer des plans ; mais en fin de compte, il lui faut imposer un plan. Or bien des contemporains ont été brimés dans leur intelligence et leurs initiatives par des institutions et des plans qui pourtant paraissaient prometteurs. Ils consentent difficilement à la discipline d'une politique précise ; ils préfèrent une révolte sans mesure. La pratique et l'intelligence politiques sont difficiles parce qu'il leur faut chercher, pour être efficaces, la complicité des révoltes spontanées et, d'autre part, organiser ces révoltes, mesurer ce qui veut être exaltation. Comment maintenir ouvertes avec prudence plusieurs possibilités d'avenir, alors que les hommes ne se sont résolus au changement qu'en se précipitant dans une passion unilatérale et irrationnelle, fût-elle d'inspiration libertaire ?

Les dispositions affectives qui déterminent l'histoire sont plutôt la torpeur ou la passion forcenée des foules, la ruse et la force d'âme des hommes politiques. Les foules ont besoin de certitudes morales et les trouvent à bon compte, soit dans l'immobilisme des traditions, soit dans le rêve d'utopies totalitaires. En tout cas, on les y a habituées. Il faut beaucoup de génie aux hommes politiques pour tirer un sens de ces éléments, ne pas se laisser fasciner par les moyens de leur puissance, ne pas se laisser emporter par les enthousiasmes et les inerties de tous, mais en appeler à l'initiative de chacun.

J'attends des hommes politiques qu'ils soient ni plus ni moins que l'irruption de la liberté raisonnable dans l'histoire, qu'ils distinguent dans un mouvement déjà à l'œuvre et qui les a portés, le parti que la raison pourrait en tirer en lui conférant un « supplément d'âme », qu'ils orchestrent ou suscitent les forces qui favoriseraient ou porteraient ce supplément et ouvriraient davantage l'avenir. C'est peut-être trop compter sur les hommes politiques, sur une raison et une liberté qui, par métier, sont aux prises avec de multiples contrariétés, tentées par l'arbitraire ou les expédients selon qu'elles sont assurées du pouvoir ou ne songent qu'à le préserver.

S'il y a un critère de la bonne politique, c'est le consentement des libertés (et non des lâchetés) dont elle restaure la condition. La tradition morale des sujets est la seule instance qui, en pratique, permette d'apprécier et d'inspirer le prince, la seule instance qui, en pensée sinon en fait, permette d'élire le meilleur. Selon sa tradition, le citoyen que je suis, dit : le bon gouvernement porte le souci des cadres sociaux et des institutions futures dans lesquels tous pourront continuer la tradition et l'inspiration des bons exemples d'une liberté raisonnable ; le bon gouvernement dessine, dans la paix qu'il établit, des perspectives qui donnent à chacun le goût de poursuivre ses projets dans le respect des autres, de telle sorte que les initiatives de chacun prennent le pli de la concorde et renforcent la paix plutôt que de la menacer.

J'ai parlé du cercle dans lequel s'impliquent réciproquement l'espérance d'un sens à venir et la stratégie qui le programme ; ce cercle va de soi lorsque l'espérance suffit à fonder une action intelligente et que celle-ci poursuit des projets qui, par leurs promesses, suffisent à justifier l'espérance. L'œuvre politique et les promesses qu'elle entretient, sur la foi desquelles il lui est possible de persévérer et de rassembler consentements et initiatives, ne sont pas seulement une expression particulière du cercle volontariste. Elles peuvent en être le secteur le plus important.

En catalysant des ressentiments et des attentes dont elle a sans doute vécu, en les transformant en objectifs, en traçant des voies pour la communauté, la conscience politique peut inviter à une action qui instaurerait, de façon durable, des institutions et des habitudes sociales où chacun oserait espérer en l'avenir et compter sur tous pour oser davantage encore. La conscience politique, bien sûr, fait partie des mœurs et comme celles-ci, elle fut portée par une histoire dont elle n'a guère pu décider ; mais si elle se révèle consciente de la nécessité, consciente d'un avenir de la liberté qui se dessinerait dans la nécessité, elle a quelque chance de commander aux mœurs et à l'histoire, et d'entretenir des espérances réalistes. Pour en arriver là, il a sans doute fallu que la nécessité ait favorisé la conscience politique ; mais pour ne pas régresser dans l'impuissance et pour continuer à porter le souci éthique, il faut que la conscience veuille demeurer fidèle à une certaine tradition de la liberté raisonnable et à une certaine force d'âme.

Cette tradition et cette force sont fragiles parce que les inerties sociales, les intérêts particuliers et les procédés politiques risquent toujours de les submerger, parce qu'elles correspondent à des dispositions et à une espérance qu'elles ne commandent pas absolument et qui ne dureront pas nécessairement. Elles apparurent à la Renaissance ; elles durent encore mais si elles perdent le sens de la mesure et s'enthousiasment pour des plans impossibles, elles s'exposent à des désillusions irrémédiables et à des bouleversements où elles seraient emportées.

Bibliographie

Pour chacun des chapitres ou groupes de chapitres apparentés, j'indique ci-dessous les livres et les articles auxquels je suis le plus redevable. Chaque titre n'apparaît qu'une fois; s'il a été utilisé dans plusieurs chapitres, il apparaîtra là où il a été le plus employé. Quant aux références au bas des pages, elles concernent un argument précis emprunté soit à un ouvrage qui a sa place ci-dessous, soit à un ouvrage auquel je n'ai fait qu'un emprunt occasionnel.

CHAPITRE PREMIER

ARENDT, HANNAH, *Essai sur la révolution,* Paris, Gallimard, 1967.

ALTHUSSER, L. et E. BALIBAR, *Lire le Capital,* 2e éd., Paris, F. Maspero, 1970.

ARISTOTE, *Éthique à Nicomaque,* présenté et traduit par Jean Voilquin, Paris, Garnier, 1950.

—, *la Politique,* présenté par Marcel Prélot, Paris, P.U.F., 1950.

BALANDIER, GEORGES, *Sociologie actuelle de l'Afrique noire,* 2e éd., Paris, P.U.F., 1963.

BERDIAEV, NICOLAS, *les Sources et le sens du communisme russe,* Paris, Gallimard, « Idées », 1951.

BERGSON, HENRI, *les Deux Sources de la morale et de la religion,* Paris, P.U.F., 1932.

BERLIN, ISAIAH, *Two Concepts of Liberty,* Oxford University Press, 1963.

CAILLOIS, ROGER, *Instincts et société,* Paris, Gonthier, 1964.

COHN, NORMAN, *les Fanatiques de l'Apocalypse. Courants millénaristes révolutionnaires du XIe au XVIe siècle avec une postface sur le XXe siècle,* Paris, Julliard, 1962.

COX, HARVEY, *la Cité séculière,* Tournai, Casterman, 1968.

DE BEAUVOIR, SIMONE, *Pour une morale de l'ambiguïté,* Paris, Gallimard, 1947.

DE LACHARRIÈRE, RENÉ, « Rousseau et le socialisme », *in Études sur le Contrat social de J.-J. Rousseau,* Actes des journées d'étude tenues à Dijon les 3, 4, 5, 6 mai 1962, Paris, Société les Belles Lettres, 1964.

Démythisation et morale, Paris, Aubier-Montaigne, 1965.

DEUTSCHER, ISAAC, *The Unfinished Revolution, Russia 1917-1967,* Londres, Oxford University Press, 1967.

ÉLIADE, MIRCEA, *le Sacré et le profane,* Paris, Gallimard, « Idées », 1965.

ELLUL, JACQUES, *Métamorphose du bourgeois,* Paris, Calmann-Lévy, 1967.

ÉTIENNE, JACQUES, « Éléments pour une morale platonicienne fondamentale », *Revue philosophique de Louvain,* novembre 1963.

FROMM, ERICH, *la Peur de la liberté,* Paris, Buchet-Chastel, 1963.

—, *Société aliénée et société saine,* Paris, Le Courrier du livre, 1966.

HÉGEL, C. W. F., *l'Esprit du christianisme et son destin,* Paris, Vrin, 1948.

HICKEY, D. M., « Argument philosophique pour un gouvernement mondial », *Justice dans le monde,* Louvain, décembre 1964.

HOBBES, THOMAS, *Leviathan or the Matter, Form and Power of a Commonwealth Ecclesiasticale and Civil,* Oxford, Basil Blackwell, 1957.

HUIZINGA, *le Déclin du Moyen-Âge,* Paris, Payot, 1967.

HUXLEY, ALDOUS, *le Meilleur des mondes,* Paris, Plon, 1933.

International Fascism. 1920-1945, Journal of Contemporary History, Londres, 1966, nº 1.

JASPERS, KARL, *les Grands Philosophes. Kant,* Paris, Plon, 1967.

KANT, EMMANUEL, *Critique du jugement,* Paris, Vrin, 1951.

—, *Fondement de la métaphysique des mœurs,* Paris, Hatier, 1954.

—, *la Philosophie de l'histoire (opuscules),* Paris, Aubier, 1947.

—, *Projet de paix perpétuelle. Esquisse philosophique — 1795,* Paris, Vrin, 1947.

KNOX, R. A., *Enthusiasm. A Chapter in the History of Religion with Special Reference to the XVII and XVIII Centuries,* Oxford, Clarendon Press, 1950.

LA BARRE, WESTON, « Materials for a History of Crisis Cult : A Bibliographic Essay », *Current Anthropology,* Chicago, février 1971.

LACROIX, JEAN, *Histoire et mystère,* Tournai, Casterman, 1962.

LADRIÈRE, JEAN, « Les droits de l'homme et l'historicité », *Justice dans le monde,* Louvain, décembre 1968.

—, « Histoire et destinée », *Revue philosophique de Louvain,* février 1960.

—, « Le volontaire et l'histoire (du καιρος comme lieu historique de la volonté) », *in Qu'est-ce que vouloir ?,* Paris, Éditions du Cerf, 1958.

LANTERNARI, VITTORIO, *les Mouvements religieux des peuples opprimés,* Paris, F. Maspero, 1962.

LÉONARD, E. G., *Histoire générale du protestantisme,* première partie : *la Réformation,* Paris, P.U.F., 1961.

LÉVI-STRAUSS, CLAUDE, *la Pensée sauvage,* Paris, Plon, 1962.

LÉVINAS, EMMANUEL, *Totalité et infini. Essai sur l'extériorité,* La Haye, Martinus Nijhoff, 1961.

LINDSAY, A. D., *The New Democratic State,* Oxford University Press, 1943.

LUKACS, GEORG, *Existentialisme ou marxisme,* Paris, Nagel, 1961.

—, *Histoire et conscience de classe. Essai sur la dialectique marxiste,* Paris, Les Éditions de Minuit, 1960.

MACHIAVEL, NICOLAS, *le Prince, in Œuvres complètes,* Paris, Gallimard, « Bibliothèque de la Pléiade », 1952.

MALINOWSKI, BRONISLAW, *Une théorie scientifique de la culture,* Paris, F. Maspero, 1968.

MANNHEIM, KARL, *Idéologie et utopie,* Paris, Librairie Marcel Rivière et Cie, 1956.

MARCUSE, HERBERT, *l'Homme unidimensionnel,* Paris, Les Éditions de Minuit, 1968.

MARX, KARL, *Capital. A Critical Analysis of Capitalist Production,* Moscou, Publication en langue étrangère, 1961.

—, *Critique des fondements de l'économie politique,* Paris, Anthropos, 1970.

MCLELLAND, DAVID, *Marx's Grundrisse,* Londres, Macmillan, 1971.

MERLEAU-PONTY, MAURICE, *Sens et non-sens.* Paris, Nagel, 1948.

MILL, JOHN STUART, *la Liberté,* 3e éd., Paris, Guillaumin, 1877.

MOLLAT, M. et P. WOLFF, *Ongles bleus, Jacques et Ciompi. Les révolutions populaires en Europe aux XIVe et XVe siècles,* Paris, Calmann-Lévy, 1970.

MONNEROT, JULES, *Sociologie de la révolution. Mythologies, politiques du XXe siècle. Marxistes, léninistes et fascistes. La nouvelle stratégie révolutionnaire,* Paris, Fayard, 1970.

MORIN, EDGAR, *Introduction à une politique de l'homme,* Paris, Éditions du Seuil, 1965.

MOSCA, G. et G. BOUTHOUL, *Histoire des doctrines politiques,* Paris, Payot, 1955.

MÜHLMANN, WILHEM E., *Messianismes révolutionnaires du Tiers Monde,* Paris, Gallimard, 1968.

NABERT, JEAN, « Avertissement », *in* Kant, *la Philosophie de l'histoire (opuscules),* Paris, Aubier-Montaigne, 1947.

—, *Éléments pour une éthique,* Paris, Aubier-Montaigne, 1962.

NOWELL-SMITH, *Ethics,* Londres, Penguin Book, 1954.

PARKINSON, C. NORTHCOTE, *l'Évolution de la pensée politique,* Paris, Gallimard, « Idées », 1964 et 1965.

PEREIRA DE QUEIROS, MARIA ISAURA, *Réforme et révolution dans les sociétés traditionnelles. Histoire et ethnologie des mouvements messianiques,* Paris, Anthropos, 1968.

—, « On Materials for a History of Studies of Crisis Cult », *Current Anthropology,* Chicago, juin 1971.

PERELMAN, CHAÏM, *Justice et raison,* Bruxelles, Presses Universitaires de Bruxelles, 1963.

PERELMAN, CHAÏM, « The New Rhetoric : A Theory of Practical Reasoning », *in The Great Ideas Today 1970,* Chicago, Encyclopaedia Britannica, 1970.

PIRENNE, HENRI, *Histoire de l'Europe,* Bruxelles, Nouvelle société d'édition, 1936.

PLATON, *la République, in Œuvres complètes,* présentées par Léon Robin, Paris, Gallimard, « Bibliothèque de la Pléiade », 1950.

RIESMAN, DAVID, *la Foule solitaire. Anatomie de la société moderne,* Paris, Arthaud, 1964.

ROPKE, WILHELM, *Au-delà de l'offre et de la demande. Vers une économie humaine,* Paris, Payot, 1961.

RUYSSEN, THÉODORE, « La philosophie de l'histoire selon Kant », *in la Philosophie politique de Kant,* Paris, P.U.F., 1962.

ROUSSEAU, JEAN-JACQUES, *le Contrat social, in Œuvres complètes,* Paris, Gallimard, « Bibliothèque de la Pléiade », 1961.

SARTRE, JEAN-PAUL, *Critique de la raison dialectique,* Paris, Gallimard, 1960.

SARTRE, GARAUDY, ORCEL, HYPPOLITE et VIGIER, *Marxisme et existentialisme. Controverse sur la dialectique,* Paris, Plon, 1962.

SEBAG, LUCIEN, *Marxisme et structuralisme,* Paris, Payot, 1964.

SERVIER, JEAN, *Histoire de l'utopie,* Paris, Gallimard, « Idées », 1967.

TAYLOR, CHARLES, « The Agony of Economic Men », *The Canadian Forum,* Toronto, avril-mai 1971.

TOFFLER, ALVIN, *le Choc du futur,* Paris, Denoël, 1971.

TRUDEAU, PIERRE ELIOTT, « La province de Québec au moment de la grève », *in la Grève de l'amiante,* ouvrage publié en collaboration sous la direction de P. E. Trudeau, Montréal, Cité libre, 1956.

VAN DER LEEUW, *la Religion dans son essence et dans ses manifestations,* Paris, Payot, 1955.

VLACHOS, GEORGES, *la Pensée politique de Kant,* Paris, P.U.F., 1962.

WEBER, MAX, *l'Éthique protestante et l'esprit du capitalisme,* Paris, Plon, 1964.

—, *le Savant et le politique,* Paris, Plon, 1959.

—, « La morale économique des grandes religions », *Archives de sociologie des religions,* Paris, n° 9.

WEIL, ÉRIC, *Problèmes kantiens,* Paris, Vrin, 1963.

—, *Philosophie morale,* Paris, Vrin, 1961.

—, *Philosophie politique,* Paris, Vrin, 1956.

—, « Kant et le problème de la politique », *in la Philosophie politique de Kant,* Paris, P.U.F., 1962.

CHAPITRE II

« Axiologie et sciences de l'homme », *Cahiers I.S.E.A.,* Genève, Librairie Droz, décembre 1970.

BARRE, RAYMOND, *Économie politique,* Paris, P.U.F., 1964.

DUPRIEZ, LÉON H., *Philosophie des conjonctures économiques,* Louvain, Paris, Nauwelaerts, 1959.

FYOT, JEAN-LOUIS, *Dimension de l'homme et science économique,* Paris, P.U.F., 1952.

GIDE, CHARLES et CHARLES RIST, *Histoire des doctrines économiques depuis les physiocrates jusqu'à nos jours,* 6e éd., Paris, Sirey, 1944.

GRANGER, GILLES GASTON, *Pensée formelle et science de l'homme,* Paris, Aubier-Montaigne, 1967.

KOOPMANS, T. C., *Trois essais sur la science économique contemporaine,* Paris, Dunod, 1970.

LEKACHMAN, ROBERT, *Histoire des doctrines économiques de l'antiquité à nos jours,* Paris, Payot, 1960.

MARCHAL, ANDRÉ, *Systèmes et structures économiques,* Paris, P.U.F., 1959.

MERLEAU-PONTY, MAURICE, *les Sciences de l'homme et la phénoménologie* (cours polycopié), Paris, Centre de documentation universitaire, 1961.

MILL, JOHN STUART, *Principes d'économie politique avec quelques-unes de leurs applications à l'économie sociale,* 3e éd., revue sur la 7e éd. anglaise, Paris, Guillaumin, 1873.

NOWICKI, A., *l'Économie « généralisée » et la pensée actuelle d'Oskar Lange, Cahier de l'Institut de science économique appliquée,* Paris, juin 1961.

PERROUX, FRANÇOIS, *Économie et société. Contraire, échange, don,* Paris, P.U.F., 1960.

PIROU, GAËTAN, *les Théories de l'équilibre économique ; L. Walras et V. Pareto,* 2e éd., Paris, Éditions Domat-Montchrestien, 1938.

SCHUMPETER, JOSEPH A., *History of Economic Analysis,* Oxford University Press, 1954.

—, *Ten Great Economists from Marx to Keynes,* Oxford University Press, 1951.

SIMEY, T. S., *Social Science and Social Purpose,* Londres, Constable, 1968.

VUARIDEL, ROGER, *la Demande des consommateurs. Épistémologie et règles du choix économique,* Paris, Librairie Armand Colin, 1958.

WALRAS, LÉON, *Éléments d'économie politique pure ou théorie de la richesse sociale,* éd. définitive, Lausanne, Pichon et Durand-Auzias, 1926.

CHAPITRES III et IV

BAIROCH, PAUL, *Révolution industrielle et sous-développement,* Paris, Sedes, 1963.

BARTOLI, HENRI, « La rationalité des décisions de politique économique et la crise du pouvoir dans les sociétés capitalistes indutrielles », *Économie appliquée,* Paris, no 1 et 2, 1962.

—, *Science économique et travail,* Paris, Dalloz, 1957.

CHIRPAZ, F., « Aliénation et utopie », *Esprit,* Paris, janvier 1969.

CONSEIL ÉCONOMIQUE DU CANADA, *Huitième exposé annuel. L'État et la prise des décisions,* Ottawa, Imprimeur de la Reine, 1971.

COX, HARVEY, *The Feast of Fools. A Theological Essay on Festivity and Fantasy,* New York, Harper and Row, 1970.

DE LA BOÉTIE, ÉTIENNE, *Discours de la servitude volontaire,* Paris, Librairie Armand Colin, « Bibliothèque de Cluny », 1963.

DUVERGER, MAURICE, *Introduction à la politique,* Paris, Gallimard, « Idées », 1964.

ELLUL, JACQUES, *l'Illusion politique,* Paris, Robert Laffont, 1965.

FREUND, JULIEN, *Qu'est-ce que la politique ?,* Paris, Le Seuil, 1967.

GUITTON, HENRY, *l'Objet de l'économie politique,* Paris, Marcel Rivière, 1957.

LITTLE, I. M. D., *A Critique of Welfare Economics,* Oxford, Clarendon Press, 1950.

MASSE, PIERRE, *le Plan ou l'anti-hasard,* Paris, Gallimard, « Idées », 1965.

MENDÈS-FRANCE, PIERRE, *la République moderne,* Paris, Gallimard, « Idées », 1962.

MOORE, WILBERT E., *Economy and Society,* New York, Random House, 1962.

MORE, THOMAS, *l'Utopie,* Paris, Nouvel office d'édition, 1965.

OULES, FIRMIN, *l'École de Lausanne,* Paris, Dalloz, 1950.

PARSONS, TALCOTT, *The Structure of Social Action,* Glencoe (Ill.), The Free Press, 1949.

PARSONS, TALCOTT et NEIL J., SMELSER, *Economy and Society. A Study in the Integration of Economic and Social Theory,* Glencoe (Ill.), The Free Press, 1956.

POLIN, R., *Éthique et politique,* Paris, Éditions Sirey, 1968.

POULANTZAS, NICOLAS, *Pouvoir politique et classes sociales,* Paris, F. Maspero, 1971.

REYNAUD, PIERRE-LOUIS, *la Psychologie économique,* Paris, P.U.F., 1966.

RICŒUR, PAUL, « Prévision économique et choix éthique », *in Histoire et vérité,* 3e éd., Paris, Éditions du Seuil, 1965.

ROBINS, LIONEL, *Essai sur la nature et la signification de la science économique,* Paris, Librairie de Médicis, 1947.

SCHUMPETER, JOSEPH A., *Capitalisme, socialisme et démocratie,* Paris, Payot, 1961.

TROTSKY, LÉON, *Histoire de la Révolution russe,* Paris, Éditions du Seuil, 1960.

CHAPITRES V et VI

ARGHIRI, EMMANUEL, *l'Échange inégal,* Paris, F. Maspero, 1969.

ARRAES, MIGUEL, *le Brésil, le pouvoir et le peuple,* Paris, F. Maspero, 1969.

BARAN, PAUL A. et PAUL M. SWEEZY, *le Capitalisme monopoliste,* Paris, F. Maspero, 1968.

BETTELHEIM, CHARLES, *Planification et croissance accélérée,* Paris, F. Maspero, « Petite collection F. Maspero », 1967.

BOSCH, JUAN, *le Pentagonisme,* Paris, Éditions du Seuil, 1969.

BRUCLAIN, CLAUDE, *le Socialisme et l'Europe,* Paris, Éditions du Seuil, « Club Jean Moulin », 1965.

CHAIGNE, H., « Herbert Marcuse. Critique de la société industrielle », *Frères du monde,* Bordeaux, juin 1968.

CROZIER, MICHEL, *le Phénomène bureaucratique,* Paris, Éditions du Seuil, 1963.

CIPOLLA, CARLO M., *Histoire économique de la population mondiale,* Paris, Gallimard, « Idées », 1965.

« Colonialism and Decolonisation », *Journal of Contemporary History,* Londres, n° 1, 1969.

DOBB, MAURICE, *Studies in the Development of Capitalism,* Londres, Routledge and Kegan Paul Ltd., 1962.

DRUCKER, P. F., *The Concept of the Corporation,* Toronto, The New American Library of Canada Ltd., 1964.

DUMONT, RENÉ et MARCEL MAZOYER, *Développement et socialisme,* Paris, Éditions du Seuil, 1969.

EHRLICH, PAUL, *The Population Bomb,* New York, Ballantine, 1968.

FANON, FRANZ, *les Damnés de la terre,* Paris, F. Maspero, 1961.

FOURASTIÉ, JEAN, *le Grand Espoir du XXe siècle,* Paris, P.U.F., 1958.

FURTADO, CELSO, « La concentration du pouvoir économique aux États-Unis et ses projections en Amérique latine », *Esprit,* Paris, avril 1969.

GALBRAITH, J. K., *le Nouvel État industriel,* Paris, Gallimard, 1968.

—, *l'Ère de l'opulence,* Paris, Calmann-Lévy, 1961.

GODELIER, MAURICE, *Rationalité et irrationalité en économie,* Paris, F. Maspero, 1968.

HAMON, LÉO (entretiens de Dijon publiés sous la direction de), *le Rôle extra-militaire de l'armée dans le Tiers Monde,* Paris, P.U.F., 1966.

HIGGINS, BENJAMIN et JEAN HIGGINS, *Canada's Trade Policy in the Second Development Decade,* Montréal, Canadian Economic Policy Committee, 1970.

JALÉE, PIERRE, *l'Impérialisme en 1970,* Paris, F. Maspero, 1969.

JOHNSON, HARRY G., « The Multinational Corporation as a Development Agent », *Columbia Journal of World Business,* Washington, mai-juin 1970.

JULIEN, CLAUDE, *l'Empire américain,* Paris, Bernard Grasset, 1968.

KIDRON, MICHAEL, *le Capitalisme occidental depuis la guerre,* Paris, Stock, 1969.

« La firme plurinationale », *l'Actualité économique,* Montréal, janvier-mars 1971.

LÉNINE, V. I., *l'Impérialisme, stade suprême du capitalisme,* Paris, Éditions sociales, 1945.

LEVITT, KARI, *Silent Surrender. The Multinational Corporation in Canada,* Toronto, Macmillan, 1970.

MAGDOFF, HARRY, *The Age of Imperialism. The Economics of U. S. Foreign Policy,* New York, Éditions du Monthly Review, 1969.

MANDEL, ERNEST, *la Réponse socialiste au défi américain,* Paris, F. Maspero, 1970.

MENDE, TIBOR, *De l'aide à la recolonisation. Les leçons d'un échec,* Paris, Éditions du Seuil, 1972.

MYRDAL, GUNNAR, *Planifier pour développer. De l'État-providence au monde-providence,* Paris, Les Éditions ouvrières, 1963.

—, *Une économie internationale,* Paris, P.U.F., 1958.

PEARSON, LESTER B. (rapport de la Commission du développement international, O. N. U., rédigé sous la direction de), *Vers une action commune pour le développement du Tiers Monde. Le rapport Pearson,* Paris, Éditions Denoël, 1970.

PERROUX, FRANÇOIS, *l'Économie du XXe siècle,* 2e éd. augmentée, Paris, P.U.F., 1964.

PESTIEAU, CAROLINE, « Non-Tariff Barriers and the Need for Manufactured-Goods Exports from the Developping Countries », *in Non-Tariff Barriers as a Problem in International Development,* Montréal, Canadian Economic Policy Committee, 1972.

PORTER, JOHN, *The Vertical Mosaic. An Analysis of Social Class and Power in Canada,* Toronto, University of Toronto Press, 1965.

REICH, CHARLES A., *The Greening of America,* New York, Random House, 1970.

ROSTOV, W. W., *les Étapes de la croissance économique,* Paris, Éditions du Seuil, 1963.

ROUSTANG, J. (études coordonnées par), *la Seconde Société industrielle,* Paris, Les Éditions ouvrières, 1967.

SCHONFIELD, ANDREW, *Modern Capitalism. The Changing Balance of Public and Private Power,* Londres, Oxford University Press, 1965. [*Le Capitalisme d'aujourd'hui,* Paris, Gallimard, 1967.]

SCHUMPETER, JOSEPH A., *The Theory of Economic Development,* Oxford University Press, « Galaxy Book», 1961.

SERVAN-SCHREIBER, JEAN-JACQUES, *le Défi américain,* Paris, Denoël, 1967.

TOURAINE, ALAIN, *la Société post-industrielle,* Paris, Denoël, 1969.

THOMPSON, VICTOR A., *Comportement bureaucratique et organisation moderne,* Paris, Éditions Hommes et Techniques, 1966.

VERNON, RAYMOND, « The Multi-National Corporation », *Dialogue,* no 1, Washington, U. S. Information Agency, 1970.

YOUNG, MICHAEL, *The Rise of the Meritocracy. 1870-2033. An Essay on Education and Equality,* Londres, Penguin Books, 1961.

Index

La liste qui suit comprend surtout des substantifs mais ceux-ci réfèrent aussi aux adjectifs et verbes qui en dérivent et qui, dans le contexte, évoquent la même idée.

Table des matières

CHAPITRE III

CHAPITRE IV

L'ÉTHIQUE ET L'AUTONOMIE DES FINS MÉDIATES

CHAPITRE V

Achevé d'imprimer à Montréal
le 26 février 1973
sur papier Offset de Rolland
par Thérien Frères (1960) Limitée